D0834144

Die Nackten

Iva Procházková
geboren 1953 in Tschechien, kam 1986 für zehn Jahre mit ihrer Familie nach Deutschland. Seit vielen Jahren schreibt sie für Kinder und Jugendliche, wurde mit dem Deutschen Jugendliteraturpreis ausgezeichnet und 1997 für die Hans-Christian-Andersen-Medaille nominiert.
Für ihren zuletzt erschienenen Jugendroman »Wir treffen uns wenn alle weg sind« (Sauerländer 2007) erhielt sie den Friedrich-Gerstäcker-Preis sowie den Evangelischen Buchpreis 2008.

Iva Procházková

Die Nackten

Roman

Sauerländer

Die Deutsche Nationalbibliothek verzeichnet diese Publikation in der Deutschen Nationalbibliografie; detaillierte bibliografische Daten sind im Internet über http://dnb.d-nb.de abrufbar.

3. Auflage 2009
© 2008 Patmos Verlag GmbH & Co. KG
Sauerländer Verlag, Düsseldorf
Alle Rechte vorbehalten.
Mitarbeit an der deutschen Fassung: Anna Pokorny
Umschlagfoto: Harry Vorsteher/Corbis
Umschlaggestaltung: h. o. pinxit, CH-Basel
Printed in Germany
ISBN 978-3-7941-8081-3
www.sauerlaender.de

»Sie ist nackt durch das Dorf gelaufen.«
»Über die Wiese.«
»Ich habe hier den Polizeibericht vorliegen. Es steht drin: durch das Dorf.«
»Verzeihen Sie, Herr Profus, da liegt eine Verwechslung vor. Die haben sie über die Wiese gehen sehen, als sie ihr die Klamotten gestohlen haben.«
»Die Polizisten haben ihr die Klamotten gestohlen?«
»Das würde ich nicht wagen zu behaupten. Es war eher irgendein Spaßvogel aus der Gegend, jemand, der ihre Gewohnheiten kennt.«
»Und da wären wir bei der Sache, Herr Rohan! Die Gewohnheiten Ihrer Tochter sind, mild ausgedrückt, befremdlich.«
»Sie haben recht, manche finden sie befremdlich.«
»Sie nicht?«
»Ich finde nur befremdlich, was ich nicht verstehe. Meine Tochter verstehe ich sehr gut.«
»Wenn Sie Ihre Tochter so gut verstehen, dann erklären Sie mir, warum sie nicht in die Schule geht. Im ersten Halbjahr hat sie 255 Fehlstunden.«
»Entschuldigte Fehlstunden, Herr Profus.«
»Sie müssen mich nicht daran erinnern. Ich weiß, dass Sie sie entschuldigt haben. Aber warum? Warum dulden Sie ihre Schulschwänzerei?«
»Hat sie Probleme mit Noten?«
»Sie ist Klassenbeste, trotz ständiger Abwesenheit.«
»Wahrscheinlich langweilt sie sich in der Schule. Deshalb geht sie nicht hin.«
»Wir haben ihr vorgeschlagen, ein Jahr zu überspringen – sie hat abgelehnt.«
»Sie hat mir gesagt, sie sieht darin keinen Sinn.«

»Ich wiederum sehe keinen Sinn darin, ihre Begabung brachliegen zu lassen. Suchen Sie eine Schule für Hochbegabte. Das wird sie motivieren. Sie wird Spaß am Lernen finden, Sie werden sehen.«
»Ich werde mit ihr darüber reden.«
»Und sorgen Sie dafür, dass sie regelmäßig in die Schule geht, Herr Rohan. Sie können mir nicht schreiben, dass Ihre Tochter mit Grippe im Bett liegt, wenn die halbe Lehrerschaft sie in der Elbe schwimmen gesehen hat! Auch wenn ich persönlich wegschauen wollte, könnte ich es nicht. Ich muss Konsequenzen ziehen.«
»Darf ich fragen, welche?«
»Ich werde ihr schlechtere Kopfnoten geben. Im Falle, dass keine Besserung eintritt, wird sie mit aller Wahrscheinlichkeit am Ende des Schuljahres von unserer Schule ausgeschlossen. Wir sind ein Gymnasium, kein Taubenschlag.«

Die Abenddämmerung ist der Nacht gewichen, die sich langsam auf die Landschaft senkt und alles in Dunkelheit hüllt. Der Mond ist untergegangen, am Himmel kann man das Sternbild des Schwans erkennen. Sylva sieht es jedes Mal, im Hintergrund der Milchstraße, wenn sie in den Himmel schaut.
Wassertropfen auf den Wimpern verwandeln die hellsten Sterne des Sommerdreiecks[1] in tanzende Pinselstriche eines van Goghschen Gemäldes. Die Nacht ist voller vibrierender Farben.
Der Fluss hat es nicht eilig. Er gleitet benommen zwischen den flachen Ufern, ohne jede Dringlichkeit. Seine Frühjahrsgier ist längst vorbei. Auch Sylva hastet nirgendwohin. Sie genießt jeden Zug. Wer weiß, wann sie wieder die Gelegenheit bekommt. Sie durchschneidet die Wasseroberfläche mit sicheren Armbewegungen, die viel größeren Widerstand gewohnt sind, und genießt die vertraute Anhänglichkeit des Wassers. Im Mai hat sie mit dem

1 Sternenkonstellation am nördlichen Sternenhimmel. Die Formation besteht aus drei Sternen: Wega, Deneb, Altair.

Fluss noch gekämpft, jetzt müssen sie sich nichts mehr beweisen. Die Hitze erlaubt es nicht. Unerbittlich saugt sie Energie ab, verdrängt das Leben in die Stand-by-Position.
Schon ist sie am Steinbruch angekommen. Die Steinmasse ist immer noch nicht ausgekühlt. Vom Ostufer her erreicht sie ein Geruch von Basaltgestein. Er ist so intensiv, dass er sogar das Schlammaroma überdeckt. Sylva atmet tief ein. Der Sommer ist ein glühender Basalt.
»Ziehst du?«
»Ich geb's auf, die beißen nicht mehr an!«
Die Angler reden leise, ihre Stimmen werden trotzdem deutlich über die Wasseroberfläche getragen. In der Dunkelheit geht ein Dynamolicht an. Es huscht über das Ufergebüsch und entfernt sich auf dem Fahrradweg. Das Quietschen der nicht geölten Gangschaltung versinkt langsam in der nächtlichen Stille. Sylva versucht, die Zeit abzuschätzen: elf, halb zwölf. Ihre Mutter raucht wohl um diese Zeit ihre dritte Zigarette. Für heute die letzte. Sie erledigt den letzten Anruf, schickt die letzte E-Mail ab. Bald setzt sie sich ins Auto und fährt los. Wenn sie nicht aufgehalten wird, ist sie noch vor Morgengrauen da. Sylva ist entschlossen, ihre Ankunft draußen abzuwarten. Sie steht am Rande des Waldes, unterhalb des Sichelfels. Die Straße kann man von hier aus der Vogelperspektive beobachten, der Motor des bergauf fahrenden Autos ist von Weitem zu hören. Bevor ihre Mutter das Haus erreicht, schafft es Sylva, in das Dorf hinunterzulaufen. Unzählige Male hat sie es schon so gemacht. Sie will die ersten Augenblicke von Mutters Anwesenheit nicht verpassen. Es geht nicht nur darum, sie aus dem Auto steigen zu sehen, es geht darum, sich die Begebenheit auch mit anderen Sinnen anzueignen. Sylva ruft sich die verschiedenen Geräusche in Erinnerung. Zuerst die zuschlagende Autotür, dann Mutters Schritte auf dem Kiesweg und schließlich Vaters tiefe Stimme, die aus dem Zimmer hinausfliegt, bevor seine Silhouette im offenen Fenster erscheint.
»Wie war die Fahrt?«, lautet die unveränderte Begrüßungsfrage.

Mutters Antworten sind variabler, aber die Zeremonie der Umarmung ist seit Jahren dieselbe. Vaters Hände legen sich genau in die Kuhle über Mutters Hüften. Sylva hat schon oft gedacht, dass die Kuhle durch das Handauflegen entstanden ist, so wie der Fluss sich seine Buchten in die Landschaft gräbt. »Bist du nicht zu schnell gefahren?«
Mutter ist Schütze. Sylva hat von ihr einen hervorragenden Orientierungssinn geerbt, aber bei Weitem nicht ihre Sucht nach Geschwindigkeit. Berlin – Aussig in hundertvierzig Minuten. Nachtfahrten, die an den Überflug einer Libelle erinnern. Hat eine Libelle das Bedürfnis, ihren Adrenalinspiegel zu erhöhen? Gehört zu ihrer Ausrüstung auch eine besondere Konzentrationsfähigkeit? Kann sie alle ungebetenen Wahrnehmungen an den Rand der Aufmerksamkeit drängen und mit ihrem Ziel verschmelzen, so wie ihre Mutter hinter dem Lenkrad ihres rubinfarbenen Porsches, wenn die tänzelnden Ziffern auf dem Tachometer bedeutungslos werden, weil der Zustand, den sie erreicht hat, außerhalb von Zeit und Raum liegt? Ein Ekstasezustand. Befreiung. Auch Sylva kennt es, nur anders. Sie hat schon begriffen, dass die Freiheit viele Formen hat.
Jetzt. Ein unscheinbarer Windhauch, der nicht einmal die Wasseroberfläche kräuselt. Der Luftraum über dem Fluss bekommt durch ihn jedoch ein neues Ausmaß. Sylva dreht sich auf den Rücken und hält ihm das Gesicht hin. Sie schwimmt nicht mehr. Sie lässt sich mit dem Strom zurücktreiben. Den Körper nur so angespannt, dass sie fühlen kann, wie die Wassersäule sie von unten stützt. Sie breitet die Arme aus, erlaubt dem Wasser zwischen ihren Fingern hindurchzugleiten, leicht wiegt sie den Kopf hin und her, sodass es sie hinter den Ohren kitzelt. Sie denkt darüber nach, was sie in Berlin machen wird. Die Spree ... Jedes Mal, wenn sie sich an die Spree erinnert, wird ihr flau in der Magengegend. Was ist das für ein Fluss? Was haben die mit ihm gemacht? Die Stadt quetscht, würgt und tritt ihn. Sylva war schon ein paarmal drin, hatte aber nie Kraft aus seinem Strom geschöpft. Im Gegenteil, sie kam jedes

Mal ganz ausgelaugt heraus. Da ist es schon besser, zu einem der Seen zu gehen. Schwimmen in stehenden Gewässern ist nicht gerade aufregend, aber in der Hitze erfrischt es. Laut Wetterbericht wird sich das Wetter so schnell nicht ändern. Dieser Sommer hat bisher alle Rekorde gebrochen. Seit vielen Wochen fällt kein Tropfen Regen, der Wasserspiegel der Elbe sinkt ständig, das Quecksilber wiederum steigt höher und höher. Sogar die alten Buchen und Eichen, deren Wurzeln bis zu den tief liegenden Wasseradern reichen, verlieren langsam ihr Laub.

»Schaut aus dem Fenster«, pflegte Tabery, der Biologielehrer, mit Vorliebe zu sagen. »Was seht ihr? Ein Biotop, soweit das Auge reicht. Die gegenseitigen Beziehungen seiner einzelnen Komponenten – und vergesst nicht, dass wir Menschen eine der störendsten und unzuverlässigsten sind – werden durch die hydrogeologischen Verhältnisse des Wasserlaufes beeinflusst.«

Sylva mochte Taberys Stunden gern. Sie gehörten zu den wenigen, denen sie nicht aus dem Weg ging. Er konnte auf jede ihrer Fragen antworten. Er war trocken, ernst und unerbittlich. Er täuschte keinen Sinn für Humor vor. Er machte auch keine peinlichen Witzchen wie der Englischlehrer: »Wir sollten eine Flagge hissen, Fräulein Rohanova hat uns heute eine große Ehre erwiesen: Sie ist zu Besuch gekommen!«

Tabery fragte auch nicht nach jedem Satz, den er an die Tafel schrieb, ob vonseiten der Inspektorin Rohanova irgendwelche sachlichen Einwände bestünden, wie es die Mathelehrerin dauernd tat. Und das nur, weil Sylva es einmal gewagt hatte, sie auf einen Fehler in einer logarithmischen Gleichung aufmerksam zu machen. Tabery hatte nicht für ihren Schulausschluss gestimmt. Doch er war der Einzige. Alle anderen hatten die Hand gehoben und Sylvas Namen von der Schülerliste gestrichen. Sie konnte sich ihre Erleichterung vorstellen. Vielleicht summten sie im Geist einen Siegesmarsch und es war ihnen, als sie den Konferenzraum verließen, zum Tanzen zumute. Wieso auch nicht! Endlich schoben sie der himmelschreienden Undiszipliniertheit einen Riegel vor. Jetzt

würde niemand mehr aus der Reihe tanzen und den guten Ruf des Leitmeritzer Gymnasiums stören.
»Nie – gu – ten – Ruf – stö – ren«, skandiert Sylva halblaut und macht ein paar schnelle Züge. Das Wasser wird langsam angenehm kühler. Morgen früh wird es herrlich sein. Aber morgen früh schafft Sylva es nicht ans Wasser. Ihre Mutter wird wie immer hetzen, Vater wird nicht auf das gemeinsame Frühstück verzichten wollen, und als Krönung des Ganzen wird sich bestimmt Filip verabschieden kommen.
»Das meinst du wohl nicht ernst, ohne dich wird's hier voll öde«, erklärte er, als er erfuhr, dass sie in Meißen angenommen wurde und ihr gemeinsames Klönen am Zaun von nun an der Vergangenheit angehörte. »Ich werde verrückt!«
Er meinte es ehrlich, trotzdem machte Sylva sich keine Sorgen um seine geistige Gesundheit. Ganz normal war Filip bestimmt nicht, aber dafür, dass er den Verstand verlieren könnte, war sein Sinn für Ironie viel zu ausgeprägt. Die ganze Welt war für ihn ein Paradox und das menschliche Geschlecht nichts anderes als ein rein zufällig entwickelter Zweig der Wirbeltiere
»In der frühen Steinzeit kam es zu einem fatalen, unverbesserlichen Fehler in unserer Entwicklung, verstehst du, und das vertieft sich immer mehr«, erklärte er Sylva. »Die immer größer werdende Fläche der grauen Hirnrinde hat leider zur Folge, dass wir uns den Evolutionsfehler bewusst machen, und viele von uns nehmen sich das sehr zu Herzen, was logisch ist. Ich, wenn ich wählen könnte, wäre verständlicherweise ein Neunauge.«
Sylva taucht unter. Sie stellt sich vor, sie wäre ein Neunauge. Sie bewegt sich aalartig, versucht sich in die Bewusstseinsebene eines primitiven Organismus hineinzuversetzen, formt mit den Lippen einen Trichter, so wie sie es bei den Tiefseelebewesen in den Dokumentationen der BBC gesehen hat. Es ist anstrengend und ihr geht die Luft aus. Sie taucht auf und macht ein paar schnelle Atemzüge. Dieses Spiel hat ihr keinen großen Kick gegeben. Sie ist, wer sie ist. Sie fühlt sich in ihrer Körperhülle zu Hause. Trotz der Ver-

änderungen der letzten Zeit. Als sich mit dreizehn die ersten Anzeichen von weiblichen Kurven über dem flachen Bauch und den hervorstehenden Rippen abzeichneten, freute sie sich. Es wurde auch höchste Zeit – die meisten ihrer Mitschülerinnen hatten sie schon lange überholt. Aber so wie die pubertären Metamorphosen fortschritten, verwandelte sich die Freude in Schrecken. Sylva beobachtete die vulkanischen Aktivitäten ihres Körpers mit Bedenken. Als Bewohner des böhmischen Mittelgebirges wusste sie, was Naturgewalten können. Sie sah es, wohin sie auch schaute. Am Tag ihres fünfzehnten Geburtstages stellte sie sich vor den Spiegel und unterzog ihr Aussehen einer gründlichen Prüfung. In einem Anfall gnadenloser Ehrlichkeit kam sie zu dem Schluss, dass der Schlitz zwischen den sich spitz erhebenden Brüsten genauso bombastisch aussah wie die Böhmische Pforte[2].

»Hast schon Körbchengröße C, stimmt's?«, hatte Katerina im Herbst beim Sportunterricht gesagt. Für Katerina waren Körpermaße – männliche und weibliche – das wichtigste Thema. »Warte, bis du nächstes Jahr bei D ankommst. Und ich würde nicht damit rechnen, dass dann Schluss ist.«

Ihre Prophezeiung erfüllte sich nicht. In den letzten Monaten verzeichnete Sylva zwar noch Veränderungen, aber eher ergänzender Art. Die Haare, welche die ganze Kindheit über blond gewesen waren, wurden honigfarben. Die Akne am Kinn und um die Nase herum verschwand langsam, und ihre Schultern wurden vom Schwimmen breiter, sodass sie alte Blusen und feine Kleidchen sprengten. Dagegen wurden die Hüften kaum rundlicher und der Bauch blieb auch eher flach.

Der Strom trägt sie hinter die Flussbiegung. Sobald sie den Kirchturm sieht, der sich gegen den Himmel abzeichnet, steuert sie das Ufer an. Sie hatte festgestellt, dass sie von dort aus, ohne große Mühe, bis zum platten Stein ihres Hauses schwimmen konnte,

2 Porta Bohemica oder auch Böhmische Pforte wird der Beginn des Elbdurchbruches durch das Böhmische Mittelgebirge genannt.

ohne dass das Wasser sie weiter stromabwärts zog. Sie nennt es immer noch *Haus*, auch wenn *Ruine* treffender wäre. Außer den Grundmauern und einem eingestürzten Dach war nach den letzten Überschwemmungen nichts übrig geblieben. Vater hatte die Flinte ins Korn geworfen oder aber seine Meinung geändert. Noch vor vier Jahren, nach der katastrophalen Überschwemmung, die eine ausgezehrte Landschaft und erbärmliche Gebäudestümpfe hinterlassen hatte, berief er sich, entgegen jeglicher Vernunft, auf die Familientradition.

»Der Urgroßvater würde sich im Grab umdrehen, wenn ich das Haus einstürzen ließe.« Und finanzierte einen aufwändigen Umbau. »Hier sind vier Generationen Rohans zur Welt gekommen, das will schon was heißen!«

Sylva denkt darüber nach, was das denn heißen mochte. Das kleine Gebäude auf der Auenwiese muss schon zu Gründerzeiten ein Armutszeugnis gewesen sein. Nur ein armer Teufel würde doch sein Haus auf so einem gefährdeten Platz bauen. Um das regelmäßig überschwemmte Grundstück rissen sich bestimmt keine Interessenten, und die Steine für den Bau hatte Ururgroßvater in dem Steinbruch, in dem er gearbeitet hatte, geklaut. In der Familie wurde das nie verheimlicht. Es war gesetzwidrig, der Steinbruch hatte damals den Herren von Lobkowitz gehört, aber der Ururgroßvater, wie so viele andere Nachkommen der Hussiten[3], hatte ein eigenes Verhältnis zu Gesetzen und zum Adel. Sylva war sich sicher, dass er, wenn er nachts Steine aus dem Steinbruch weggekarrt hatte, nicht im Geringsten daran gezweifelt hatte, dass er genauso ein Anrecht darauf hatte wie der Fürst. Oder wie sonst jemand anderes auch.

»Auch wenn er Analphabet war, konnte man ihm nichts vormachen. Er behauptete immer, dass es nur ein Gesetz gebe, und das

3 der Name geht auf Jan Hus, Theologe und Reformator, zurück. Der Begriff fasst verschiedene reformatorische Bewegungen im Böhmen des 15. Jahrhunderts zusammen.

ließe sich nicht abändern«, erinnerte sich Vater manchmal. »Die Berge, das Wasser und die Luft gehören allen, und basta, sagte er. So war es gemeint, als sie erschaffen wurden, und so bleibt es, bis sie vergehen!«

Sylva streckt den Arm aus und berührt die Äste der Weide. Sie sind voll von Federn, Grashalmen, verrottendem Laub und Blütenresten, die im Frühjahr daran hängen geblieben sind. Das Ufer ist an dieser Stelle nicht begehbar, es ist dicht mit Brennnesseln bewachsen. Sylva lässt sich einige Meter weiter treiben. Erst dann stellt sie sich auf die Beine. Sie fühlt Kies und samtigen Schlamm unter ihren Füßen. Der flache Stein, den Vater ans Ufer gesetzt hat, ist immer noch lauwarm. Sylva stützt sich auf die Arme, schwingt sich hoch und schüttelt sich das Wasser aus den kurzen Haaren. Ein paar Sekunden sitzt sie da, die Waden ins Wasser getaucht, und schaut sich den Flussausschnitt vor den dunklen Dubitzer Berghängen an. Von der gegenüberliegenden Seite drängen gedämpfte Straßengeräusche, die nicht einmal nachts zur Ruhe kommen, herüber. Ohne die Uferstraße wäre das nächtliche Schauspiel hier noch betörender.

»Es ist wunderschön hier«, seufzte Mutter, als Vater ihr zum ersten Mal den Platz zeigte, an dem er seine Kindheit verbracht hatte. »Wie im Märchen!«

Mutters Redewendungen kamen Sylva oft einfallslos vor, aber diesmal stimmte sie ihr zu. Die breit geschwungene Landschaft mit den fantastischen Kämmen und den romantischen Flusswindungen könnte die Kulisse für Tolkiens Geschichten sein.

»Kannst du dir vorstellen, hier mit mir zu leben?«, fragte Vater ein paar Jahre später, als ihm das Haus am Ufer in einem Erbschaftsprozess zugefallen war und er überlegte, was er mit dem Besitz anfangen sollte.

»Niemals«, antwortete Mutter ohne das geringste Zögern.

»Hast du nicht gemerkt, dass ich in einer Krise bin?«, erinnerte Vater sie vorwurfsvoll. »Zunehmende Glatzköpfigkeit, schwindende Ideale, sich steigernde Stadtphobie ... Ich muss Luft holen können.«

»Ich habe genug Luft«, versicherte ihm Mutter, die neun Jahre jünger war und vor Energie nur so sprühte. »Das reicht für uns beide.«
»Ich brauche Natur, Helga. Berlin saugt mich aus. Diese Stadt ist ein Vampir.«
»Ich hatte schon immer eine Schwäche für Vampire.«
»Warum hast du mir das nicht vor der Hochzeit gesagt?«
»Und warum hast du mir deine kleine Naturabartigkeit verheimlicht?«
»Nenn es meinetwegen abartig, ich packe die Koffer und werde fahren.«
»Fahr nur, ich habe jetzt Arbeit in Berlin.«
»Helga!«
»Du brauchst nicht laut werden, Jakub!«
»Dann benimm dich nicht wie eine deutsche Feministin und bleibe an der Seite deines alten, aber liebenden Gatten!«
»Von wegen alt, du willst doch jetzt nur deinen Kopf durchsetzen!«
»Also werdet euch mal einig, bitte«, sagte Sylva, die sich schon damals wie ein Vermittler zwischen den Elternteilen fühlte. Leider hatte sie selten Erfolg.
Sie sind sich nicht einig geworden. Oder doch ...? Sylva denkt darüber nach, während sie aus dem geheimen Versteck unter der Erle ein Handtuch holt und anfängt, sich Schultern und Brust abzutrocknen. Ihre Brustwarzen sind von dem langen Wasseraufenthalt kalt und zusammengeschrumpelt. Vielleicht haben sich die Eltern besser geeinigt als die meisten Paare in einer Krise, geht es ihr durch den Kopf. Dass Mutter in Berlin blieb und Vater zurück nach Tschechien zog, hielt vielleicht ihre Beziehung am Leben. Vielleicht ist eine zweihundertfünfzig Kilometer lange Entfernung zwischen Eheleuten ideal. Besonders dann, wenn sie den gleichen Beruf haben und unterschiedliche Ansichten, was dessen Ausübung angeht.
Sylva macht sich auf zum Haus. Sie hat in dem hohen Schilf einen Trampelpfad, sie kennt jede Kuhle, jedes vorwitzige Steinchen, sie nimmt die wonnige Feuchtigkeit der Erde mit ihren Fußsohlen

wahr. Der Boden in Flussnähe wird nicht einmal im heißesten Sommer spröde und staubig. Er erinnert an Lebkuchen. Der würzige Geruch der Taubnessel kitzelt angenehm am Gaumen, und um die Füße schlingt sich das Klebkraut. Sylva schiebt es mit der einen Hand zur Seite, mit der anderen hält sie das Handtuch fest, das sie sich um den Körper gewickelt hat.

Seit dem Abend im Herbst, als sie ihre Klamotten am Ufer nicht mehr gefunden hatte, ließ Sylva sie dort nicht mehr liegen. Auch das Handtuch stopft sie lieber unter die hervorstehenden Wurzeln, damit es keiner mitnimmt. Sie hat keine Lust, wieder mit irgendeinem uniformierten Moralapostel darüber zu streiten, was pervers ist und was nicht. In dieser Hinsicht ist für sie alles klar. Baden ohne Badeanzug gehört zu den elementaren menschlichen Grundbedürfnissen. Es ist etwas so Natürliches, dass es im Grundgesetz verankert werden sollte. Im Gegensatz dazu ist es auf jeden Fall pervers, jemanden ohne sein Einverständnis in seiner Nacktheit zu beobachten und ihm deswegen sogar die Klamotten zu klauen. Das muss doch jeder, der sein Gehirn benutzt, einsehen, findet Sylva. Die Polizei hat es nicht eingesehen. Der Schuldirektor auch nicht.

»Unterschiedliche Vorstellungen von Anstand«, kommentierte Vater die Angelegenheit. »Der Kern der meisten Probleme, die Menschen mit Menschen haben.«

Das Haus starrt mit leeren Fenstern in die Dunkelheit, die Dachrinne hängt an der letzten Schraube, im Gemäuer hat Schellkraut seine Wurzeln geschlagen. Sylva hebt eines der losen Bretter an, mit denen Vater symbolisch den Eingang verriegelt hat, und kriecht hinein. Ihr schlägt der Geruch von Zersetzung entgegen. Die Natur hat schon vom Haus Besitz ergriffen. Vier Generationen Rohans – wo sind sie? Was haben sie hinterlassen? Schimmel an den Wänden und einen unförmigen Kleiderschrank, so schwer, dass das Wasser ihn nicht ein Stück verschieben konnte. In den Schubladen angeschwemmter Sand, darunter begraben Vaters Traum vom Bewahren einer Familientradition.

Als sie vor zweieinhalb Jahren, am Ende eines verregneten März-nachmittags, das Haus verließen, nahmen sie nur das mit, was ins Auto passte.
»Sollen wir die Waschmaschine einladen?«, bot einer der Feuer-wehrmänner ihrem Vater an. «Die scheint neu zu sein.«
»Zum Teufel mit der Waschmaschine«, sagte Sylvas Vater. »Zum Teufel mit dem ganzen verdammten Haus. Ich hätte längst begreifen sollen, dass es nicht meins ist.«
»Nicht Ihres? Wem gehört es?«, fragte der Feuerwehrmann erstaunt.
»Schauen Sie sich doch um«, riet ihm der Vater, »und Sie werden es sehen.«
Der Feuerwehrmann schaute sich um. Das Einzige, was er sah, war der breite, über die Ufer gelaufene Fluss. Er näherte sich mit freudiger Ungeduld seinem unbestreitbaren Besitz.
»Wie oft hat es euch denn schon herausgeschwemmt?«, fragte der Feuerwehrmann mitleidig.
Vater zuckte mit den Schultern. Er wollte sich nicht umsehen. Er war entschlossen nach vorne zu blicken.
»Von heute an werde ich mir dieses Dach nur noch von außen ansehen«, verkündete er und stieg ins Auto. »Falls noch was zum Gucken über bleibt!«
Das Dach ist löchriger als ein Sieb, aber es hält noch. Die Äste und Stämme, die damals durch die Überschwemmung in die Bucht getragen wurden, haben den Schornstein und die meisten Dachziegel heruntergerissen. Die Decke ist auch eingestürzt. Wenn Sylva den Kopf hebt, sieht sie den Sternenhimmel zwischen den Balken. Sie öffnet den Schrank, nimmt ihre Shorts und das T-Shirt heraus, wirft das Handtuch über die Stange. Der Schrank ist ein Tresor, angefüllt mit Schätzen. Sie sind alle geschickt versteckt. Auf dem oberen Regal, hinter den zerfledderten Büchern, lässt sie ihr Essen. Wenn sie aus dem Wasser kommt, ist sie immer hungrig. Auch diesmal packt sie ungeduldig ein Brötchen aus und beißt hinein. Während sie kaut, greift sie in das Innere des Schranks. In der

Ecke, hinter Opas von Mäusen angenagtem Hut, steht seine alte Rasierschale. Sylva fühlt über den Boden der Schale. Er ist da. Ein Granat, den sie beim Ausflug nach Podseditz gefunden hat. Vater hatte ihr angeboten, ihn schleifen und in einen Ring fassen zu lassen, aber sie lehnte ab. Sie verlor immer alle Ringe. Auf dem Grund der Elbe liegen mindestens vier. Zur Sicherheit trägt sie keinen Schmuck mehr. Außerdem gefällt ihr der Stein so wie er ist – ungeschliffen. Sie stellt sich gern den roten Glanz vor, der unter der rauen Schale versteckt ist. Er döst vor sich hin, zusammengerollt wie ein Kater, froh, dass niemand ihn stört.

»Nach reiflicher Überlegung bin ich zu dem Schluss gekommen, dass ich dich anziehend finde«, verkündete Filip eines Tages am Anfang der Ferien. Es war schwül, doch auf den Hang, auf dem sie standen und probierten, ob die Kirschen schon reif waren, fiel der kühlende Schatten des Sichelfels.

»Meinst du das ernst?«, fragte Sylva.

»So zu neunundachtzig Prozent«, antwortete Filip, womit er alles versaute. Hätte er doch lieber den Mund gehalten, sich zu ihr gedreht und sie leidenschaftlich geküsst. Davon hielt ihn aber seine intellektuelle Art und die Angst, sich lächerlich zu machen, ab. Er ließ sich nie zu impulsiven Gefühlsausbrüchen hinreißen. Sylva wandte enttäuscht den Kopf ab.

»Was gefällt dir denn an mir?«, setzte sie die Unterhaltung fort, die aber eigentlich schon gelaufen war, weil ihr ursprünglicher Sinn im Wortschwall untergegangen war.

»Ziemlich lang dachte ich, es sind die sekundären Geschlechtsmerkmale, aber jetzt bin ich ziemlich sicher, dass es die Art ist, mit der du die Zischlaute aussprichst. Es ist nicht direkt ein Lispeln, aber …«

Sylva warf wütend die halb reifen Kirschen, die sie in der Hand hatte, nach ihm und rannte weg. Er lief ihr nicht nach (etwas würde er damit wettmachen, wenn auch bei Weitem nicht alles), trotzdem versuchte er im Laufe des Juli noch ein paarmal, auf das Thema zurückzukommen.

»Ich hab's vermasselt, stimmt's?«, fragte er scharfsinnig, und Sylva erkannte, dass er durch einen distanzierten Gesichtsausdruck seine Unsicherheit verbarg. Er stand nicht einmal mit den elf Prozent darüber, die er vorgegeben hatte. Einmal, als sie sich vor dem Haus verabschiedeten, hatte er sogar mit seinem Mund ihre Lippen berührt. Aber erst nachdem er sich vergewissert hatte, dass es sie nicht störte und dass ihnen niemand zuguckte. Damit nahm er seiner unschuldigen und im Endeffekt auch ungeschickt ausgeführten Handlung jegliche emotionale Spannung. Sylva war der Kuss unangenehm, heimlich wischte sie ihn ab. Wenn sie einer anderen Spezies angehören würden, hätte sie vielleicht die Zähne gefletscht. So bemerkte sie nur: »Also, mach's gut, wir schreiben uns, ja?« Nüchtern betrachtet war es dasselbe. Dass er mit siebzehn die Bildung zu seinem Lebensziel erklärte und täglich an die sechzig Seiten Fachliteratur las, machte noch kein Alpha-Männchen aus ihm. Trotzdem, oder gerade deshalb, entschloss sie sich, ihm den Granat aus Podseditz zur Erinnerung zu geben. Ihre gewohnte Art, einen menschlichen Schlussstrich zu ziehen: Sie gibt Geschenke, wenn sie sonst nichts mehr zu geben hat.

Sie schlüpft hinaus und atmet tief ein. Nach dem modrigen Gestank im Haus wirkt die stehende Luft über der Wiese geradezu erfrischend. Sie zieht sie durch die Nase ein und prüft, ob sie darin nicht Spuren von Regen findet. Nicht im Entferntesten. Die einzigen Spuren von Feuchtigkeit kommen vom Fluss. Sylva dreht ihm den Rücken zu, stopft sich den letzten Bissen Brötchen in den Mund und läuft zur Straße. Plötzlich weiß sie, dass ihr Vater auf sie wartet. Zwischen ihnen besteht eine drahtlose Verbindung ohne Rücksicht auf die Entfernung. Manchmal ist das Signal schwächer, aber es verschwindet nie ganz. Als sie noch mit ihrer Mutter in Berlin wohnte und Vater sie, wie es aussah, verlassen hatte, war sie immer im Bilde, wie es ihm gerade ging. Auch über die Entfernung hin konnte sie seine Gefühle genau erkennen, besonders die Einsamkeit.

»Wird das jetzt immer so sein?«, fragte sie ihre Mutter. »Wir hier und Vater im Ausland?«

»Er ist nicht im Ausland. Er ist nach Hause gefahren, nach Tschechien. Er ist doch Tscheche.«

»Na und? Ich bin auch Tschechin.«

»Nur halb. Von meiner Seite her bist du doch Deutsche. Du bist in Berlin geboren. Eigentlich bist du halb hier und halb dort zu Hause.«

Sylva rechnete anders.

»Eher habe ich zwei Zuhause. Ich denke, ich werde im Wechsel mal hier mal dort sein.«

»Ich verstehe, worum es dir geht, aber dauernde Wechsel sind schwieriger, als du denkst«, warnte die Psychologin, die Sylva mit ihrer Mutter seit dem Vorschulalter regelmäßig besuchte. »Sich an zwei unterschiedliche Schulsysteme anzupassen, an zwei Sprachen, zwei Mentalitäten ... du hast jetzt schon Probleme, neue Kontakte zu knüpfen, und durch den Umgebungswechsel könnte sich das noch verschlimmern. Ich habe Angst, dass du dir völlig gespalten vorkommen könntest.«

In einer Sache hatte sie recht. Es hing mit einem Gefühl der Andersartigkeit zusammen. Dieses Gefühl kam aber nicht durch ihre Nationalitäten. Es war von klein auf in Sylva. Die üblichen Verhaltensweisen der Zivilisation engten sie ein. Sie konnte sich nicht *anständig* benehmen. Auch wenn sie sich anstrengte, konnte sie nicht abschätzen, was von ihr erwartet wurde. Sie war nicht gerne in Gesellschaft. Meistens ging sie, wenn sie besser geblieben wäre, und sie schwieg, wenn sie antworten sollte. Andere Male wieder sagte sie ihre Meinung und brachte ihre Umgebung in Verlegenheit. Es war eine Qual, sich anzupassen. Sie brach Regeln und Gewohnheiten, egal wo sie sich aufhielt. In der Berliner Schule brachte ihr das bereits den Ruf ein, eigenartig zu sein. Der Einzige, mit dem sie ungezwungen reden konnte, war Niklas, der allerdings auch nirgends einzureihen war. Außenseiter – selbst gewählte.

»Ich wünsche dir, dass es dir in deiner neuen Schule gefällt«, sagte Frau Gronemeyer am Ende der vierten Klasse zum Abschied. Sie

standen zusammen auf dem Schulhof, an ihnen vorbei strömten Sylvas ehemalige Mitschüler und grüßten sie lustlos, keinem tat es leid, dass sie ging. Auch die Lehrerin sah teilnahmslos aus. »Ich hoffe, du findest bald gute Freunde dort.«
Fand sie nicht. Sie suchte aber auch nicht. In der Schule in Aussig, in der ihr Vater sie angemeldet hatte, kam sie sich vom ersten Tag an vor, als wäre sie in einen falschen Zug eingestiegen, von dem sie nicht wusste, wohin er fuhr.
»Warte, im Gymnasium wird alles besser«, versuchte Sylvas Vater ihr Kraft zu geben, das erste kritische Jahr zu überstehen. Nach der Aufnahme ins Gymnasium änderte sich jedoch nur wenig. Sie saß immer noch nicht im richtigen Zug. Die eintönigen Stunden stumpften sie ab, und in Sylva breitete sich das verzweifelte Gefühl aus, im Schulgemäuer ihre Zeit zu vergeuden. Tote Zeit. Ganz deutlich sah sie, wie die abgestorbenen Zeiteinheiten am Himmel kleiner wurden und hinter dem Fensterrahmen verschwanden. Ende November hielt sie es nicht mehr aus, und anstatt in die Schule zu gehen, ging sie in den Wald. Der erste Schnee war gefallen, und es gab ihr viel mehr Anregungen, in den Bergen herumzustreichen, als in dem überhitzten Klassenzimmer zu sitzen. Natürlich blieb das nicht ohne Folgen. Vor Weihnachten wurde Vater zum Gespräch in die Schule gebeten.
»Warum gehst du nicht hin?«, fragte er Sylva knapp, als er zurückkam.
»Zu heiß. Kann nicht atmen im Unterricht«, antwortete sie genauso sparsam.
Er begriff und fragte nicht weiter.
»Wir probieren das Gymnasium in Leitmeritz aus«, schlug er vor. »Vielleicht heizen die da weniger.«
Im Leitmeritzer Gymnasium war das Klima erträglicher und die Hügel um die Stadt herum lockten mit ihrer Unerforschtheit. Sylva freute sich über die Abwechslung. Seit sie und Vater vom Fluss in das Fachwerkhaus im hochgelegenen Dorf unterhalb des Sichelfels' gezogen waren, machte sie es sich zur Gewohnheit, die Tage

in *obere* und *untere* aufzuteilen. Sie unterschieden sich, je nachdem, ob sie mit dem Bus ins Tal fuhr und das Schultor passierte oder ob sie den Bus wegfahren ließ und lange Wanderungen über die Kämme des östlichen Mittelgebirges unternahm. Die nah gelegenen Vulkanhügel kannte sie bald auswendig, und so wagte sie sich weiter hinein in die Berge vom Westufer, die noch unerforscht waren. Die alltäglichen Strecken dehnten sich aus und die *oberen* Tage gewannen Oberhand. Vater wurde erneut in die Schule gerufen.

»Wenn du den Stoff schnell aufholen kannst, lassen sie dich ein Jahr überspringen«, überbrachte er ihr den Vorschlag, den sie von Herrn Tabery bereits kannte. »In der höheren Klasse würde es dir vielleicht gefallen. Alle sehen ein, dass du intelligent bist, aber du lernst nicht.«

»Ich lerne«, erwiderte sie. »Aber nicht so, wie die wollen.«

»Die haben das Gefühl, dass dir die Schule völlig egal ist.«

»Warum?«

»Weil du da nicht hingehst. Mich sehen sie wie einen Betrüger an, weil ich dir die Entschuldigungen schreibe.«

»Ich werde sie mir selber schreiben«, schlug sie vor.

»Das wird uns nicht weiterhelfen.«

Er hatte natürlich recht. An den Entschuldigungen lag es nicht. Es ging um Größe. Sylva war sich dessen bewusst, dass die Schule, wie andere Systeme der Zivilisation, eine Form waren. Wenn du gut hineinpasst, macht die Form aus dir einen mehr oder weniger gelungenen Abdruck. Wenn du dich nicht hineinzwängen kannst, musst du dich selber formen und das Risiko tragen, dass deine eigenwillige Gestalt und Größe der Gesellschaft nicht gefallen werden. Hinge es allein von Sylva ab, würde sie gar nicht mehr in die Schule gehen. Was dort gelehrt wurde, konnte man woanders viel spannender erfahren. Aber Vater war trotz aller Nachsicht ein Produkt seiner Zeit. Er hielt das Schulsystem zwar für unvollkommen, aber die Schule an sich ist für ihn immer noch eine unersetzbare Einrichtung. Wo wäre er ohne sie? Obwohl er aus armen Verhältnissen stammte, hatte er Architektur studiert, sich hochgearbeitet und sich einen Namen in der Welt gemacht. Dank der Schulen und seinem vergossenen Schweiß verdiente er genug Geld, dass er es sich leisten konnte, sich zurückzuziehen – auf begrenzte Zeit, wie er sagte. Bis er aufgearbeitet hatte, was hinter ihm lag, und bis er wusste, wie es weitergehen sollte. In abgewetzten Manchesterhosen ging er auf ein Bierchen in die Dorfkneipe und verbrachte die Tage damit, das Buch «Bauten in uns« zu schreiben. Dank seiner Lebenserfahrung kam er zu der Überzeugung, dass Freiheit möglich, aber auf keinen Fall umsonst ist.

»Geh zumindest vier Tage die Woche hin«, insistierte er. »Damit sie sehen, dass du dir Mühe gibst.«

»Drei Tage«, feilschte sie, »das ist immer noch mehr als die Hälfte.«

Der Vater ging auf den Handel ein und Sylva hatte vor, ihn ehrlich einzuhalten, doch sie vergaß den Vormarsch ihres Körpers mit in die Rechnung einzubeziehen. Genauer gesagt, das prämenstruelle Syndrom. Der Druck im Unterleib, die Krämpfe und die Rückenschmerzen stellten sich jeden Monat drei Tage vor der Blutung ein und waren so stark, dass sie Sylva jedes Mal davon abhielten, in die Schule zu gehen, um dort stundenlang herumzusitzen. Zuerst versuchte sie den Schmerzen durch Herumklettern in den Bergen zu trotzen, aber bald stellte sie fest, dass Schwimmen das zuverlässigste Mittel war. Sie schwamm Dutzende von Kilometern. Mit der Strömung, gegen sie und quer durch sie durch. Meistens in der Elbe, aber mit der Zeit testete sie auch die Eger, die Moldau, die Spree, die Neiße, die Oder und andere Flüsse. Sie ging überall dort ins Wasser, wo sie eine Gelegenheit dazu hatte. Das Schwimmen wurde zu einem absoluten Muss für sie. Es führte zu einer Abhängigkeit.

»Jegliche Abhängigkeit ist ungesund«, behauptete die Gemeinschaftskundelehrerin. Sylva teilte ihre Meinung nicht. Sie schwamm täglich, auch bei ziemlich kaltem Wetter, und den Ent-

schuldigungen zum Trotz, die sie in der Schule abgab, war sie kerngesund.
»Du hast es diesmal auf 200 Fehlstunden gebracht«, seufzte der Vater nach seiner Rückkehr von dem Elternabend, der den Halbjahreszeugnissen voranging. »Herr Profus sagte, dass sie dich wahrscheinlich von der Schule verweisen müssen.«
»Wäre das denn so eine Katastrophe?«
»Abitur ist das Minimum, Sylva. Ohne Abitur hast du keine Chance, eine anständige Arbeit zu finden.«
»Du meinst eine Anstellung? Ich sehne mich nicht danach, angestellt zu sein«, gestand sie ein.
»Wonach sehnst du dich dann?«, fragte der Vater.
»Am liebsten würde ich nach Alaska oder Lappland fahren. Oder nach Sibirien. Ich würde wie die Naturvölker leben. In der Wildnis.«
»Wovon würdest du leben?«
»Ich würde Fische fangen.«
»Erzähl das mal deiner Mutter«, riet er ihr ironisch. »Sie wird vor Freude in die Luft gehen.«
Sylva klettert den Hang oberhalb der Straße hoch. Ihren Weg. Niemand anders benutzt den schmalen Pfad, der die kürzeste Gerade zum Wald unterhalb des Sichelfels bildet. Er ist zu steil. Nicht einmal ein Fahrrad lässt sich da hochschieben. Sylva fährt nur im allernotwendigsten Fall Fahrrad. Es macht ihr keinen Spaß, über dem Lenker gebeugt zu sitzen. Sie muss die Umgebung berühren. Sie schnappt nach den Ästen am Wegrand, fasst Steine an, kraxelt auch mal auf allen vieren, wenn es anders nicht geht. Hin und wieder hört sie in der Nähe irgendein Tier. Geräusche, die eine Jagd begleiten. Ein Rascheln, eine schnelle Bewegung, das Knacken von Zweigen, ein Schrei. Sylva erregt das jedes Mal. Beziehungen und Ereignisse, die sich der menschlichen Kontrolle entziehen, verschaffen ihr Befriedigung. Dass das jedoch immer weniger wird, betrübt sie wiederum. Zu sehen, wie ihre Zukunft von Mikrochips gesteuert wird und sie inmitten von Mauern, Kabeln und Moto-

ren von Videokameras überwacht wird, ist ein Horror für sie. Die schlimmstmögliche Variante der Existenz.
»Wir müssen uns was ausdenken«, beschloss ihre Mutter, als sie erfuhr, dass Sylva sich vom Leitmeritzer Gymnasium verabschieden musste. Sie betrachtete die ganze Angelegenheit sachlich. Nicht ein Wort des Vorwurfs (vielleicht fielen dem Vater gegenüber ein paar kritische Bemerkungen, aber Sylva hatte sie nicht gehört), nach außen war nur die übliche zielgerichtete Energie zu spüren. In kritischen Augenblicken verwandelte sich ihre Mutter jedes Mal in eine ballistische Rakete mit maximaler Kampfbereitschaft, also war es nicht klug, sich ihr in den Weg zu stellen. »Ich guck mal ins Internet und erkunde die Möglichkeiten.«
Im Februar meldete die Mutter Sylva zu Aufnahmeprüfungen an zwei deutschen Schulen und einer tschechischen für hochbegabte Schüler an. Sylva wehrte sich nicht, auch wenn sie sich die Frage stellte, worin ihre Hochbegabtheit eigentlich bestand. Vielleicht darin, dass sie trotz ihrer seltenen Anwesenheit in allen Schulen zumindest den Weg zur Toilette und zur Cafeteria gefunden hatte?
»Also, welche nimmst du?«, wollte Vater später im Frühling wissen, als sie die Prüfungen abgelegt hatte und der Weg zu allen drei Gymnasien offen stand. »Überleg es dir gut, damit wir nächstes Jahr nicht an der gleichen Stelle stehen.«
Sie entschied sich für Sankt Afra in Meißen. Nicht, dass sie wirklich hingewollt hätte, aber Meißen lag auf halbemWeg zwischen Vater und Mutter, und das ließ hoffen, dass die ohnehin schwache Familienkonstellation nicht ganz auseinanderfiel. Im April fuhren sie alle zusammen hin, um sich die Schule anzuschauen.
»Hut ab, das ist wirklich zeitgemäß«, staunte Mutter auf dem nagelneuen Schulgelände, das sie von seiner Architektur her begeisterte.
»Viel Platz für Individualität, schau mal«, zeigte Vater Sylva die Stundenpläne. »Das sollte dir zusagen, oder?«
»Vor allem gibt's hier die Elbe«, antwortete Sylva.
Die Elbe versöhnt sie mit der Stadt, die mitten in einer flachen,

gezähmten Landschaft liegt. Trotzdem spürt sie im Magen das Gewicht der kommenden Veränderung. Als sie anfing ihre Sachen zu packen, fand sie unter dem Bett außer dem Zirkel und ein paar Socken ein lang verlegtes Heftchen mit alten Notizen, das sie seinerzeit Tagebuch nannte. Sie blätterte darin, mit klopfendem Herzen. Was hatte sie damals erwartet? Was erwartet sie jetzt? Wieder fährt sie irgendwohin, aber ohne die Trauer des Abschieds und auch ohne die Begierde, die meistens den Anfang einer neuen Lebensphase begleitet. Die Berliner Psychologin irrte sich nicht, als sie Sylva warnte, sie könnte sich gespalten vorkommen. Darin besteht wohl die Ursache für die meisten ihrer Probleme. Sie muss sich zusammenfügen. Aber wie? Wie macht man sich zu einer Einheit? Sylva wusste schon lange, dass sie aus unterschiedlichen Teilen bestand, von denen manche gar nicht zusammenpassten. Sie hätte nur zu gern gewusst, ob das ihre spezielle Art war oder ob es ein allgemeiner menschlicher Zug war.

»Wenn ich nicht ganz danebenliege, ist der Mensch zusammen mit dem Delfin, dem Elefanten und ein paar Affen das einzige Lebewesen auf der Erde, das sich nicht nur von innen, sondern auch von außen wahrnimmt. Darin liegt die Gespaltenheit«, versichert Filip. »Verstehst du, subjektiv habe ich Lust etwas zu tun, aber ich mache es nicht, weil ich fähig bin, die Auswirkung meines Handelns objektiv einzuschätzen, was mich rückwirkend als Subjekt traumatisiert.«

Die Filipsche Logik! Es machte ihm Spaß, Weisheiten von sich zu geben, aber nur solche, die ihn gut dastehen ließen. Von dem Augenblick an, als sie Nachbarn wurden, versorgte er sie mit anspruchsvoller Literatur und versuchte, sie in Gespräche zu verwickeln, überzeugt, dass man alles analysieren und durchdiskutieren kann. Als er ihr anvertraute, dass sie ihn anzog, hatte er bestimmt nicht gelogen, aber er meinte nur den Teil ihrer Person, den er fähig war kennenzulernen. Was würde er sagen, wenn er sie jetzt sehen könnte, wie sie sich den steilen Hang durch das Gestrüpp hochquält, keucht, fällt, die Finger in die Erde gräbt und wie sie mit Genuss an einem Stück Fichtenharz herumkaut, dessen Bitterkeit ihr beißend in die Nase steigt? Was würde er zu ihren nächtlichen Herumtreibereien sagen? Er selbst las gern bis spät in die Nacht. Sylva hatte oft den Umriss seines gebeugten Nackens hinter dem Vorhang gesehen, steif und unbeweglich wie der Oberkörper einer Statue. Manchmal war sie versucht, durch den Garten zu schleichen und an sein erleuchtetes Fenster zu klopfen, aber sie überlegte es sich jedes Mal anders. Sie konnte sich vorstellen, was dann folgen würde. Aufgeregt würde er das Fenster öffnen, würde blind in die Dunkelheit blinzeln und würde ohne jegliches Verständnis fragen, was sie um diese *abartige Zeit* draußen macht. Ob sie nicht *den Verstand* verloren hätte. Sich draußen, jenseits der gebundenen, gedruckten, vielleicht auch ein wenig verstaubten Gedanken zu bewegen, war für Filip ein Zeichen von Geistesgestörtheit. Natürlich muss er von ihrem herbstlichen Vorfall mit der Polizei gehört haben – es wurde nicht nur in der Schule darüber gelästert, sondern auch in der Nachbarschaft –, er fragte sie jedoch nie aus. Zuerst dachte sie, dass er sein Desinteresse nur vortäusche, nach und nach wurde ihr klar, dass es echt war. Den Molekülen ihrer Person, die er nicht verstand, schenkte er keine Aufmerksamkeit. Sie existierten einfach nicht für ihn. Manchmal hatte Sylva in Filips Anwesenheit das Gefühl, unvollständig zu sein.

Wenn sie die steilste Stelle bezwungen hat und aus dem Schatten des Gestrüpps auftaucht, bleibt sie eine Weile stehen, schaut vor sich, ruht sich aus. Die Wiese, die sie vom Dorf trennt, ist in Bewegung. Die Grashalme biegen sich im leichten Wind und gleichen einem mit Fell bewachsenen Tierkörper. Als könnte man den unterdrückten Atem hören. Sylva atmet auch durch. Wenn sie müde ist, ist sie glücklich. Körperliche Anstrengung lässt alle Zweifel von ihr abfallen und drängt brennende Fragen, die in ihrem Gehirn entstehen, in den Hintergrund. Im Zustand der Erschöpfung nimmt sie die Welt sehr schlicht wahr. Sie stellt das

Gesicht dem Windstrom entgegen, lässt sich den Schweiß an den Schläfen und in den Haaren trocknen, mit dem Unterarm wischt sie sich über die Wangen. Dann macht sie sich auf, quer über die Wiese zum Zipfel des Gartens. Nachts benutzt sie immer das hintere Tor. Vater hatte es ihretwegen eingebaut, auch wenn er es nicht zugab.
»So ist es näher zum Wald«, bemerkte er, als sie ihn eines Nachmittags erwischte, wie er Scharniere am Zaunpfosten befestigte. »Man muss nicht durch das halbe Dorf laufen.«
Er gibt nicht gern zu, dass seine Erziehung an übermäßiger Einsicht scheitert. Er kann sich in Sylva hineinfühlen und so verliert er die Fähigkeit, ihr etwas zu verbieten. Lieber bangt er um sie. Bestimmt auch in diesem Augenblick. Er macht sich Sorgen, was alles passieren könnte, was alles vielleicht schon passiert ist. Doch wenn er das Quietschen des Gartentors hört (er hat die Scharniere extra nicht eingeölt), lässt er sich nichts anmerken. Wahrscheinlich wird er einen Spruch über den jugendlichen Organismus und die nötigen acht Stunden Schlaf machen.
Am schlimmsten muss für Vater die Nacht gewesen sein, in der er vergeblich auf sie gewartet hat. Es war die erste Nacht im Juni. Sylva verbrachte sie auf dem Berg Kletschen. Sie schwamm auf die andere Seite des Flusses, die Plastiktüte mit Klamotten um die Hüften gebunden. Ursprünglich hatte sie vor, in ein, zwei Stunden zurückzukehren, aber die außerordentliche Nacht erlaubte es ihr nicht. Das Mondlicht schien vom Himmel, beleuchtete jedes Blatt und jeden Wassertropfen, drang sogar in die bodenlosen Felsritzen ein. Sylva ging schnell, machte einen Bogen um die Dörfer, nahm den kürzesten Weg zum Berg. Sie kletterte auf die Ebene unter dem kegelartigen Gipfel, streckte sich auf den trockenen Fichtennadeln aus und schaute in die Landschaft.
Minuten-, stundenlang. Sie verfolgte mit ihrem Blick nichts Konkretes, sie nahm das Ganze wahr. Langsam unterschied sie nicht mehr, wo sie selbst aufhörte und die Außenwelt anfing. Die Grenze zwischen draußen und drinnen wurde immer dünner, bis sie

vollkommen verschwunden war und Sylva mit ihrer Umgebung verschmolz. Zeit existierte nicht mehr.

»Kannst du mir sagen, was du gemacht hast? Wo warst du überhaupt?«, stellte Sylvas Vater nach ihrer Rückkehr beide Fragen in einem Atemzug. Er hatte sich bestimmt die ganze Nacht über Sorgen um sie gemacht.

»Ich bin im Wald eingeschlafen«, antwortete sie und schüttelte sich ein paar Fichtennadeln aus dem Haar. Sie wusste, dass es wahrscheinlich klang, aber die Wahrheit war es nicht. Mit Schlaf hatte ihr nächtlicher Zustand nichts zu tun. Wenn, dann eher mit Tiefenwachsein.

»Entschuldige«, sagte sie und umarmte den Vater, weil er ihr leidtat. Auf eine elementare Art und Weise, ohne Rücksicht auf Gesetze, fühlte sie sich schon immer für sich und ihre Taten hundertprozentig verantwortlich, aber das konnte er ja nicht wissen. Ja, nicht mal *erlauben,* aus seiner Position als Vater. Sie hat den Sechzehnten noch nicht gefeiert, also hatte er nicht nur das Recht, sich Sorgen zu machen, sondern auch die Pflicht.

»Würdest du so freundlich sein und mich informieren, wenn du nicht vorhast, zu Hause zu schlafen?«, bat er sie damals. Sie versprach es und hielt das Versprechen, auch wenn sie nicht sicher war, ob sie dadurch seine Ängste mildern konnte.

Jetzt, als sie sich über die Wiese dem Garten nähert, wird ihr zum ersten Mal völlig klar, dass sie ihren Vater in ein paar Stunden verlässt. Sie lässt ihn hier alleine. Wird diese drahtlose Verbindung zwischen ihnen bestehen bleiben? Wird sie nicht durch die Einflüsse, denen Sylva den ganzen Tag ausgesetzt sein wird, schwächer? Noch kann sie sich kein Bild von den Tagen im Meißner Gymnasium machen, aber eines ist sicher: Sie wird selten alleine sein. Nicht einmal die Nächte werden ganz ihr gehören. Sie wird nicht kommen und gehen können, wann es ihr passt, und ihr Herumstreifen wird vielleicht ein Ende haben. Wird sie sich damit abfinden?

Sie drückt die Türklinke des Gartentors herunter. Die Scharniere

quietschen, ein Stück weiter bellt, wie auf Kommando, ein Hund los. Dem aufgeregten Kläffen nach ist es wohl die Hündin des Winzers. Ein Chihuahua. Ihr und ihrem alten Herrchen, das am Südhang einen kleinen Weinberg hat und seinen chronischen Husten mit Wein behandelt, bleibt Sylvas spätes Kommen nicht verborgen. Der Winzer sitzt in Sommernächten hinter seinem Haus und lässt pfeifend die sich abkühlende Luft in seine kranken Bronchien, während ihm die Hündin Gesellschaft leistet. Sie wissen alles, was in der Umgebung passiert. Natürlich wissen sie auch von Sylvas nächtlichen Ausflügen zum Fluss.
»Wie war das Wasser?«, fliegt die gedämpfte Männerstimme über den Zaun.
»Langsam.«
»Auf schnelleres brauchst du nicht zu warten. Wenn sie die Dämme nicht aufmachen.«
»Denken Sie nicht, dass es regnen wird?«
»Ach wo. Frühestens in zwei Wochen.«
»Das ist doch gut für die Trauben, oder?«
»Ja, ja für die Trauben ist die Sonne gut, aber wer soll sie gießen!«
Er fängt an zu husten. Sylva wartet nicht, bis der trockene Husten abklingt, und läuft zur Küchentür. Sie ist offen. Durch das Fliegennetz ist der Tisch sichtbar, auf ihm eine Schüssel Salat. Ein Stillleben. Zu sehr aus dem Zusammenhang gerissen. Vater hört Radio und schüttelt den Kopf. Bei Nachrichten schüttelt er immer den Kopf.
»In der Mikrowelle ist ein Kartoffelpuffer«, begrüßt er Sylva. »Mach ihn dir warm.«
»Hat sie angerufen?«
»Sie ist unterwegs. Ich denke, sie wird in einer Stunde da sein.«
Der Salat sieht verlockend aus. Sylva fischt sich eine Tomatenscheibe heraus, steckt sie sich in den Mund. Sie isst gerne mit den Fingern.
»Willst du nicht mit uns fahren?«
Sie hat es gesagt, ohne darüber nachzudenken. Es tut ihr sofort

leid. Vaters Blick, bisher direkt, zuckt ängstlich zum dunklen Rechteck der Tür.

»In dieser schwülen Hitze?«

Sylva ahnt, dass es nicht die Hitze ist, die Vater von den Berlinbesuchen abhält. Eher Angst. Hier ist sein Territorium. Wenn Mutter herkommt, meistens für ein, zwei Tage, läuft alles nach Vaters Vorstellungen. In diesem Haus ist Mutter immer noch seine *kleine Helga.* Zu eigensinnig und ehrgeizig, als dass sie ihre Stelle in der Firma aufgeben würde, aber sonst fast wie früher. Beständig. So will er sie sich um jeden Preis bewahren. Die Fahrt nach Berlin könnte dieses Bild für immer zerstören. Sie leben schon sechs Jahre getrennt. Mutter ist inzwischen zweimal umgezogen, Vater hat ihre letzte Wohnung noch nicht ein Mal gesehen. Er hat Angst, dass er die Spuren eines anderen Mannes finden könnte. Einen, über den Mutter nicht spricht, aber dem trotzdem ein Teil ihrer Gefühle und Gedanken gehört. Er horcht Sylva nie aus, das wäre unter seinem Niveau, aber dennoch hat sie hin und wieder das Gefühl, dass er sie nach ihren Besuchen bei der Mutter prüfend beobachtet. Wenn er versucht, aus ihrem Gesicht die Antwort auf seine unausgesprochene Frage herauszulesen, hat er Pech. Sie weiß sie selbst nicht.

»Filip war hier«, informiert er sie und schaltet das Radio aus.

»Was wollte er?«

»Du wirst ihm sicher fehlen.«

»Er kann sich ja mit der Bibliothekarin unterhalten.«

Sylva weiß, dass sie Filip ein wenig unrecht tut, aber für sie ist das Kapitel «Du ziehst mich an« zu Ende. Sie will nicht darauf zurückkommen. Als sie klein war und Domino spielte, mochte sie nie die Steine von einer schlecht angeordneten Schlange wegnehmen. Lieber vermasselte sie das ganze Spiel. Sie setzt sich zu ihrem Vater. Es ist die letzte ruhige Minute, die sie miteinander haben. Sie will sie nutzen. Mit Mutter wird ein Energiebündel ins Haus platzen, das kein Gespräch über ernste und schwere Dinge zulässt. Über das, was Sylva beunruhigt.

»Ich werde mir Mühe geben«, sagt sie. »Diesmal echt, Papa.«
»Ich weiß.«
»Aber was, wenn ich trotzdem versage?«
»Wie meinst du das?«
»Dort sind bestimmt lauter tierisch schlaue Köpfe. Vielleicht kann ich da nicht mithalten. Oder ich halte es in der wunderbaren intellektuellen Umgebung einfach nicht aus und hau ab.«
»Hältst du dir eine Hintertür offen – nach Alaska oder Sibirien?«
»Ich will wissen, was du machen würdest, wenn ich eines schönen Tages, mitten in der Unterrichtszeit, einfach hier auftauchen würde.«
»Ich würde dir eine Entschuldigung schreiben.«
»Vater!« Aufgebracht springt sie auf. »Glaubst du, du bist der Einzige, der eine Krise hat? Ich schreibe zwar kein Buch darüber, aber in der letzten Zeit stelle ich mir ziemlich grundlegende Fragen, falls du es nicht gemerkt hast!«
»Entschuldige.« Er zieht eine reumütige Grimasse. »Was sind das für Fragen?«
»Alles Mögliche. Zum Beispiel die Vorherbestimmtheit zum Alleinsein. Jeden Tag zusätzliche Verluste. Gespaltenheit. Der Einfluss der Brustgröße auf die Psyche der Frau. Die Alternative des Verstands. Der Mensch als Menge von Bruchteilchen ... und, und, und ...!«
Sie spürt, wie ihr Gesicht brennt. Der beruhigende Einfluss der nächtlichen Natur war längst verdampft. Sie ist gespannt und aufgebracht. Hunderte schmerzhafte Themen gehen ihr durch den Kopf. Ohne Nutzen. Ohne Unterbrechung. Und von wie vielen Problemen weiß sie gar nichts! Jede Sekunde wächst die Hoffnungslosigkeit auf dieser Erde und es führt kein Weg hinaus! Welchen Sinn hat es, in der Küche zu stehen, zu labern, auf Mutter zu warten, nach Berlin zu ziehen oder nach Meißen oder sonst wohin, zu lernen, Geld zu verdienen, Krankenversicherung zu zahlen, Kinder zur Welt zu bringen, Angst um sie zu haben ... Wo ist der Sinn? Wo ist die Garantie, dass alles irgendeine Bedeutung hat? Dass es

nicht nur ein zufälliges und verwirrtes Gewusel im Sand ist, das von der nächsten Welle weggespült wird?
»Ich bin so unglücklich!« Tränen kullern ihr über die glühenden Wangen. Sie sind heiß, kühlen nicht. »Ich weiß nichts, Papa! Ich versteh nichts!«
Vater zieht sie an sich, schweigend streicht er ihr über die Haare, mit dem Handrücken wischt er ihr die Wangen trocken.
»Ich auch nicht«, flüstert er. »Ich versteh immer weniger.«
»Immer weniger? Das meinst du nicht ernst!« Sie bäumt sich gegen die streichelnde Hand auf. »Du wirst bald sechsundfünfzig! Ich habe gedacht, in deinem Alter ist es besser! Dass du das Grundlegende begriffen hast!«
»Was ist grundlegend?«
»Papa!«, ruft sie verzweifelt. »Kann man denn so existieren?«
Der Vater sitzt ihr mit hängenden Schultern gegenüber.
»Weißt du, in der Pubertät ...« Er fängt an und verstummt wieder. Er sieht sie an, wie ein Arzt seinen Patienten, bei dem er überlegt, ob er ihm die Diagnose sagen soll, obwohl er sich nicht hundertprozentig sicher ist. Endlich entschließt er sich doch.
»Die Pubertät ist ein eigenartiger Zustand. Nicht wiederholbar. In der Pubertät ist der Mensch nackt, also berührt ihn alles direkt. Die Berührung ist erregend und schmerzhaft zugleich. Es dauert nur zu kurz. Viel zu kurz«, er seufzt und macht eine Pause. Die Uhr an der Wand bestätigt seine Worte. Jedes Ticken ist ein Stempelschlag. Die gestempelten Sekunden sind abgelaufen und die, die noch auf den Stempel warten, unvollendet. Was ist dazwischen? Was bleibt?
»Erst wenn du älter wirst, beginnst du dich anzuziehen.« Vaters Stimme durchbricht den monotonen Rhythmus des Uhrwerks. »Du legst dir immer mehr Schichten zu, die dich unempfindlich machen. Wenn die Menschen, die ganze Gesellschaft, nackt bleiben würde, müssten wir uns alle erst um den Hals fallen und anschließend kollektives Harakiri begehen. Eine Ersatzlösung fällt mir nicht ein.«

»Fühlst du dich nicht mehr nackt?«
Der Vater schüttelt langsam und niedergeschlagen den Kopf.
»Vielleicht habe ich nicht so viele Schichten, aber eine direkte Berührung ist eher ein Wunder für mich.«
»Das alles also ... was ich jetzt erlebe ... geht vorbei?«
»Höchstwahrscheinlich ja. Leider.«
Er sieht nicht aus wie ein Guru, der ein Patent auf die Wahrheit hat. Er sagt, was er denkt, und er sagt es mit Trauer. Er weiß weder ein noch aus. Er schreibt «Bauten in uns« und irrt in ihnen umher. Er hört Nachrichten und schüttelt den Kopf. Und was ist mit ihr? Ist sie von vornherein zu der gleichen Hilflosigkeit verurteilt?
Sie umarmt ihn fest.
»Weißt du was, Papa?«, sagt sie und bemüht sich, ihre Stimme wie die von Mutter klingen zu lassen. Optimistisch. Voller Tatendrang.
»Ich mach jetzt den Kartoffelpuffer warm.«

◆◆◆

»Schöne und fröhliche Weihnachten, Niklas!«
»Lass mich bloß in Frieden mit deinen Weihnachten, Sylva.«
»Was ist los mit dir? Du siehst komisch aus.«
»Nur weil ich nicht Alle Jahre wieder singe, sehe ich komisch aus? Im Gegenteil, ich bin total glücklich. Fröhlicher als der ganze Weihnachtskram zusammen.«
»Du guckst wie ein Plüschtier und man kann deine Rippen sehen. Das letzte Mal warst du nicht so dürr. Hast du Tuberkulose?«
»Eher viel zu viel Arbeit. Ich maloche jeden Tag nach der Schule im Presto.«
»Was ist das?«
»Your Musicworld. CD-Paradies, DVD-Insel und so weiter. Ecke Warschauer Straße.«
»Sparst du noch für die Kamera?«
»Nicht wirklich.«
»Drehst du mit der alten?«
»Ich hab sie verkauft. Es war 'ne Krücke. Ich bin froh, dass ich sie losgeworden bin.«
»Und was ist mit den Filmen? Zeigst du mir einen?«
»Im Sommer hab ich ›Mäuschen‹ gedreht.«
»Den hast du mir gezeigt. Nichts Neues?«
»Eigentlich ... seitdem nichts. ›Mäuschen‹ ist das Letzte.«
»Du könntest dir eine Kamera leihen.«
»Um die Kamera geht's nicht. Es hat aufgehört, mir Spaß zu machen. Ich gucke lieber nur so. Filme macht jeder Idiot.«
»Gute Filme nicht. ›Mäuschen‹ war genial. Ehrlich, total professionell.«
»Ja? Kennst du dich aus?«
»Filmkritiker bin ich nicht, aber ...«
»Es war daneben. Langweilig.«

»Warum spielst du immer den Außenseiter?«
»Ich bin ein Außenseiter. Siehst du darin was Schlimmes?«
»Sei nicht zickig, Klasi! Ich bin gekommen, damit wir uns unterhalten, wie in alten Zeiten.«
»Das ist nett von dir, aber wie in alten Zeiten wird's wohl nicht sein.«
»Warum nicht?«
»Wir entfernen uns voneinander, fühlst du's nicht? Wir schlagen unterschiedliche Richtungen ein.«
»Was ist denn deine Richtung?«
»Vergiss es.«
»Du bist mein Freund, ich will wissen, was du für Sorgen hast.«
»Wer redet von Sorgen?«
»Also Wünsche. Hast du irgendeine Vorstellung von dem, was du willst? Ich meine echt.«
»Erinnerst du dich an die Insel, auf die uns deine Ma mal mitgenommen hat? Da war ein Leuchtturm drauf. Erinnerst du dich an den Leuchtturm?«
»Klar erinnere ich mich.«
»Weißt du, was ich will? Was ich mir echt wünschen würde?«
»Sag.«
»Ich würde mir ... ach was, vergiss es!«

... einen Joint, so groß wie dieser Leuchtturm. Ja, das würde ich mir echt wünschen, um nie wieder Gras in kleinen Mengen besorgen zu müssen. Ich würde ihn im Hof aufstellen, da wo früher die Kastanie stand, ich würde gemütlich im Zimmer sitzen, von Zeit zu Zeit würde ich hingehen und einen tierischen Zug nehmen. Das wäre ein Leben! So ein Leuchtturm im Hinterhof wäre schön, niemand hätte eine Ahnung, was drin ist, alle würden sagen, wie romantisch, mitten in Berlin, ich würde es auch sagen, damit ich unauffällig bin. Vielleicht würde ich erst im Dunklen hin wegen Mutter. Sie sollte nichts wissen, damit sie denkt, dass ich jetzt clean bin.

»Niklas, weißt du, was mich wirklich freut?«, sagte sie neulich, als sie Evita und mich zugekifft bis zum Gehtnichtmehr auf der Couch gefunden hat. »Ich bin wirklich, wirklich, aber wirklich froh, dass dein Vater das hier nicht erleben muss.«
Wichtige Sachen sagt sie dreimal. Sie hat es aus der FDJ. Sie hat mir erzählt, dass sie auf Zusammenkünften und in Sommerlagern immer alles dreimal rufen mussten. Damit wurde das nötige Maß an Begeisterung oder Abscheu zum Ausdruck gebracht. Was Hänschen nicht lernt ... Mutter ist beim dritten Versuch in Rage.
»Nein, nein, nein! In der Wohnung werde ich so was nicht dulden!«
Also sind wir im Keller. Evita stört das nicht, sie hat sowieso meistens keine Ahnung, wo ihre Beine beziehungsweise meine Arme sie hingetragen haben. Für mich ist der Keller nur bedingt annehmbar. Es macht mir nichts aus, dass er dreckig ist und nach Kohle stinkt – daran habe ich mich schon als Kind gewöhnt, als ich hier die geheime Kammer ausgehoben hatte – was mir auf die Nerven geht, ist der Mangel an Privatsphäre. Die Mieter kommen, wann es ihnen passt, und obwohl unser Versteck ganz hinten hinter den Verschlägen ist, bin ich nervös. Es wäre nicht angenehm, wenn uns hier jemand erwischen würde. Evita ist manchmal viel zu laut. Ich wüsste gern, was die sich alles reinpfeift. Von mir kriegt sie manchmal Pillen und Gras, manchmal Hasch, aber ich vermute, dass sie durch Eigeninitiative noch viel mehr auftreibt. Manchmal lacht sie dann so, dass sich die Leute nach ihr umdrehen. Ich liebe das Lachen, obwohl mir dabei Gänsehaut den Rücken runterläuft.
»Wie spät ist es?«
Sie ist aufgewacht. Sie bleibt liegen, hebt die Arme, und als ich mich zu ihr beuge, zieht sie mich an sich. Durch unsere beiden T-Shirts fühle ich, wie ihr Herz rast.
»Ich müsst mich waschen«, flüstert sie. »Ist sie schon weg?«
»Ich hab noch keine Tür knallen gehört.«
»Willst du nicht nachsehen?«
Ich sehe sie mir im farblosen Licht, das durch die Kohlenluke vom

Hof hereinsickert, an. Ich suche das Muttermal in ihrem Augenwinkel, und wenn ich es finde, gleite ich mit dem Blick zu den glänzenden Pupillen. Ich habe das schönste Mädchen in Friedrichshain, vielleicht in ganz Berlin. Ich verdächtige sie, unsterblich zu sein. Sie stand bestimmt schon den Malern Modell, die die ägyptischen Tempel und Pyramiden schmückten. Oder sie ist die Königin Nofretete höchstpersönlich.

»Wenn ich doch irgendwann mal einen richtigen Film drehe, hast du die Hauptrolle sicher«, verspreche ich ihr. »Ich sehe es genau vor mir.«

»Worüber wird er sein?«

»Du gehst durch die Zeiten, und obwohl sich die Welt um dich herum auf verschiedene Weise verändert, bleibst du immer gleich. Das einzige Geräusch, was dich begleitet, ist dein Lachen. Lach mal!«

Sie kann es auf Bestellung. Sie fängt an zu lachen, bis ich ihr den Mund zuhalten muss. Sie umarmt mich wieder – ihr Herz unter den Rippen. Ich bin glücklich. Auch wenn ich nie wieder einen Film drehen werde. Sylva denkt, dass ›Mäuschen‹ gut war, und dass ich es nicht aufgeben sollte. Dass ich eine Chance habe, auf eine Filmhochschule zu gehen und Profi zu werden. Gelaber. Sie hat reiche Eltern, also merkt sie nicht, was das Leben kostet. Meine Ma ist froh, wenn es am Ende des Monats einigermaßen passt, und ich ... Alles was ich an Nachmittagen oder Wochenenden verdiene, krallen sich die Dealer in Hasenheide. Da sind auch schon mein Handy und die Kamera gelandet. Ich frage mich, was jetzt an der Reihe ist. Viel bleibt nicht mehr.

»Hörst du?«

Ein Schlag von oben. Hinter irgendwem ist die Tür zugefallen, sehr wahrscheinlich hinter Mutter. Um diese Zeit geht sie meistens zur Arbeit. Natürlich ahnt sie nicht, dass ich da bin. Wenn sie mich manchmal fragt, wo ich die Nacht verbracht habe, sage ich: bei einem Freund. Evita erwähne ich lieber nicht mehr. Mutter hat sich ein für allemal eine Meinung gebildet und die ändert sie nicht,

so wie ich sie kenne. Seit dem Tag, an dem sie uns auf Vaters Couch erwischt hat, will sie nichts von ihr wissen.
»Ich geh gucken«, sage ich und stehe auf. »Sei still.«
Der Kellergang ist dunkel und gewunden, aber wenn es darauf ankäme, könnte ich mit verbundenen Augen durchgehen. Es ist der Gang meiner Kindheit. Wenn ich nicht gerade Eimer mit Kohle zwischen den Verschlägen hindurchschleppen musste, schlich ich mit Taschen voller Ziegel, die ich mit dem Pickel aus der Wand brechen konnte, dort entlang. Es war anstrengend, lohnte sich aber. Ohne dass es jemand bemerkt hätte, hob ich im Laufe der langen Monate eine Höhle hinter dem letzten Kellerverschlag aus. Sie ist klein, es passt gerade so eine Matratze hinein, aber mehr brauchen wir auch nicht.
»Ich verstecke mich in der dreizehnten Kammer«, verkündete Sylva einmal, als wir zusammen Drachenhöhle spielten und ich Mutanten auf sie losschickte. »Dorthin folgen sie mir nicht.«
»Was ist das?«, fragte ich. Nie zuvor hatte ich von einer dreizehnten Kammer gehört.
»Ein geheimes Zimmer. Das gibt es in fast jedem Märchen.«
»Warum meinst du, dass die Mutanten dir da nicht hineinfolgen?«
»Weil vor der dreizehnten Kammer sogar Mutanten Angst haben. Keiner weiß, was sich drinnen befindet. Auch wenn du einen Schlüssel hast, wirst du sie nicht ungestraft betreten, verstehst du?«
Ich war mir nicht sicher, wie sie es genau meinte, aber sie reizte mich. Ich fing an meine dreizehnte Kammer zu suchen. Ich brauchte einen Platz, wo man mich in Ruhe ließ. Bevor Vater starb, hatte ich mein Versteck in seinem Schrank gehabt. Er wusste, dass ich drin war, aber er ließ es sich nicht anmerken, und ich konnte bleiben, solange ich wollte. Nach seinem Tod ging das nicht mehr. Mutter räumte den Schrank um, und ich war zu groß. Damals fiel mir das erste Mal auf, dass Wohnungen eigentlich Frauensache sind. Überall, wo Mann und Frau zusammenwohnen – und es ist egal, wie alt sie sind – gehört die Wohnung ihr und er ist nur

geduldet. Vielleicht aus Liebe, aber eben geduldet. Deshalb werden Evita und ich nie eine gemeinsame Wohnung haben. Höchstens eine gemeinsame dreizehnte Kammer.
Als ich die Kellertür aufmache, horche ich kurz. Nichts. Im Haus ist alles still. Ich schleiche hinaus und laufe schnell die Treppe zu unserer Wohnung hoch. Ich stecke den Schlüssel ins Schloss und drehe ihn – einmal, zweimal. Also ist sie weg. Auf dem Tischchen im Flur liegt ein Brief für mich, von Mutter. Sie hatte ihn in Ruhe geschrieben, kein Wort wiederholt sich. Sie wird spät nach Hause kommen. Ab morgen hat sie Urlaub. Sie fährt für eine Woche zu ihrer Schwägerin nach Rostock. Davor frühstücken wir gemeinsam. Ich soll *wenigstens einmal* daheim sein. Ansonsten keine schnippische Bemerkung oder etwas Ähnliches. Ich bin erleichtert. In der letzten Zeit hat sie selten gute Laune. Sie beobachtet mich von der Seite. Ich weiß nicht, was sie über mich denkt. Was sie wirklich über mich weiß. Letztens machte sie einen lustigen, eigentlich ziemlich unangenehmen Versuch: Sie setzte sich mir gegenüber, nahm meine Hände in ihre und gab mir demonstrativ zu verstehen, dass sie wartete. Da konnte sie lange warten. Seit ich Evita habe, vertraue ich mich Mutter nicht mehr an. Seitdem bin ich glücklich.
Ich streife durch die Wohnung. Alles blitzblank. Die Böden gewischt, die Blumen gegossen, die Spüle auf Hochglanz poliert, nirgends ein Staubkörnchen. Sogar die Vorhänge sind frisch gewaschen. Ich rieche den Zitronenduft des Waschmittels. Nach ihrer Rückkehr aus Rostock will sie sich nicht mit Schmutz oder Unordnung herumschlagen. Sie will sich das Urlaubsgefühl bewahren. Bestimmt zählt sie morgen beim Frühstück alle Tabus auf. Punkt Nummer eins bis unendlich: Nicht in den Zimmern rauchen, nicht in der Küche rauchen, nirgends rauchen!
»Nicht mal auf dem Klo, Niklas! Ich rieche es, wenn du hier rauchst!«
Einen Furz riecht sie. Wir haben hier mit Evita letztes Wochenende gekifft, dann sprühte ich das Zimmer mit Mottenspray ein, und

als Mutter von der Nachtschicht kam, merkte sie nichts. Wobei ... hundertprozentig sicher bin ich nicht. Manchmal habe ich das Gefühl, dass sie mehr weiß, als sie sich anmerken lässt. Ganz klar zeigte es sich am Ende des Schuljahres. Sie nahm mein Zeugnis, las es sich von oben bis unten durch, dann schaute sie zu mir hoch, und mit der reservierten Stimme eines Nachrichtensprechers, die sie sich in letzter Zeit angewöhnt hatte, sagte sie: »Diese Noten sind gut, wenn du nach der Realschule einen Drogenhandel im Volkspark aufmachen willst.«
Ich hielt den Atem an, weil ich am Abend vorher gerade dort, an der Ecke des Volksparks, bei einer Dealerin eingekauft hatte. Ich sagte nichts und Mutter bohrte auch nicht weiter, trotzdem jagte sie mir einen Schrecken ein. Vielleicht spioniert sie mir nach. Ein paarmal sagte sie so etwas wie: Wenn einer sich nicht selber helfen kann, muss ihm halt geholfen werden. Mir fiel ein, dass sie vielleicht dabei war, eine teuflische Strategie auszuhecken, wie sie mich in eine Klinik kriegt, in der man mir den Körper und das Gehirn ausspült, damit ich wieder sauber bin. Sauber in jeder Hinsicht. Noch ein halbes Jahr und zwei Wochen hat sie Macht über mich, dann werde ich volljährig. Nicht länger. Nur noch hundertfünfundneunzig Tage muss ich aufpassen. Dann leben wir, wie wir wollen. Evita und ich.
Als ich die Decken aus der Wäschetruhe nehme, sehe ich, dass der Anrufbeantworter blinkt. Ich drücke die Wiedergabetaste.
»Hallo Klasi«, ertönt Sylvas Stimme. »Ich bin in Berlin, aber nur für ein paar Tage. Ich würde dich gern sehen. Ich ruf noch mal an oder komme einfach vor ...«, ich warte nicht auf das Ende der Nachricht und lösche sie. Das hat mir noch gefehlt! Ich kann mir die Fragen vorstellen, die Sprüche! Warum bist du so dünn? Warum antwortest du nicht auf die Briefe? Warum rufst du mich nicht mal an? Warum sagst du mir nicht, was für Probleme du hast? Warum, warum, warum ... Darum! Wir haben uns mal verstanden, aber das ist vorbei, also nerv nicht, Sylvienchen. Du warst mein bester Kumpel, aber ich habe jetzt eine Freundin, und damit

hat sich vieles verändert. Finde dich damit ab, dass Menschen nicht immer dieselben sind – sie entwickeln sich. Das Leben ist kein Film, den du einmal drehst und der dann für immer feststeht. Auch wenn du ihn hundertmal anschaust, er wird nie wieder anders sein. Das, was mit mir im letzten Jahr passiert ist, hat nichts mehr mit dem Niklas gemeinsam, den du gekannt hast. Ich habe es dir schon an Weihnachten gesagt, aber du wolltest es nicht hören. Ich bin in eine andere Dimension gewechselt. Ich kann nicht zurück, ich bin woanders und es gefällt mir dort.

Die Bettwäsche riecht nach Zitronenwaschmittel, genauso wie die Vorhänge. Ich könnte gerade so reinfallen. Aber zuerst muss ich die Königin Nofretete holen. Sie ist bestimmt schon wieder eingeschlafen. Sie hat die ganze Nacht in diesem Hangar abgetanzt – ich habe total vergessen, wo das überhaupt war und mit wem wir dort gewesen sind. Am Morgen, auf dem Heimweg, war sie noch immer voll aufgedreht. Sie wollte Action und sorgte auch dafür, dass sie sie bekam. Sie half den Müllmännern, die Mülltonnen zu leeren. Ich konnte es ihr nicht ausreden. Sie wollte sogar zu ihnen ins Auto steigen.

»Na klar, komm mit uns auf die Müllkippe, da gehörst du hin!«, lachten sie sie aus. Ich musste sie mit Gewalt wegzerren. Sie trat nach mir und kratzte wie eine Katze, dabei warf sie einen Blechcontainer um. Meilenweit hörbare Detonation! Jemand schrie uns durch den Lärm zu, dass er jetzt die Bullen ruft. Zum Glück gelang es mir, sie zu beruhigen, und wir waren weg, bevor die Bullen kamen. Eine Ecke weiter kollabierte sie. Plötzlich war sie wie weggetreten. Ich musste sie hochziehen und den ganzen letzten Häuserblock entlangtragen. Es war ja nicht das erste Mal. Während ich sie so schleppte, ist *es* mir eingefallen. Der Gedanke schoss mir durch den Kopf und ich konnte ihn nicht vertreiben. Evita hatte einen Arm an meinen Bauch gedrückt, der andere hing runter, der Ärmel reichte ihr bis zu den Fingerspitzen. Ich dachte, dass es bescheuert ist, bei so einem heißen Wetter mit langen Ärmeln herumzulaufen. Das ergab keinen Sinn, außer ... außer man würde

darunter etwas verstecken. Ich kannte Evitas Arme. Sie waren geschmeidig und weich, ich berührte sie gern. Nur zeigte sie sie mir schon lange nicht mehr. Wir krochen zusammen unter die Decke, kuschelten und berührten uns, aber dass wir voreinander nackt herumstolziert wären, das nicht gerade.
Also begann es in meinem Kopf zu bohren, wie wohl ihre Unterarme aussahen.
»Ich würde niemals spritzen«, behauptete sie vor einem Dreivierteljahr, als uns der U-Bahn-Waggon, der wohl von irgendeiner geheimen unterirdischen Liebesmacht losgeschickt worden war, zusammenbrachte. »Hin und wieder irgendetwas zum Wachwerden, mal was kiffen oder ziehen. Es hilft mir, Blockaden abzubauen. Zu meinen verdeckten Ressourcen zu finden. Es ist mehr oder minder unschädlich und ich hab's unter Kontrolle. Aber sobald jemand zur Spritze greift, wird er zum Sklaven.«
Sie bot mir Hasch an. Mein erstes im Leben. Bis dahin hatte ich nur bescheidene Erfahrung mit Gras, nichts Großes. Zusammen rauchten wir es von der Folie hinter einer Hütte in der Heinersdorfer Kleingartenkolonie. Ich hab vergessen, was es damals genau mit mir gemacht hat, aber ich weiß, dass an dem Abend mein neues Leben begann. Mein wirklicher Geburtstag. Ich schlüpfte aus den Eierschalen, die mir bis dahin die Sicht versperrt hatten, und konnte plötzlich die gesamte Schönheit erkennen. All die vor Fröhlichkeit überschwappenden Leute, die Spatzen auf den Baustellen, die Regenschirme, die an der Spree entlangmarschierten, die Spuren in den Sandkästen und den Wind, der in die löchrige Plastikfolie vorm Baumarkt fuhr – alles nahm ich neu wahr. Ich war verzaubert, und mir war vor lauter Glück zum Heulen zumute. Erst dachte ich, es läge am Hasch, aber bald merkte ich, dass es an Evita lag. Vom ersten Wort an, das wir uns sagten, war klar, dass wir zusammengehörten. Es war so eindeutig, dass wir gar nicht darüber sprechen mussten. Wir begannen alles gemeinsam zu tun. Alles, was ging. Wir liefen zusammen herum, schauten uns alles gemeinsam an, wir knutschten und kuschelten zusammen, lachten und

hörten Musik, kifften und tanzten, manchmal schluckten wir 'ne E und begossen sie mit Bier aus einer gemeinsamen Flasche, und danach schliefen wir gemeinsam den Rausch auf der Matratze im Keller aus. Aber wir drückten uns nie was. Zusammen.

»Schläfst du?« Ich bin wieder im Keller. Ich schüttele sie leicht. »Ma ist weg, und vor fünf kommt sie nicht wieder. Wir können hoch. Ich hab schon das Bett gemacht.«

Sie wimmert leise und dreht sich auf die andere Seite. Vorher, auf der Straße, unterdrückte ich meinen Verdacht. Im rosa Licht des Sonnenaufgangs war kein Platz für ihn. Jetzt nagt er wieder in meinem Kopf. Ich habe Evitas Arm genau vor mir. Er liegt an ihrem Körper, versteckt im langen Ärmel. Ich schiebe ihn ein wenig hoch. Als würde ich einen Stein hochheben, unter dem ein Schlangenknäuel wohnt: Die Finger zucken nervös und verstecken sich in der Handfläche. Ich schiebe den Ärmel höher und warte, ob sie davon wach wird. Sie liegt bewegungslos da, nur die Schultern heben und senken sich leicht, wenn sie atmet. Sie lächelt. Es tut mir leid, dass ich nicht weiß, worüber. Ich würde es gern wissen. Ich würde so gern alles über sie wissen. Ich lege den Arm frei, bis zum Ellbogen. Das Licht, das aus dem Hof hereinsickert, hat die Farbe von Milch, aber ich sehe es trotzdem. Ich muss mich nicht mal runterbeugen. Die weiche Haut auf Evitas Unterarm ist voller kleiner Schorfpunkte. Manche sind am Abheilen, manche ganz frisch und entzündet. Ich fahre mit den Fingern darüber, fühle den Puls. Genauso rastlos wie unter den Rippen. Der Puls der unsterblichen Königin.

»Ma ist weg«, flüstere ich ihr ein zweites Mal ins Ohr. Ich ziehe ihr dabei den Ärmel wieder herunter. »Komm, wir können hoch.«

Ich helfe ihr auf die Beine und führe sie durch den Gang zwischen den Verschlägen aus dem Keller heraus. Ich kann nicht aufhören zu gähnen. Ich bin erschöpft und schläfrig. Zu erschöpft, um darüber nachzudenken, was ich gesehen habe. Zu schläfrig, als dass ich beurteilen könnte, was das für uns beide bedeutet. Das hat Zeit genug. Wir schlafen eine Runde, und dann unternehmen wir was. Irgendwie schaffen wir es ... zusammen.

Liebe Sylva!
Du hast vorgeschlagen, dass wir uns schreiben (ich hoffe nicht, in einem Anfall von Unzurechnungsfähigkeit oder sogar aus Mitleid!), also tue ich das jetzt. Ich kann mir nicht helfen. Ich wollte vor der Abfahrt noch mit dir reden, was nicht gelungen ist, und selbst wenn es zu einem Gespräch gekommen wäre, hätte ich bestimmt das Thema oder den Ton verfehlt. Für introvertierte Grobmotoriker wie mich ist ein Brief leichter. Er gibt mir die Gelegenheit, in Ruhe meine Gedanken zu ordnen, und (das vor allem!) dabei muss ich dich nicht angucken. Das ist keine Beleidigung, wie du hoffentlich verstehst. Ich schaue dich gerne an, aber dabei vergesse ich jedes Mal, was ich sagen wollte. Oder machen wollte. Oder beides. Behämmert, oder?
Es tut mir leid, was am Anfang der Ferien passiert ist. Genauer gesagt, was nicht passiert ist. Oder noch genauer: wie es passiert ist. Seit dem Moment unter dem Kirschbaum halte ich mir das ununterbrochen vor, auch wenn ich weiß, dass ich damit nichts wiedergutmache oder nachhole. Zur richtigen Zeit am richtigen Ort, wie Horatius sagt. Und mein richtiger Augenblick ist vorbei. Ich habe ihn verpasst. Wenn ich dir etwas bedeutet habe, wirst du es morgen nicht mehr wissen. Auf der Schule in Meißen wirst du bestimmt eine Menge neue Leute treffen, und Filip, mit dem du auf dem Zaun gesessen und über die Welt gelabert hast, wird bald der Vergangenheit angehören. Es gibt nichts Unnötigeres als die Vergangenheit ...

Einerseits ist die Unterscheidung zwischen Vergangenheit und Zukunft laut Einstein eine Illusion. Andererseits denke ich, dass Beziehungen durch Illusionen leben, und Einstein hatte sein Leben lang Probleme mit Beziehungen, also ist es sinnlos, sich auf ihn, als Autorität, zu berufen.

»Was hast du gesagt?« Der Abteilungsleiter schaut vom Rechner hoch und betrachtet ihn misstrauisch.
»Ich? Nichts.«
»Du machst das Maul auf, fuchtelst mit den Armen, und dabei sagst du nichts?« Er lacht und schüttelt den Kopf. »Na, du bist ein Trottel.«
Filip zwängt sich mit dem Rollwagen tiefer in den Gang hinein, damit er dem Verkäufer aus den Augen kommt. Seit gestern früh, als er im Einkaufszentrum seinen Dienst antrat und man ihn der Baustoffabteilung zuwies, ist er diesem Muskelprotz ein Dorn im Auge. In einem fort provoziert er ihn und verheimlicht nicht, dass er Aushilfskräfte und Gymnasiasten nicht mag.
»Hey, Milchbubi ...«
»Ich geh in die Elfte.«
»Ist mir total wurscht, in welcher Klasse du bist, Milchbubi! Wenn du gedenkst mit den Rigipsplatten fertig zu sein, kannst du das Parkett stürmen!«
Im Lager warten zwei Paletten auf ihn. Vierhundert Pakete. Schöne Maloche, besonders in der Schwüle, aber Filip hat nichts dagegen. Er hat mit Absicht eine Arbeit gewählt, bei der man nicht einen Funken geistige Energie aufwenden muss. Den Rollwagen beladen, in den Laden fahren, ihn entladen. Laden, fahren, entladen – wieder und wieder, bis zum Verblöden. Die einzige Anstrengung, die er aufbringen muss, ist, das richtige Regal zu finden und die einsortierte Ware von der Liste zu streichen. Eine ideale Tätigkeit für den jungen Werther. Man kann dabei wunderbar leiden, sinnieren, träumen, sich alles Mögliche und Unmögliche vorstellen und vor allem den wichtigen Brief entwerfen. Wo hatte er eigentlich aufgehört? Bei den Illusionen, natürlich ...

Seit du weggefahren bist, habe ich mich immer wieder dabei ertappt, dass ich mit dir rede – manchmal im Geist, hin und wieder sogar laut, als ob du neben mir wärst –, und dann ist mir klar geworden, dass sich mein Unterbewusstsein weigert, deine Abwe-

senheit zu akzeptieren. Anderthalb Jahre haben wir uns täglich unterhalten (auch wenn ich wohl öfter mal einen inspirationslosen Monolog gehalten habe), jetzt kann ich nur in Gedanken mit dir reden und habe Angst, dass die Übertragung nicht funktioniert. Zumindest nicht bei mir. Deshalb habe ich mich für einen Brief entschieden. Keine E-Mail, sondern ein altmodischer Brief, handgeschrieben, im Umschlag, den ich zur Post bringen muss oder wenigstens zum Briefkasten an der Kreuzung. Du lachst vielleicht darüber, aber ich denke, dass das nicht zu verachtende Details sind. Ein Brief schon wegen seiner Langsamkeit …

»Langsamer geht's nicht?«
Er legt die letzte Rigipsplatte ab und schaut hoch. Der Abteilungsleiter ist schon wieder hinter ihm. Offensichtlich macht es ihm Spaß, zu schikanieren, und ein anderes Opfer hat er gerade nicht.
»Komm mit, ich zeig dir, wo du das Parkett abladen kannst, damit du nicht wieder 'ne halbe Ewigkeit suchst«, fordert er Filip ungeduldig auf und macht sich vor ihm auf den Weg zwischen die Regale. Die mächtigen Arme, über die sich der Firmenmantel spannt, sind mit Tätowierungen gespickt. Links guckt unter den hochgekrempelten Ärmeln Mike Tyson heraus, rechts Muhammad Ali.
»Auf das Parkett aufpassen, es ist ein umfangreiches Sortiment«, belehrt er Filip gehend. »Du musst immer den Kode kontrollieren. Unter dem gleichen Namen werden unterschiedliche Maße und Oberflächenbearbeitungen geführt, und dem jeweiligen Kode entspricht auch der Preis, kapiert? Sobald du's falsch ablegst, machst du uns nur mehr Arbeit!«
Er strahlt die Selbstsicherheit eines Hahns auf dem Misthaufen aus. Filip verspürt unbändige Lust, ihm den Kamm zu stutzen.
»Wozu sind denn die Schilder an den Regalen und der Katalog?«, bemerkt er sarkastisch. »Ich lese, wo was hinkommt, lege es da ab, fertig. Ich sehe da kein Problem.«

Der Verkäufer dreht sich auf dem Absatz um und macht zwei schnelle Schritte zurück. Seine Augen funkeln vor Zorn.
»Hey, du Intelligenzbolzen, vielleicht kannst du lesen, aber mit den Händen schaffen, das hat man dir jedenfalls nicht beigebracht! Seit heute Morgen hast du nur ein paar Rigipsplatten hereingebracht – was für eine Leistung!«
»Ich bin erst den zweiten Tag hier«, verteidigt sich Filip. Gut, dass er den Rollwagen hat, er steht zwischen ihm und dem Verkäufer. Wenn es also zu einer körperlichen Auseinandersetzung käme, könnte man ihn als Mittel der Verteidigung benutzen. »Ich habe mich noch nicht richtig eingearbeitet.«
»Und das wirst du auch nicht, wenn du dir keinen Rat geben lässt! Merke: Jede Arbeit kann man dämlich oder clever verrichten. Du hast dich für's Erste entschieden!«
»Ich hab nur gesagt ...«
»Ich hab dich gestern darauf hingewiesen, dass deine Schuhe nicht gut sind, dass dir die Füße wehtun werden. Ich hab gedacht, gib dem Schlauen 'nen Rat ... Nein, Herr Schlaumeier tritt heute mit den gleichen Latschen an! Du hast zwei Paar Handschuhe bekommen – die einen aus Stoff, die anderen aus Leder ... Nein, Herr Superhirn arbeitet mit nackten Händen, damit er so viele Blasen wie möglich an den Händen bekommt!«
»Das ist doch meine Sache, oder?«
»Ein Hilfsarbeiter mit geschwollenen Füßen und kaputten Händen, der sich nichts sagen lässt, weil er alles besser weiß, hat für den Laden den gleichen Wert wie der verschüttete Zement da auf dem Boden! Am besten, man fegt ihn raus!«
Mit entschiedenen Gesten dokumentiert er seine Worte. Dann dreht er sich um und geht zur Informationstheke, wo ein Kunde auf ihn wartet. Es ist eindeutig, dass er mit Filip fertig ist. Sogar sein Rücken spricht eine klare Sprache: Kannst mich mal, du Dummkopf! Filip fühlt sich, als hätte er ein Déjà-vu. Die gleiche Situation hat er schon erlebt, und das nicht nur einmal. Mindestens hundertmal. Er wüsste gern, warum ihn das Leben mit eiser-

ner Regelmäßigkeit in die Rolle des Idioten drängt. Womit hat er das verdient? Aus welchem Grund ist es ihm beschert, immer zur falschen Zeit am falschen Ort zu sein, die falschen Leute zu treffen und die falschen Sachen zu sagen? Egal wie er es dreht und wendet, das einzig Richtige, was ihm je passiert ist, ist die Begegnung mit Sylva. Aber die Chance, eine Beziehung mit ihr aufzubauen, hat er nicht genutzt. Im Gegenteil, mit seiner Ungeschicklichkeit entfernte er sich bereits von ihr, noch ehe sie aus seinem Leben verschwand. Was nutzt es ihm, dass er die Kirsche, die sie voller Wut nach ihm geschmissen hatte, immer noch im Gefrierfach hat? Nicht mal einen richtigen Kuss brachte er zustande! Mit Hilfe von Kerouacs Buch stellte er es sich nur immer wieder vor. Wie er unabhängig leben könnte. Wie er mit Ray und Paradiso durch die Welt bummelt, Partys unsicher macht und Mädels abschleppt, wie er per Anhalter fährt, mit Deans Vater auf Güterzüge aufspringt und einen Blues über den Weg und die Schienen, die nirgends aufhören, schreibt.

Jetzt belächelt er das, aber in einer Frühlingsnacht hat er tatsächlich einen Blues geschrieben. Am folgenden Tag, als die kreative Laune vorbei war und die Gedanken sich wieder im Gehirn und nicht im Bauch zu formen begannen, las er den Text durch und zerriss ihn angewidert. Er war voller naiver Paradoxe. Kann Unendlichkeit – sei es die der Schienen oder die irgendeines anderen Weges – ein Vorteil sein? Wohl kaum. Es sei denn, man begibt sich auf eine nie endende Reise, wobei nicht das Ziel wichtig ist, sondern nur der Weg. Obwohl es verlockend klingen mag, ist das für Filip undenkbar. Genauso weiß er auch, dass es ihm nicht möglich ist, jemanden festzuhalten, der sich für ein Leben in zielloser Bewegung entschieden hat.

»Bin bald wieder da!«, rief Sylva am Vorabend ihrer Abfahrt, als sie sich am Gartentor von ihm verabschiedete und zum Haus lief. Er dachte über diese vier Worte nach. Er denkt immer noch über sie nach. Sie ergeben keinen Sinn. Die Sylva, die in zwei Wochen oder einem Monat kommt, um bei ihrem Vater das Wochenende

zu verbringen, wird verständlicherweise nicht die Sylva sein, die er eineinhalb Jahre kannte. Mit der er unzählige Stunden mit belanglosem Geplänkel gefüllt hatte, aber auch mit wichtigen Gesprächen. Die er heimlich aus dem Fenster beobachtet hatte, versteckt hinter dem Vorhang. Die er aus den Augen verloren hatte, als er zur Schule fuhr (lernen, lernen, lernen), während sie sich unbeschwert in die Hügel oder zum Fluss aufgemacht hatte. Die Sylva, die in vierzehn Tagen kommt, wird nicht die Sylva sein, die eine Handvoll Kirschen nach ihm geworfen hatte, und die ihm eine Nacht vor ihrer Abfahrt einen Granatsplitter, eingewickelt in ein Taschentuch, auf den Fenstersims gelegt hatte. Wenn er sie nicht kennen würde, könnte er denken, dass der Edelstein etwas bedeutet. Filip weiß aber längst, was für eine geringe Bedeutung Sylva Geschenken beimisst.
»Ich bin schrecklich, oder?«, lachte sie, als sie das Sträußchen Gänseblümchen, das er für sie zum Geburtstag gepflückt hatte, im Bus vergaß. »Ich verliere ständig etwas.«
Deshalb der Brief. Gelesene Worte wird sie nicht so schnell verlieren. Wie aber über den Abgrund schreiben, ohne anzudeuten, dass du am Boden bist? Wie Einsamkeit, die du fühlst, mitteilen, ohne sich dabei lächerlich zu machen? Wenn sich alles in Zahlenkodes ausdrücken ließe, wie in diesem Baustoffkatalog, wäre das Leben überschaubar. Man würde eine Bestellung aufgeben und das bekommen, was auf Lager ist. Würde man etwas anderes bekommen, hätte man in dem Fall das Recht, es zu reklamieren, weil MERBAU ganz sicher nicht TALI oder BARMER NUSS oder OAK ist. Und niemand verwechselt H 2065 mit FK 1149, vor allem nicht, wenn es in unterschiedlichen Kisten mit unterschiedlichem Preis und Strichkode ist.
Er erreicht das Lager, setzt sich auf den Rollwagen, schließt für einen Augenblick die Augen und relaxt.
»Bist du knockout geschlagen?«, ertönt es über ihm. Olin, ein langhaariger Hilfsarbeiter, der schon seit Beginn der Ferien hier jobbt, schiebt ein Fahrgestell voller Metallrohre an Filip vorbei.

»Nimm's nicht so schwer, ich kenne ihn. Er ist tätowiert, aber nicht ganz blöd. Er schätzt nur ab, welche Gewichtsklasse ihm gegenübersteht. Von jetzt an lässt er dich in Ruhe, du bist nicht seine Kragenweite.«
Er selbst ist beleibt, sein T-Shirt voller Schweißflecken an Brust und Schulterblättern, aber er lächelt.
»Vor allem, vergiss nicht zu trinken«, rät er und verschwindet mit seiner Ladung in der Verkaufshalle. Filip steht auf, geht zum Wasserspender und lässt einen Becher volllaufen. Er trinkt ihn in einem Zug. Dann kehrt er zu seinem Rollwagen zurück und fängt an, das Parkett aufzuladen. Die Pakete haben scharfe Ecken und Kanten, sie schneiden in die Handflächen. Mit Handschuhen würde es sich viel besser arbeiten, das ist ihm schon klar geworden. Er hat sie aber im Spind gelassen. Wenn er sie holen würde, verlöre er mindestens eine Viertelstunde, und der Verkaufsleiter, der seine Arbeitsmoral auf dem Kieker hat, würde ihn höchstwahrscheinlich gleich feuern. Also ohne Handschuhe. Er wird ganz einfach nicht an seine zerschundenen Handflächen denken. Seine Gedanken kreisen sowieso nur um Eines. Oder besser gesagt um Eine.

Einmal hast du mir gesagt, dass ich anstatt etwas zu machen, lieber darüber nachdenke. War das ein Vorwurf? Etwas zu machen, ohne nachzudenken, geht meiner Meinung nach gar nicht. Versteh es so, als wäre die Tat eigentlich eine Antwort. Und gerade die kürzesten Antworten benötigen die längsten Überlegungen, weil sie meistens eine Grundeinstellung ausdrücken. Die erlangst du doch nicht in einer Sekunde, Sylva …

◆◆◆

»Also wartet ein Neuanfang in Meißen auf dich. Freust du dich?«
»So würde ich es nicht sagen.«
»Ich habe gehört, dass St. Afra eine anspruchsvolle Schule ist. Diesmal wirst du dich wohl reinknien müssen.«
»Sieht so aus.«
»Ein Internat ... hast du dir das gut überlegt?«
»Was kann ich da überlegen, wenn die mich in Leitmeritz rausgeschmissen haben?«
»Ich kritisiere dich nicht, ich bewundere das.«
»Wieso?«
»Ich schätze deine Fähigkeit, die Veränderungen auszuhalten, in die du dich ständig hineinmanövrierst. Jemand anders wäre längst zusammengebrochen, oder er hätte angefangen, endlich darüber nachzudenken. Du aber bleibst erstaunlich resistent und unbelehr ...«
»Also doch Kritik!«
»Jetzt mal ganz ernst, Sylva – was suchst du hier eigentlich?«
»Mutter will, dass ich mir Klamotten und Schulsachen besorge.«
»Ich meine nicht in Berlin. Was suchst du hier? In meiner Beratungsstelle? Du brauchst doch gar keinen Rat.«
»Aber ich ...«
»Als du klein warst, habe ich mir ein wenig Sorgen um dich gemacht, das ist wahr. Die ersten zwei Monate hast du nur Punkte gemalt. Millionen von Punkten. Du wolltest gar nicht mit mir sprechen, erinnerst du dich? Und als du dann endlich angefangen hast zu reden, habe ich festgestellt, dass du nicht einen Buchstaben richtig aussprechen konntest. Mit Fremden hast du gar nicht kommuniziert und mit Bekannten sporadisch und lispelnd. Ideales Objekt für die Schikanen der Mitschüler. Dass sie dich in Ruhe gelassen haben, verdankst du etwas schwer Beschreibbarem, das du ausstrahlst. Es ist weder physische noch mentale Energie, aber irgendeine elementare Urkraft.«

»Klar, ich bin ein Höhlenmensch.«
»Die Frage lautet: Wie kann eine Berliner Kinder- und Jugendpsychologin, spezialisiert auf Entwicklungspsychologie und Psychotherapie, einem Höhlenmenschen helfen?«
»Ich will aber keine Hilfe. Eigentlich bin ich nur gekommen, um Sie zu besuchen. Es hat mich interessiert, wie es Ihnen geht. Ob Sie gesund sind und so.«
»Du bist in meine Praxis gekommen, um nach meiner Gesundheit zu fragen? So etwas ist mir, um ehrlich zu sein, noch nicht passiert. Wenn du aber schon fragst, seit letztem Jahr ärgert mich mein Rücken.«
»Versuchen Sie es mit Schwimmen, das ist das Beste. Nicht nur für den Rücken.«
»Danke für den Rat.«
»Im Ernst, probieren Sie es!«
»Mach ich. Nun werde ich mich aber den bestellten Patienten widmen müssen.«
»Also machen Sie's gut. Auf Wiedersehen.«
»Ich bin froh, dass ich dich gesehen habe, Sylva. Hals- und Beinbruch!«
»Ich schau wieder vorbei – wenn man mich aus Meißen herausgeworfen hat. Oder auch früher.«

Das Wattenmeer der Stadt hat kein Ende. Sylva bleibt im engen Schatten des Zeitungskiosks stehen und wartet, bis die Ampel grün wird. Die Karosserien der Autos, die an ihren Augen vorbeiziehen, bilden einen unaufhörlichen Strom aus glühendem Stahl. Gelb ist anscheinend die Farbe des Jahres. In allen Schattierungen: Kanariengelb, Dottergelb, Senfgelb und helles Zitronengelb. Die Abgase und der Gestank nach verbranntem Benzin hängen in der stehenden Luft zwischen den Häusern. Sylva schaut zu der Leuchttafel über der Kreuzung, die die Lufttemperatur anzeigt. Es scheint unglaublich, aber sie ist wieder ein Grad höher als am Tag zuvor.
»Ich muss heute arbeiten, aber ich fahre dich zum See«, schlug Sylvas Mutter morgens vor. Wenn sie See sagt, hat sie den Wannsee

im Sinn. Genauer gesagt, seinen einen Kilometer langen Strand, der in diesen heißen Sommertagen vollgestopft mit Leuten ist. Vor zwei Tagen ließ sich Sylva dazu verleiten, aber das macht sie nie wieder. Inmitten der sich sonnenden Körper und dem heißen Sand drehte sich ihr der Kopf, das Wasser war lahm, an Schwimmen überhaupt nicht zu denken. Vielleicht einen anderen See. Oder Mutters Wohnung mit dem Whirlpool und den zugezogenen Jalousien. Erst jetzt, in der mörderischen Umarmung des Sommers, schätzt Sylva die Vorzüge von Mutters neuem Heim. Das letzte Mal war alles noch viel zu frisch. Roh und ungemütlich.

»Ich will fast keine Möbel, die stören nur«, erklärte die Mutter, als sie Sylva durch die leeren Räume führte. »Du richtest dein Zimmer natürlich ein, wie du willst. Schau, es hat einen Balkon und eine Treppe auf eine wunderschöne Dachterrasse! Von dort hat man eine imposante Aussicht!«

Hinreißend, wunderschön, imposant ... Sie verheimlicht nicht, dass sie sowohl auf die Wohnung als auch auf den ganzen Häuserblock in Kreuzberg stolz ist. Ihre Firma hat an dem Projekt gearbeitet, das ihre Mutter mit konzipiert hat.

»Du weißt, dass ich an viel größeren Sachen mitgearbeitet habe, aber diese Arbeit empfinde ich als besonders wichtig. Es ist kein Museum, keine Behörde, nicht einmal eine gigantische Verkaufsgalerie, sondern ein gewöhnliches Wohnviertel. Normale Wohnungen für normale Menschen. Ich denke, dass es uns mit recht einfachen Mitteln gelungen ist, inmitten der Großstadt eine Oase der Stille und Abgeschiedenheit zu schaffen«, versicherte sie Sylva, als würde sie aus dem Angebotskatalog eines Immobilienmaklers zitieren.

Mutters Begeisterung ist verständlich, doch die Realität hat mit ihrer Beschreibung wenig gemein. Das, was sie ein gewöhnliches Wohnviertel nennt, sind luxuriöse Maisonettewohnungen und teure Apartments, von denen normale Leute höchstens träumen können. Wohnen im Schoß einer Parkanlage. Wohnen für Gutsituierte.

Friedrichshain, durch dessen aufgeheizte Straßen sich Sylva gerade schleppt, hat nichts Luxuriöses an sich. Die Häuserblocks aus der Stalinära sind heruntergekommen, der Stuck auf den Simsen sieht aus wie alte Tortenattrappen beim Zuckerbäcker. Die Warschauerstraße und ihre Umgebung scheinen zwar renoviert zu sein, aber Sylva weiß, dass es oft nur das Make-up ist. Eine Hülle. Wie in dem Haus, in dem Niklas wohnt. Es erstrahlt durch eine neue Fassade, neue Fenster und Türen, doch die hinteren Flügel sind genauso grau und trostlos wie früher. Die spröden Wasserrohre platzen jeden Winter auf und die meisten Wohnungen haben immer noch eine Kohleheizung.

»Das wird eine Wucht, wenn dieses Haus mal einstürzt«, verkündete Niklas das letzte Mal, als sie miteinander sprachen.

»Warum sollte es einstürzen?«, fragte sie.

»Es steht nicht senkrecht. Tagsüber merkt man's nicht, aber nachts fühlt man, wie es wankt. Daran ist die geheime Kammer schuld.«

In letzter Zeit versteht sie ihn immer weniger. Etwas in ihm ist anders. Oder er veränderte sich schon seit langem, ohne dass sie etwas bemerkt hat. Zwei oder drei Begegnungen pro Jahr reichen nicht aus, um zu erkennen, was in dem anderen vorgeht. Auch nicht, wenn es ein Freund aus der Kindheit ist. Der nächste und zugleich der entfernteste. Im Kindergarten gab er ihr einen Kuss und einen Ring – sie verlor ihn natürlich.

»Macht nichts, ich heirate dich trotzdem«, versprach er und nahm diese Worte nie zurück. Nicht einmal in der vierten Klasse, die eine Katastrophe war. Sylva kam sich vor wie eine vakuumverpackte Ware. Vater fuhr weg, und die Leere, die er hinterließ, verschlimmerte ihre Kommunikationsprobleme nur. Sie kriegte den Mund fast nicht auf. Sogar grüßen und danken kostete sie eine unvorstellbare Überwindung. Die Besuche bei der Psychologin, obwohl zahlreich, halfen nicht besonders. Ihr beliebter Spitzname bei Mitschülern: die Bescheuerte.

»Du redest mit der Bescheuerten?«, lachten sie Niklas aus. «Worüber denn?«

Sie brauchten damals kein Gesprächsthema, sie spielten Drachenhöhle. Niklas dachte sich fantastische Geschichten aus, in denen Geschöpfe mit übernatürlichen Kräften auftraten. Er ließ Sylva entscheiden, was in den Schlüsselsituationen passierte, und trieb so das Geschehen voran. Sie konnten sich nicht von dieser Traumwelt losreißen.

»Du bist in einer Ecke. Rundherum hohe steile Mauern, hinter dir eine Armee eiserner Mutanten, vor dir ein Kanal mit dreckigem Wasser. Du hast eine Fee zur Verfügung, die eine starke magnetische Kraft, aber kein Gehirn hat. Wenn du sie in den Kampf schickst, verlierst du sie wahrscheinlich«, entwickelte er die Geschichte.

»Mutanten haben Gehirne?«

»Chips. Sie sind ferngesteuert vom Obermutanten. Was machst du?«

»Vergiss nicht, dass ich mir in der letzten Runde Kiemen implantieren ließ, also klettere ich in den Kanal und tauche ab.«

»Für wie lange?«

»Solange ich brauche. Ruhig für immer.«

»Die Mutanten steigen dir nach«, entschied er.

»Ich ziehe den Kanaldeckel zu.«

»Die schieben ihn weg.«

»Geht nicht. Die magnetische Fee hält ihn von unten fest. Das schafft sie auch ohne Gehirn.«

»Da hast du recht«, gab er zu. »Nur dass es ein Gitterdeckel ist. Die zwängen sich durch.«

»Ich hab den Traubenkirschenzweig. Der hilft mir.«

»Was ist das?«

»Weißt du das nicht? Die Traubenkirsche ist ein Zauberbaum. Wenn du einen blühenden Zweig bei dir trägst, beschützt er dich nicht nur vor den Mutanten, sondern vor allen bösen Kräften. Gegen die Traubenkirsche ist sogar der Obermutant machtlos!«

Er war nicht blutrünstig. Er ließ Sylva mit heiler Haut davonkommen und dachte sich gleich neue Fallen aus. Meistens spielten sie in Sylvas Zimmer. Niklas kam sie gern besuchen, besonders in den Wintermonaten. Es machte ihm Spaß, sich auf dem dicken Wollteppich zu wälzen. Bei ihm daheim war es meistens kalt. Er sagte, dass seine Mutter keine Zeit hatte einzuheizen, weil sie spät von der Arbeit kam. Für die paar Stunden vor dem Schlafengehen lohne es sich nicht, wäre es schade um die Kohle. Er machte auch Hausaufgaben bei Sylva. Er aß öfters bei Sylva. Sie vertrauten sich einander nichts groß an, aber das Wichtigste wussten sie voneinander. Niklas Vater hatte einst in einer Glühbirnenfabrik gearbeitet. Als die Fabrik geschlossen wurde, konnte er lange keine andere Arbeit finden. Endlich fand er doch eine.

»Vater traf der Schlag, vor Glück«, vertraute Niklas Sylva im Hof des Kindergartens an, als sie ihn fragte, wieso seine Mutter Schwarz trug. Sie hatte sogar eine schwarze Strumpfhose an, obwohl es Sommer war. Ihre Augen, sonst groß und leuchtend, waren verschwunden, stattdessen starrten aus ihrem Gesicht zwei entzündete Wunden.

»Sie haben ihn weggebracht«, flüsterte Niklas Sylva zu. »Ein großes voll poliertes Auto ist bis auf den Hof gefahren, um ihn abzuholen.«

Er sprach ernst über den Tod seines Vaters, weinte aber nicht. Etwas später führte er Sylva sogar in das Zimmer, wo es passiert war. Er zeigte ihr den Sessel, in dem Vater mit dem Hörer am Ohr gesessen hatte. Seitdem verband Sylva den Tod mit einem grauen eckigen Telefon. Sie konnte diese Vorstellung nicht einmal später loswerden, als Sterben seine Einzigartigkeit verloren hatte und die Toten der verschiedenen Kriege und Auseinandersetzungen zuhauf die Zeitungsseiten und Sendezeiten der Nachrichtenstationen füllten. Das waren mediale Tote. Ein medialer Tod. Der echte wohnte in Friedrichshain in einem Zimmer mit Fenster zum Hof und meldete sich durch ein eckiges Telefon.

Auf dem Boxhagener Platz geht es emsig zu. Das Johlen der Kinder ertönt von überall her. Sylva kann nicht anders. Sie streift die Schuhe ab und steigt ins Planschbecken. Das Wasser ist warm,

Grashalme und Gummispielzeug schwimmen an der Oberfläche. Pinguine aus Bronze bewachen den kleinen Strahl aus Trinkwasser. Sylva beugt sich vor, wendet das Gesicht der kleinen Fontäne zu, und dann trinkt sie gierig. Versehentlich streift sie mit der Hand den Pinguinkopf. Sie zuckt zurück. Die Bronze ist heiß wie eine Herdplatte. Die Wassertropfen, die hier und da auf die Oberfläche fallen, verdunsten schnell.

»Spritzt du mich voll?«

Das Mädchen, das bei Sylva stehen bleibt, hat nur Unterhemd und Unterhose an. Beide sind nass und kleben ihr am Körper. Sylva drückt den Zeigefinger so auf die Düse, dass der Strahl dünner wird und weiter spritzt. Das Mädchen beginnt darin herumzuhopsen. Ein paar andere Kinder schließen sich sofort an.

»Hier!«, schreien sie. »Ziel auf mich!«

Eine Weile spielt sie mit ihnen. Die Schuhe, die sie in der anderen Hand hält, sind schon vollgespritzt, ebenso ihr Rücken, dafür hat auch jemand gesorgt. Es ist angenehm. Die Luft über dem Planschbecken ist feucht, Sylvas Geruchszellen fangen den Duft des Rasens, der müden Beete und des Betons ein. So hat sie das sommerliche Berlin seit jeher in Erinnerung. Zusammen mit dem Benzingestank ist es eins der Hauptmerkmale.

»Willst du dich in dieser Hitze etwa zu Fuß durch die Straßen schleppen?« Mutter machte große Augen, als ihr Sylva beim Frühstück mitteilte, dass sie nicht zum See, sondern lieber spazieren gehen möchte. Sie wird Niklas besuchen. »Wenn, dann fahr wenigstens mit dem Bus. Du bist in ein paar Minuten dort.«

Im stickigen Bus eingeschlossen zu sein, ist schlimmer, als über glühende Bürgersteige zu gehen. Durch die Stadt zu laufen, kommt Sylva ähnlich vor, wie sich durch eine Landschaft zu bewegen. Überall sind tiefe Spuren, die sich zum Lesen anbieten, es gibt auch flüchtige Nachrichten, die man auffangen kann, wenn man ein wenig aufmerksam ist. Je größer die Stadt, desto dichter das Netz der Zeichen, desto vielfältiger die Empfindungen. Desto größer ist die Wahrscheinlichkeit, sich zu verlieren. War Niklas verloren?

Schon seit Monaten reagierte er nicht auf eine einzige E-Mail oder SMS. Sylva bekam keine Nachricht über einen Umzug oder eine andere Veränderung. Der Brief, den sie an die bekannte Adresse schickte, kam zwar nicht zurück, blieb jedoch unbeantwortet.
Die nassen Schuhe klatschen auf dem Pflaster und kühlen noch immer, bald werden sie jedoch unangenehm an den Füßen kleben. Bei Niklas zieht sie sie aus. Sie steht schon vor seinem Haus. Der lachsrosa Wandputz erweckt den Anschein einer Pension, die von einer älteren Dame geführt wird. Im Erdgeschoss ist ein neues Blumengeschäft. Im Frühling war es noch nicht da. Oder doch? Sylva erinnert sich nicht mehr. Die bedeutenden Momente ihres letzten Besuches haben sich ihr jedoch ins Gedächtnis gebrannt. Niklas war nicht zu Hause, sie hatte nur seine Mutter erwischt. Ihre Augen, so strahlend wie früher, leuchteten sogar im grauen Licht des Flures, aber sie war gealtert. Die Falten um den Mund hatten den sanften Zug der Lippen verdrängt und nur eine schmale Linie, mit nach unten gezogenen Mundwinkeln, hinterlassen.
»Niklas ist auf dem Land. Er feiert mit Freunden den ersten Mai. Komm morgen wieder vorbei.«
»Da bin ich schon weg, ich fahre heute Abend.«
»Schade, das wird ihm bestimmt leidtun.«
»Dann grüßen Sie ihn ganz lieb von mir. Er soll wenigstens schreiben. Er ist ganz verstummt in der letzten Zeit.«
»Er hat allerhand zu tun. In der Schule und sonst ...« Sie ließ den Satz unbeendet, und Sylva hatte das Gefühl, dass sie ihr etwas mitteilen wollte, etwas Wichtiges. Das Wörtchen *sonst* drückte an sich nichts aus, es war eine Brücke, an deren Ende man sich alles Mögliche vorstellen konnte. Eine Brücke, über die man wahrscheinlich gehen konnte. Niklas Mutter lächelte stattdessen.
»Er schreibt dir ganz sicher«, versicherte sie Sylva und blickte ihr nach, als sie die Treppe herabstieg. Auf dem Gesicht hatte sie immer noch ein Lächeln. Sylva wurde erst im letzten Augenblick, bevor sie auf den Hof hinaustrat, bewusst, dass sie nur mit dem mittleren Teil der Lippen lächelte. Ihre Mundwinkel blieben

erstaunlicherweise unten. Der Rest des Gesichtes, durch das Treppengeländer geteilt, schien nach etwas zu rufen. Sylva reagierte nicht auf diesen, übrigens sehr zurückhaltenden und vielleicht nur fiktiven Ruf. Sie blieb nicht stehen, kam nicht wieder die Treppe hoch, ging weiter ihren Weg und dachte nach. Falls Niklas tatsächlich den ersten Mai feierte, wäre es interessant, zu wissen, wie. Und natürlich auch, mit wem.

Die Toreinfahrt steht sperrangelweit offen. Sylva betritt den Hof und schaut zu den Fenstern im ersten Stock empor. Immer schon lagen sie im Schatten einer Kastanie, die zwischen den Hinterhäusern emporragte. Wie ein natürlicher Wachmann schützte er die Privatsphäre der Hausbewohner, die sich sonst gegenseitig in die Fenster glotzen würden. Jetzt ist der Baum weg. Inmitten des Hofes nur noch ein amputierter Stumpf. Das Holz ist hell, die Operation ist wohl noch nicht lange her. Auf dem Stumpf sitzt ein Junge, einen Roller vor seinen Füßen. Sobald er Sylva erblickt, springt er auf und beginnt seine Fahrkünste vorzuführen.

Er packt den Lenker, stößt sich wütend ab und kreuzt ihren Weg, den Daumen auf der Klingel. Einmal, zweimal, und wieder. Er schneidet genau vor ihr scharfe Kurven. Die Rädchen springen auf dem Beton, der wie die Teppichstange vom ewigen Schatten grün ist. Jetzt, in dem gleißenden Sommer, ist es im Hof erfrischend, aber in den Wintermonaten fehlt es dort an Licht.

Der Junge hat endlich den Lenker herumgerissen und eine andere Richtung eingeschlagen. Begleitet vom unermüdlichen Klingeln verschwindet er im zweiten Hof, und Sylva steuert auf den Nebeneingang *Treppenhaus D* zu. Die Aufschrift ist größtenteils verwischt.

»Im Keller ist ein Tor zum Reich der Mutanten«, behauptete Niklas zu der Zeit, als sie Drachenhöhle spielten. »Niemand weiß es.«

»Woher weißt du es dann?«

»Riech doch mal!«

Am Einstieg des Treppenaufgangs roch es schon immer nach Ruß und Rost.

»Die Füße der Metallmutanten stinken«, erklärte ihr Niklas. Ein paarmal bat sie ihn, ihr das Tor zu zeigen, er lehnte immer ab. Wenn er Kohle holen ging, musste sie im Gang auf ihn warten. Er sagte, der Weg nach unten sei zu gefährlich.
Der Geruch von Ruß und Rost ist nicht verschwunden. Sylva hat ihn in der Nase und trägt ihn hinauf in den ersten Stock. Im Treppenhaus ist es ruhig, nur das Klingeln des Rollers dringt dorthin. Auch das verstummt plötzlich. Jetzt, wo sein Publikum weggegangen ist, macht ihm das Spiel wohl keinen Spaß mehr.
Sylva bleibt vor der Tür von Niklas' Wohnung stehen, horcht eine Weile, dann drückt sie den Klingelknopf. Ein kurzes, kaum hörbares Bimmeln dringt zu ihr. Sie klingelt noch einmal, dieses Mal lässt sie den Finger länger auf dem Knopf. Als sie ihn heruntennimmt, horcht sie erneut aufmerksam. Sie hat das Gefühl, dass sich drinnen etwas bewegt hat. Im Wohnungsflur haben die Fußbodenbretter geknarrt, jemand hustet gedämpft. Das Guckloch in der Tür ist so eingestellt, dass man nicht hineinschauen kann, aber als Sylva ihr Ohr der Tür nähert, hört sie, dass sich jemand auf der anderen Seite bewegt. Vorsichtig, leichtfüßig. Sie hebt den Arm, bereit, noch einmal zu klingeln, da geht die Tür plötzlich auf. Im Türrahmen steht ein fremdes Mädchen im Morgenmantel.
»Ha...llo«, bringt Sylva verdutzt heraus. Das Mädchen gähnt, anstatt zu grüßen. Ihr Haar ist zerzaust, ihr Gesicht vom Schlaf geschwollen. Sie schaut Sylva ausdruckslos an.
»Ich suche Niklas.«
»Er schläft.« Erneutes Gähnen. »Ich hab auch geschlafen.«
»Das tut mir leid. Entschuldige.«
Sie schaut das Mädchen neugierig an. Es ist hübsch. In den unförmigen Falten des Morgenmantels wirkt es zerbrechlich. *Wir schlagen unterschiedliche Richtungen ein,* hatte Niklas an Weihnachten verkündet. Jetzt ist klar, was er damit gemeint hat. Sylva schluckt eine Welle der Traurigkeit, die steil in ihr aufsteigt, herunter.
»Ich bin eine alte Freundin von Niklas ... Ich meine, aus der Kind-

heit«, stellt sie sich vor und hört, wie lächerlich sich das anhört. Als wollte sie betonen, wie erwachsen sie ist. »Ich würde gern mit ihm reden.«
»Er schläft«, wiederholt das Mädchen monoton.
»Könnte man ihn nicht wecken?«
»Lieber nicht.«
»Wann soll ich dann kommen?«
Schulterzucken. Unter den Strähnchen ihrer Haare blitzen ihre samtigen Augen hervor. Im linken Augenwinkel eine schwarze Träne, die nie herunterkullert.
»Ich habe ihn angerufen«, versucht Sylva es erneut. »Mindestens hundertmal. Er hat nicht mal eine SMS zurückgeschickt.«
»Er hat kein Handy.«
»Wieso nicht? Hatte er aber.«
»Hat er nicht mehr.«
»Auf dem Anrufbeantworter habe ich ihm eine ...« Sylva verstummt hilflos. Sie spürt, dass jegliche Bemühung um ein Gespräch überflüssig ist. Alles, was sie sagt, prallt an dem Mädchen ab, nichts dringt durch.
»Ich kann nachmittags nochmal kommen«, schlägt sie schließlich vor.
»Da ist er nicht zu Hause. Er arbeitet.«
»In dem Laden? Im Presto?«
Das Mädchen bewegt unmerklich den Kopf. Vielleicht ist es ein Nicken. Gleichzeitig drückt sie gegen die Tür, sodass sich der Türspalt verkleinert.
»Also sei nicht sauer, dass ich dich geweckt habe«, beendet Sylva das Gespräch. »Richte ihm aus, dass ich hier war. Dass ich bei ihm auf der Arbeit vorbeischaue. Dass ich ihn echt gerne ...« *Klapp.*
»... sehen würde«, sagt sie der geschlossenen Tür.

◆◆◆

»Papa, kann ich mit dir reden?«
»Um was geht es?«
»Hier ist ein Brief von der Klassenlehrerin.«
»Mach die Tür zu.«
»Bevor du dir ihre Version durchliest, will ich dir erzählen, was wirklich passiert ist.«
»Gibt es mehrere Versionen? Wovon?«
»Von unserem letzten Abend der Klassenfahrt.«
»Robin, du machst mir Angst. Du guckst, als hättest du die Skihütte angesteckt. Habt ihr eine Party gefeiert? Habt ihr Alkohol getrunken? Habt ihr's übertrieben? Also, raus mit der Sprache!«
»Wir durften bis Mitternacht abfeiern. Die ganze Klasse ist nach dem Abendessen im Esssaal geblieben. Als es richtig losging, haben wir, Melinda und ich, uns aus dem Staub gemacht.«
»Wer ist Melinda?«
»Eine Mitschülerin. Wir sind zusammen aufs Zimmer gegangen.«
»Auf wessen Zimmer?«
»Auf ihres. Sie hing zusammen mit drei anderen Mädels, aber die sind unten geblieben. Melinda hat abgeschlossen. Eigentlich ... Sie hat mich gefragt, ob ich abschließen kann. Also hab ich abgeschlossen.«
»Was war dann?«
»Wir haben uns umarmt und ... irgendwie sind wir im Bett gelandet.«
»Gelandet? Ging das nicht nur von dir aus?«
»Nein, das ... wir ... beide waren gleich aktiv. Bis zu einem bestimmten Punkt. Dann hat sie sich plötzlich so anders verhalten.«
»Wie anders?«
»Sie hat wohl Angst bekommen.«
»Warum?«
»Sie hat geschrien, dass ... verschiedene Sachen. Also bin ich aufgestanden und bin weg.«

»Ist das alles? Mehr ist nicht passiert?«
»Sie ist dann zur Klassenlehrerin und ...«
»Mich interessiert, ob in dem Zimmer weiter nichts passiert ist, ich meine zwischen euch, verstehst du?«
»Ich weiß nicht, Papa.«
»Du weißt es nicht? Was weißt du nicht?«
»In dem Augenblick konnte ich nicht aufhören. Ich hab dann aufgehört, aber es hat eine Weile gedauert. Ich weiß nicht, wie weit ich gegangen bin ... Ob ... ob ich ... Ich wollte nichts gegen ihren Willen tun, aber ich hab mich plötzlich nicht mehr unter Kontrolle gehabt. Es tut mir schrecklich leid, Papa. Ich wusste nicht, dass es so stark ist. Ich hab noch nie vorher ... es war das erste Mal.«
»Hast du dich bei ihr entschuldigt?«
»Sie will mich nicht sehen, redet nicht mit mir. Sie hat den Mädels und der Klassenlehrerin gesagt, dass ...«
»Was hat sie ihnen gesagt?«
»Dass ich ...«
»Wirst du den Satz jetzt zu Ende sagen, oder muss ich es dir aus der Nase ziehen?«
»Sie behauptet, dass ich sie vergewaltigt habe.«
»Steht das in dem Brief?«
»Ich habe ihn nicht gelesen.«
»Will sie dich bei der Polizei anzeigen?«
»Ich weiß nicht. Papa, guck nicht so! Ich habe wirklich ...«
»Du enttäuschst mich wirklich, Robin. Ich hätte alles erwartet, aber nicht das! Weiß Mutter davon?«
»Ich bin erst zu dir gekommen.«
»Ich sage es ihr lieber selbst. Irgendwie schonend.«
»Und was, wenn sie davon ... was wenn sie wieder ins Krankenhaus muss?«
»Daran hättest du früher denken sollen.«

Die Sonne hinter der Glasscheibe gleicht einem Fass voller Lava. Sie kocht, blubbert, läuft vom Himmel auf die Erde herab und verbrennt alles. Robin fühlt, wie er in dem glühenden Strom schmilzt. Was in ihm nachmittags noch feste Umrisse hatte, hat längst seine Form verloren. Er lässt all seine Organe auf den Skizzierblock fließen. Jetzt malt er seine Leber, seine Lungen und die purpurne Glut seiner Muskeln. Dafür ist es nötig, die Farbe aus der Tube zu nehmen. Unverdünnt.
»Ich muss in den Verlag, Robin. Ich komme ungefähr in zwei Stunden wieder. Ich nehme Muffin mit.« Mutter legt ihre Hände auf seine Schultern. Sie wartet nicht auf eine Antwort. Sie weiß, wie es ist, über einem Bild zu sitzen, eins zu werden mit dem Bild.
»Im Gefrierfach ist Eis«, ruft sie noch vom Flur. »Johannisbeere!« Muffin bellt, die Tür klappt zu. Ein Lufthauch wirbelt die Hitze im Zimmer durcheinander und legt sich wieder. Hitze zum Verrecken. Großartige Hitze. Also Gelb dazugeben und es mit dem eigenen Schweiß auf dem Papier vermischen, das ist es! Jetzt fehlt nur ...
Robin starrt auf den Skizzierblock. Etwas fehlt. Etwas Wichtiges, etwas Existenzielles. Egal wie sehr er sein Gehirn anstrengt, die Idee ist weg. Er hat noch nie durch Nachdenken eine flüchtende Inspiration zurückrufen können.
Er steht auf und steuert in die Küche. Unter dem Wasserstrahl wäscht er die Pinsel aus. Ordentlich reibt er sie trocken. Er macht alle Tuben zu, dann lehnt er das Bild gegen die Wand und betrachtet es eine Weile. Jetzt, wo der kreative Moment vorbei ist, kommt es ihm kitschig vor. Drei Stunden Arbeit, und was hat es gebracht? Ein Chaos von Farben, nichts weiter. Er hat Lust, das Papier zu zerreißen. Zerknüllen. Mit aller Kraft kämpft er gegen die Enttäuschung an.
»Warte eine Weile. Lass es sacken. Steck das Bild hinter den Schrank und schau es dir in drei Tagen nochmal an. Du wirst es mit anderen Augen sehen«, empfiehlt seine Mutter jedes Mal. Sie kennt seinen Charakter.

Der Geschmack von Johannisbeereis ist wiederbelebend. Robin isst schnell ein paar Löffel hintereinander. Er schaut durch das Fenster auf die Straße hinunter. Mutter ist schon aus der Garage herausgefahren und entfernt sich nun Richtung Stadtmitte. Langsam, diszipliniert, so wie sie alles macht. Seit dem letzten Jahr versucht sie so zu leben, wie es ihr die Ärzte geraten haben. Sich nicht aufzuregen. Keine Attacken der Außenwelt zu sich durchdringen zu lassen. Was ist aber mit ihrem Innenleben? Ist es auch so ruhig und wohlgeordnet? Robin würde gerne in sie hineinschauen. Weiß sie ...? Hat Vater ihr gesagt ...? Er selbst hat mit ihr nicht über Melinda gesprochen, obwohl er gerade mit ihr am liebsten darüber gesprochen hätte. Aber er hat Angst. Vater gab ihm klar zu verstehen, dass es kein geeignetes Thema sei. Mutters Gesundheitszustand ist zwar stabil, wenn es jedoch um das Herz geht, weiß man nie.
Robin nimmt den Discman und tritt hinaus auf den Balkon. In die dem Park zugewandte Ecke scheint keine Sonne mehr, bald wird sie ganz im Schatten der Bäume sein. Die Dachterrasse hingegen liegt immer noch unter vollem Beschuss der Sonnenstrahlen. Dort könnte er noch ordentlich ins Schwitzen kommen.
»Du riechst nach Schweiß«, pflegte Melinda ihn zu informieren. Vorwurfsvoll, mit gerümpfter Nase. Sie konnte seinen Geruch auch in der Zeit nicht ausstehen, als zwischen ihnen noch alles in Ordnung war. »Wechselst du denn deine Klamotten nicht?«
Er wechselte seine T-Shirts und Hemden jeden Tag, morgens und abends duschte er und wurde seinen typischen Geruch trotzdem nie los. Er gewöhnte sich an, es Gestank zu nennen, weil es alle so nannten, aber insgeheim empfand er Schweiß als etwas Angenehmes. Etwas Lebendiges. Etwas absolut Natürliches. Ohne Abscheu roch er ihn an sich und anderen und wertete die empfangenen Signale aufmerksam aus. Bei Mädchen und Frauen waren es leider wenige – sie erklärten dem Schweiß den Krieg. Sie verjagten ihn mit allen erreichbaren Mitteln. Im Gegensatz zum Schweißgeruch empfand Robin Deogeruch als Gestank. Besonders

im Klassenraum mit geschlossenen Fenstern, wo sich die kosmetischen Ausdünstungen miteinander verbanden und einen schweren undurchdringlichen Vorhang webten.
Die Gusseisentreppe brennt unter seinen Fußsohlen. Robin läuft sie so schnell wie möglich hoch und schwingt sich auf das Holzgitter, das die Terrasse bedeckt. Es ist so, wie er vorausgesehen hat: die Sonnenstrahlen kommen hier direkt und unbarmherzig an. Es gibt hier kein Entkommen. Nicht einmal die mickrigen Zypressen in den Blumentöpfen werfen einen erwähnenswerten Schatten. Robin atmet langsam, genüsslich ein. Eine genau richtig aufgeheizte Sauna. Melinda wollte nie mit ihm in die Sauna gehen. Sie behauptete, dass extreme Hitze ihr zu schaffen machte, doch Robin wusste, dass etwas anderes dahintersteckte. Sich auszuziehen und sich zwischen die anderen Nackten zu setzen, empfand sie als Exhibitionismus.
»Ich will nicht, dass jemand, der mich nicht kennt, meine Figur beurteilt. Jemand, der nichts für mich empfindet«, erklärte sie. »Der Körper ist doch nicht die Hauptsache. Das Wichtigste sind meine Gedanken und Emotionen.«
Er bejahte dies zögernd, denn in Wirklichkeit dachte er, dass gerade der Körper den Hauptbestandteil von Melindas Persönlichkeit ausmachte. Ihre Gedankengänge hingegen waren nicht besonders einzigartig. Wann immer sie irgendeine Meinung kundtat, hatte er das Gefühl, er hätte sie schon irgendwo gehört. Er schaute sie gern an, berührte sie gerne, hatte aber nicht das Bedürfnis, ihr seine Gedanken mitzuteilen. Er konnte mit ihrer Emotionalität nichts anfangen. Sie machte den Eindruck, als warte sie auf etwas. Er wusste nicht, worauf. Das hat er erst im Winter in den Bergen begriffen. Am letzten Abend, nach dem großen Knall.
Die Luft über dem Dach vibriert und verhält sich wie eine unruhige Flüssigkeit. Robin erreicht den nächsten Sessel und hebt ihn an, um ihn der Sonne zuzudrehen, als er sie plötzlich bemerkt. Sie liegt auf dem Bauch hinter einem Blumentopf mit einer Liane. Das Bikinioberteil hat sie sich auf den Kopf gelegt, ihr Gesicht in die

verschränkten Arme gebohrt. Robin stockt. Er überlegt, ob er grüßen soll. Er würde sie ungern aufwecken. Wenn er jedoch nichts sagt und sie auf einmal den Kopf hebt und ihn sieht, erschrickt sie bestimmt. Vielleicht kreischt sie sogar. Ihn fröstelt es bei dem Gedanken – nur das nicht, vor allem kein Gekreische! Er entschließt sich, mit einem Husten auf sich aufmerksam zu machen. Es zeigt Wirkung. Ihr Kopf dreht sich ein wenig. Sie schaut ihn mit einem Auge an. Schweigend.

»Störe ich?«

»Mmmm.«

Eine klare Verneinung. Oder nicht? Aber ja, sie hat das Auge wieder geschlossen, also bleibt sie locker. Robin versinkt im Sessel, setzt die Kopfhörer auf und drückt *play*.

»Ornels Rakete überwand im Gleitflug die Entfernung zwischen dem Planeten der Seifenblasen und seinen dreizehn Wächtermonden«, schleicht sich eine Frauenstimme in sein Ohr, anstatt Claytons Bassgitarre, die er erwartet hat. »Ornel mochte diese Strecke nicht, weil die Monde immer wetteiferten, wer das intergalaktische Gefährt zuerst und mit größerer Wucht rammt ...«

Ist das nicht der Hammer? Robin würde interessieren, ob sein Bruder das mit Absicht getan hat. Eher nicht. Wie üblich lieh er sich seinen Discman und vergaß, eine seiner heiß geliebten interplanetaren Geschichten herauszunehmen. Was jetzt? Aufstehen, heruntergehen, wieder die brennende Treppe hier hochklettern, husten und das Mädchen hinter der Schlingpflanze zwingen, das Auge aufzumachen?

»Er wusste, dass der Mantel der Rakete unzerstörbar ist, aber die Zusammenstöße konnten eine Zerstörung des Gedächtnisthermometers bewirken, was für seinen weiteren Flug katastrophale Folgen hätte«, fährt die Frauenstimme im Kopfhörer fort. Sie ist nicht aufdringlich. Sie isoliert einen von der Umgebung, stört aber nicht. Man kann in ihrer Gesellschaft ruhig über Berlin sitzen und sich dabei durchbraten lassen. Claytons Gitarre ist nicht so neutral. Manchmal kann sie ganz schön auf die Nerven gehen. Unter

bestimmten Umständen. Zum Beispiel ein paar Stunden nach dem großen Knall, wenn man im Bus sitzt und sich bemüht, nicht die Person anzugucken, die an seinem Unglück schuld ist und die ihren Blick stur abwendet. In einem solchen Augenblick würde aber kein Discman auf der Welt und auch kein Basssolo das Flüstern der letzten Nacht übertönen.
»Fällt denen nicht auf, dass wir nicht mehr mit im Esssaal sind?«
»Doch, aber erst später.«
Melindas Lippen. Ihr Pullover mit norwegischem Muster.
»Kann ich ihn dir ausziehen?«
»Liebst du mich?«
Nur der verschneite Hang hinter dem Fenster bringt Licht in das dunkle Zimmer.
»Warum hast du das Licht ausgemacht?«
»Ich schäme mich. Ich war noch nie mit einem Jungen ... so.«
Der Pullover ist weg. Das T-Shirt auch. Noch der BH.
»Kann ich ihn dir aufmachen?«
»Liebst du mich, Robin?«
Endlich die Hände auf dem nackten Körper. Er ist warm, geschmeidig. Bebt.
»Ist dir kalt?«
»Nein. Und dir?«
»Mir auch nicht. Aber wir können ...«
Das Gefühl wachsender Hast. Schon sind sie im Bett. Sie flüstern immer noch.
»Liebst du mich?«
Der Umriss ihres Kopfes auf dem Kissen, mehr ist in der Dunkelheit nicht zu erkennen. Ohne die Beteiligung der Sehkraft werden die anderen Sinne schärfer. Melindas Haut riecht nach bitteren Mandeln. Schmeckt nicht so.
»Was war das?«
»Ich hab dich abgeleckt.«
»Bist du nicht ein bisschen komisch?«

»Ich wollte wissen, wie du schmeckst, was findest du daran komisch?«
Als er ihren Schenkel berührt, ist er wie elektrisiert. Er schmiegt sich heftig an sie.
»Ich habe Angst, Robin.«
»Angst? Vor mir?«
Er lacht gezwungen über ihre Worte. Ihm ist nicht zum Lachen. Er ist bis zum Platzen gespannt.
»Lach nicht. Liebst du mich?«
Nicht mal flüstern kann er mehr. Alles tut ihm weh, so gespannt ist er. Warum muss es so sein? So stressig? Er würde sie gerne streicheln, sie schmecken, ihre Hände über seinen Körper gleiten lassen. Er würde die Grenze gerne langsam überschreiten. Stattdessen hastet er kopflos zum Ziel.
»Warte ... Robin, nein ... ich will nicht. Lass es, Robin!«
Lassen? Jetzt lassen? Das geht doch nicht! Das kann sie nicht ernst meinen! Sie sagt das bestimmt nur so. Für sie ist es das erste Mal. Für ihn auch.
»Hab keine Angst, es wird gut«, beruhigt er sie, obwohl er selbst nicht ruhig ist. Er hört seine gebrochene Stimme. Er ist in einem Sturm, der ihm den Atem verschlägt. Der mitreißt. Er kommt nicht dagegen an.
Plötzlich ein Kreischen.
»Kannst du mir nicht antworten? Ist es so ein Problem für dich, auf eine einzige Frage zu antworten?«
»Welche ...«, stößt er hervor, »... welche Frage?«
»Ich habe dich gefragt, ob du mich liebst!« Sie schiebt ihn von sich weg. «Liebst du mich?«
»Nein.« Sie will eine Antwort von ihm, sie soll sie haben. »Ich liebe dich nicht.«
Und dann direkt in ihr Ohr. Genau so laut wie sie. Damit sie es ja nicht überhört. Damit sie endlich mit der Fragerei aufhört.
»Ich liebe dich nicht, Melinda! Lie – be – dich – nicht!«
Die Luft über dem Dach vibriert immer mehr. Robin wischt sich

mit dem Unterarm den Schweiß von der Stirn. Wenn es nur möglich wäre, die Sonnenstrahlen in sein Inneres zu lassen! Die Sonne ist ein Laser, aber die Gedanken aus dem Hirn brennen, das schafft sie nicht.

»Ornel wich erfolgreich dem letzten Wächtermond aus und begann mit der Landung. Den Planeten der Seifenblasen mochte er am liebsten, denn hier wohnte die ...«
Das Mädchen hinter der Schlingpflanze neigt den Kopf. Sie schaut Robin an und sagt etwas.
»Wie bitte?« Er nimmt den Kopfhörer von den Ohren.
»Du kannst mir angeblich sagen, wo man hier baden kann.«
Er schaut sie eine Weile fassungslos an. Dann begreift er. Das ist die Tochter dieser Architektin aus der Nachbarwohnung. Sie ist aus Polen oder jedenfalls aus dieser Ecke hergekommen.
»Sie ist ganz verrückt nach Schwimmen. Am liebsten mag sie schmutziges Wasser«, verriet ihm ihre Mutter, als sie sich vor einigen Tagen auf der Treppe trafen.
»Schmutziges Wasser?«
»Ich meine ohne Chlor. Kein Aquapark.«
»Ich fahre immer zum Schlachtensee, da gibt es bestimmt kein Chlor.«
»Würdest du sie nicht irgendwann mal mitnehmen?«
Er erschrak. Er gewöhnte sich an, jegliche Eingriffe in sein Privatleben abzuwehren. Seit dem großen Knall ist er entschlossen, niemanden an sich heranzulassen. Er lässt nicht zu, dass ihm jemand Fragen stellt und Antworten von ihm erzwingt. Da bleibt er lieber alleine. Die Architektin ist freundlich. Jedes Mal wenn sie sich treffen, lächelt sie Robin an, sie weiß nichts von ihm. Wie sie wohl reagieren würde, wenn er ihr sagte, dass er seine Mitschülerin vergewaltigt hat? Bestimmt würde sie ihn nicht bitten, ihre Tochter mit zum See zu nehmen.
»Man kann überall baden«, weicht er dem Mädchen hinter der Liane aus. Er ist sauer auf sich selbst, dass er überhaupt hier hoch-

gekommen ist. Er hätte im Zimmer bleiben sollen und weitermalen. Oder er hätte mit Vater und Bruder in den Harz fahren sollen. Sein Bruder hat versucht ihn zu überreden. Letztes Jahr waren sie gemeinsam dort, doch dieses Mal traute sich Robin nicht, eine Woche mit Vater in den Bergen zu verbringen. Wie sehr er sich auch anstrengt, er fühlt sich in seiner Gegenwart nicht wohl.

»Hilf Mutter und bleib anständig«, sagte er Robin zum Abschied. Es klang vorwurfsvoll. *Damit ich nicht wieder heiße Kastanien für dich aus dem Feuer holen muss!*, interpretierte Robin es. Vaters Tonfall, sein Gesichtsausdruck, sein Blick – seine ganze Haltung löst in ihm heftigen Abscheu aus. Er hatte nichts begriffen. Obwohl Robin ehrlich versucht hat, es ihm zu erklären.

»Sie hat es gewollt, Papa. Glaub mir, sie wollte es genauso wie ich.«

»Erzähl nichts, dann hätte sie sich wohl anders verhalten!«

»Sie hatte eine andere Vorstellung. Ich hab sie enttäuscht.«

»Womit?«

»Ich hab abgelehnt, ihr das zu sagen, was sie hören wollte. Ich wollte es nicht damit versauen, dass ich sie anlüge. Verstehst du, wie das uns beide abgewertet hätte? Auf welcher Ebene wir dann wären? Wie niedrig und armselig es dann wäre?«

»So ist es natürlich viel nobler!«

Vater ist es gewohnt, mit Fakten zu arbeiten. Etwas anderes interessiert ihn nicht. Trotzdem tat er alles, was in seiner Macht stand, um Robin zu helfen. Er sollte ihm eigentlich dankbar sein. Wer weiß, wie es ohne Vaters rechtliche Erfahrungen ausgegangen wäre. Wer weiß, ob Melinda ihre Beschuldigung zurückgenommen hätte.

»Wo nicht allzu viele Menschen sind«, ertönt das Mädchen hinter dem Blumentopf. Vielleicht hat sie vorher schon etwas gesagt. Das Bikinioberteil rutscht ihr auf die Schulter. Sie greift danach und legt es zurück.

»Den Menschen weicht man kaum aus«, antwortet Robin. Immer

noch ganz unverbindlich. »In dieser Hitze findest du kein Plätzchen am Wasser, wo du alleine wärst.«
»Und du? Kennst du einen solchen Platz?«
»Ich fahre erst abends zum See.«
Was hat er gesagt? Das Mädchen mustert ihn mit plötzlicher Neugierde. Sie hebt sogar den ganzen Kopf an. Sie hat die Schultern einer Wettkampfschwimmerin, die Haut auf dem Rücken ist braun gebrannt wie ein Brötchen. Zwischen ihren Schulterblättern glitzert ein Bächlein Schweiß.
»Darf ich mit dir fahren?«
Robin verschränkt die Beine, dann stellt er sie wieder nebeneinander. Er spielt mit dem Kopfhörer. Das Brötchen wartet auf eine Antwort. Immer wartet irgendwo jemand auf eine Antwort.
»Wenn du willst …«
Ungeachtet der Entfernung spürt er Vaters Blick. Trotzig erwidert er ihn.
»Und wenn dich Hunde nicht stören«, fügt er hinzu. »Ich nehme immer Muffin mit, unseren Pudel.«
»Hunde sind mir schnuppe«, sagt das Mädchen. Sie legt sich wieder hinter dem Blumentopf hin und macht die Augen zu. »Total schnuppe.«

◆◆◆

»Aber, aber, das sind Gäste!«
»Bist du alleine?«
»Alleine? Wenn die Frau meines Herzens vor mir steht?«
»Till, ich brauche ...«
»Pfui, Evita, du hast keine Manieren! Zuerst ein Küsschen ... Das war ja wohl nichts, ich hätte gern ein besseres ... Gib dir ein bisschen mehr Mühe.«
»Lässt du mich endlich rein?«
»Komm nur, mein Trugbild, und lass mich dir kampflos ergeben.«
»Red nicht so, du weißt doch, dass es Niklas auf die Nerven geht.«
»Niklas ist nicht hier, oder?«
»Ich brauche was Anständiges.«
»Und was sollte das sein, Trugbild?«
»Das überlass ich dir.«
»Süß, wie du mir vertraust.«
»In einigen Angelegenheiten.«
»Richtig. Wir haben geteilte Rollen. Ich bin der Fiesling, der sich um die schönen Träume kümmert, und Niklas liebst du, weil du mit ihm im hässlichen Keller aufwachst. Frauen sind voller Widersprüche!«
»Wehe, du verrätst ihm, dass ich dir von dem Keller erzählt habe.«
»Ich finde kaum eine Gelegenheit dazu. Außerdem gibt es keinen verschwiegeneren Unternehmer als mich in dieser Stadt.«
»Dann schweig und unternimm etwas. Was hast du für mich?«
»Wie gefällt dir das hier?«
»Mal sehen, mach schon.«
»Wohin so eilig, Trugbild? Setz dich, entspann ein bisschen ... Du scheinst es in letzter Zeit nicht mehr so ganz unter Kontrolle zu haben. Du fährst voll drauf ab.«

»Was weißt du schon, worauf ich abfahre!«
»Eben. Du mixt zu viel durcheinander. Du solltest mal die Bremse ziehen. Wie alt bist du? Siebzehn? Willst du nicht die Chance nutzen, wenn du das erste Mal wählen gehen darfst? Möchtest du deine Stimme nicht irgendeinem Superpolitiker geben, der endlich dieses Junkiepack entsorgt und ...«
»Hast du das gehört? Was war das?«
»Ein Wolf.«
»Lass die Witzchen, Till!«
»Im Ernst. Der Typ, der über mir wohnt, hält Wölfe oder Schakale oder so was. Die jaulen in einem fort. Ich glaube, ein paar sind ihm sogar abgehauen.«
»Hahaha.«
»Das ist kein Spaß. Pass auf, wenn du von hier weggehst. Den einen habe ich gestern im Gebüsch hinter dem Flughafen gesehen. Er hat sich dort ein Plätzchen eingerichtet.«
»Hast du's bald?«
»Leg dich hin. In welches Ärmchen willst du's denn?«
»Egal. Auf was wartest du denn? Was ist?«
»So eine Kleinigkeit. So ein klitzekleines, unwichtiges Detail, ein Nichts. Mir ist nicht aufgefallen, dass du eine Kreditkarte dabeihast.«
»Hey, Till, du kennst mich doch.«
»Viel zu gut.«
»Niklas hat versprochen, dass er abends Kohle bringt.«
»Niklas interessiert mich nicht. Du willst doch was von mir, oder? Du zahlst.«
»Was wäre, wenn ich so zahlen würde wie beim letzten Mal?«
»Ich würde nicht Nein sagen. Ich wäre gar nicht dagegen, Trugbild.«
»Also dann spritz es mir endlich, verdammt!«

Sie hat es wieder dorthin geschafft. Nicht so weit wie beim letzten Mal, aber sie ist dort. Sie erkennt Einzelheiten: Die Kiesel auf dem geweißelten Weg, die Bäume mit ihren flaschengrünen Kro-

nen, Gras, soweit das Auge reicht. Sie nimmt Anlauf und lässt sich erleichtert hineinfallen. Die langen Halme umschließen sie, wiegen sich noch eine Weile, dann werden sie bewegungslos. Was diesen Platz auszeichnet, ist Harmonie. Deshalb kommt sie auch so gerne hierher zurück. Alles, was je passierte, ist absolut natürlich, ist ohne anstrengendes Suchen im Archiv der Erinnerung hier vorhanden, vereinigt sich zu einem Ganzen.
»Evita!«, ruft jemand. »Wo bist du?«
Sie presst die Hand an den Mund, um nicht laut herauszulachen. Sie hat es geschafft! Sie hat einen Vorsprung gehabt und ist so schnell gelaufen, dass man sie nicht einholen konnte! Jetzt kann sie machen, was sie will. Will sie etwas? Eigentlich begehrt sie nichts anderes, als hier in der Umarmung des weichen Grases liegen zu bleiben und darauf zu warten, dass sie weggehen. Dann wird sie aufstehen und zum Turm gehen. Sie weiß, dass sie es bis zum Abend schaffen kann, sie muss nur Kraft schöpfen.
Wovon ist sie eigentlich so müde? Vom Stühleputzen in der Kapelle, weil sie wieder zu spät kam?
Schwester Callista ist streng zu ihr: »Du musst die Hausordnung befolgen, Evita, ob es dir gefällt oder nicht. Bis wann war Ausgang?«
»Bis sechs.«
»Jetzt ist es Viertel nach sieben. Du bist mehr als eine Stunde zu spät. Wo bist du gewesen?«
»Hier und da.«
Schwester Callista schüttelt den Kopf. Sie kann nicht begreifen, was Evita draußen so verlockend findet. Im Heim hat sie doch alles, es fehlt an nichts. Bei den anderen ist sie beliebt. Sie hat sich in die Gemeinschaft eingefügt, als wäre sie schon seit Ewigkeiten hier.
»Ich mache es nicht gerne, aber ich muss dich bestrafen. Es wäre sonst denen gegenüber nicht fair, die sich an die Hausordnung halten. Bist du damit einverstanden?«
Sie nickt, damit sie die Predigt endlich hinter sich hat. Das Putzen

der Stühle in der Kapelle ist keine Strafe, das wird sie der Schwester Callista jedoch nicht sagen. Es ist besser, als im Gemeinschaftsraum Scrabble zu spielen oder die dreitausendste Folge von Gute Zeiten Schlechte Zeiten zu schauen. In der Kapelle muss sie sich nicht verstellen, sie kann so sein, wie sie ist. Solange ihre Mutter lebte, verstand sie das, ließ sie Evita meistens in Ruhe. Sie versteht sie immer noch – hier an diesem wunderbaren Platz, an dem Vergangenheit und Gegenwart verschmelzen und wo sich alles Getrennte wieder vereint. Die Mutter lässt Evita viele Stunden im Zimmer hinter der Küche, ohne sie zu rufen. Durch die offene Tür kann sie sehen, dass Evita nicht spielt. Sie hat eine Puppe, einen Puppenwagen und ein Kochgeschirrchen, aber sie fasst nichts an. Sie existiert einfach nur still, befreit aus dem Netz der Zeit.
»Hier ist sie nicht.«
Endlich entfernen sich die Stimmen. Evita seufzt zufrieden. Das hohe Gras ist ein zuverlässiges Versteck. Durch die Halme sieht sie den sich windenden Weg und den Turm am Horizont. Er erscheint nah, aber Evita weiß, dass es eine Täuschung ist. Wie oft hat sie schon versucht ihn zu erreichen, jedes Mal vergeblich. Daran ist die falsche Perspektive schuld: Der Weg windet sich nicht durch flaches Land. Irgendwo inmitten der Kurve fällt das Terrain ab und steigt wieder, aber das kann man von hier aus nicht erkennen. Von hier aus ist der Turm zum Greifen nahe.
Sie setzt sich langsam auf. Sie könnte ewig im Gras liegen, aber sogar hier, auf dem Platz der Einheit, steht die Zeit nicht still. Sie muss aufbrechen. Diesmal muss sie es schaffen.
»Evita, vergiss nicht, bis sechs! Keine Verspätung!«
Sie nickt. Das Pförtnerhäuschen ist durch ein schweres Eichentor von der Außenwelt abgetrennt. Wenn sie Ausgang haben, geht es langsam und widerwillig auf. Evita läuft immer als Erste durch. An dem Platz vor der Kirche trennt sie sich von den anderen und verschwindet. Sie läuft zu ihrem Stützpunkt auf der Brücke, von wo sie die fahrenden Züge gebannt beobachtet. Die meisten Züge fahren nur durch. In einem Kaff wie Lerchenfeld halten nur Regio-

nalzüge, trotzdem ist es auch aufregend, die schwankenden Waggons zu beobachten. Nicht die, die Richtung Bischofstein bummeln, die Richtung langweilt Evita zu Tode, täglich schlägt sie diese Richtung ein, um mit den älteren Mädchen zur Schule zu gehen. Was sie anzieht, sind die Züge in die entgegengesetzte Richtung. In Gedanken fährt sie mit. Sie weiß, dass der Zug das Städtchen umfahren muss, vorbei am Museum der mittelalterlichen Handwerke (Ziel aller Ausflüge mit Schwester Elisabeth), am Sägewerk vorbei und dann durch die leicht hügelige Landschaft bis dahin, wo bekanntes Gebiet aufhört und die Ferne anfängt. Dorthin, wo es Evita schon immer hinzieht.
»Warum fahren wir nicht einmal weiter?«, fragt sie ihre Mutter jedes Mal, wenn sie sonntags mit den Rädern einen Ausflug in die Natur machen. Evita hat noch ein Kinderfahrrad, sie muss ordentlich in die Pedale treten, um mit ihrer Mutter mithalten zu können. »Warum immer nur so ein kleines Stück?«
»Du hast Füßchen wie ein Marienkäfer«, pflegte Mutter zu antworten. »Du würdest es nicht mehr zurückschaffen.«
Im Vorschulalter gibt sie sich mit diesem Argument zufrieden, später wird ihr klar, dass es Ausreden waren. Vater steckt dahinter. Oder eher Mutters Versuche, ihm zu widersprechen. Sie bemüht sich, immer genau das Gegenteil zu machen. Als Vater von Lerchenfeld wegging, bleiben sie in diesem Kaff. Wie zum Trotz.
Als Evita aufsteht, richten sich die platt gesessenen Grashalme wieder auf, als hätte sie nie auf ihnen gelegen. Sie sieht sie einen Augenblick mit Verwunderung an. Es macht ihr Spaß, zu beobachten, wie sich von Menschen verlassene Plätze verselbstständigen. Wie schnell sie sich von fremden Spuren befreien. Das würde sie auch gerne können. Aber in dieser Hinsicht ist sie hoffnungslos von all dem gezeichnet, was sie je berührt hat. Früher dachte sie, dass sie Lerchenfeld nie wiedersehen würde, wenn sie sich in den Zug setzte und es verließ. Sie hat sich geirrt. Sie nimmt es mit. Das Lerchenfeld mit allen Ordensschwestern, ihrer altjüngferlichen Pflege, ihrem naiven Lob und ihren noch lächerlicheren Ver-

boten. Und auch das virtuelle Bild des Vaters, das in der klösterlichen Abgeschiedenheit verblasste, noch ehe Evita bewusst wurde, dass sie überhaupt einen Vater hatte, und auch das Messingkreuz auf dem Friedhof, geschmückt mit Mutters Fotografie, nimmt sie mit. Das alles und noch viel mehr schleppt sie unfreiwillig mit und wird es nicht wieder los. Genauso wie sie nie das Muttermal im Augenwinkel loswerden wird. Sie hat schon mal versucht, es wegzukratzen, weil sie Angst hatte, dass es im Schlaf anfängt, sich zu bewegen und ihr unter das Lid kriecht. Es gelang ihr nicht, im Gegenteil, es vergrößerte sich nach ihrem Eingriff auch noch.

»Lebt wohl und auf Nimmerwiedersehen!«, ruft sie aus dem Fenster, als der Zug das letzte Lerchenfelder Haus passiert und in die freie Landschaft aufbricht. »Erinnert euch im Guten an mich!«

Sie hatte es spontan, aus einem Überschuss an Energie, herausgeschrien. In Wirklichkeit ist es ihr egal, ob sich jemand in der Heimatstadt an sie erinnert. Vor allem sollen sie nicht allzu gründlich nach ihr suchen. Sie hatte zwar den Erlös des Osterkonzertes aus dem Büro der Oberin entwendet, weil sie sich davon eine Fahrkarte kaufen wollte, aber das war keine Straftat, die eine bundesweite Fahndung nach ihr rechtfertigte. Eine Zeit lang müssen die sie suchen, das ist klar, vielleicht wird ihr Foto sogar in den Nachrichten und in Polizeiberichten auftauchen. Aber schon bald wird ihr Gesicht durch die Gesichter anderer verschwundener Kinder ersetzt werden. Man wird sie vergessen. Schließlich, wem würde sie schon fehlen? Es gibt so viele Fünfzehnjährige, die wie vom Erdboden verschwunden sind!

»Wo fährst du hin?« Eine weißhaarige Frau verwickelt sie ins Gespräch, nachdem sie ihr einen Keks angeboten hat. Jetzt sitzt sie schon in einem anderen Zug, in einem längeren, schnelleren, inmitten einer Landschaft, die von Kilometer zu Kilometer immer flacher wird.

»Nach Berlin«, antwortet Evita, ohne zu zögern. Eine andere Möglichkeit gibt es für sie nicht. Während ihrer Nachmittagsspaziergänge über den verschlafenen Lerchenfelder Bahnhof dachte sie immer an Berlin. Auch während der regelmäßigen Gottesdienste in der Kapelle war Berlin das Ziel ihrer Vorstellungen. Wenn der Pfarrer von etwas Verlockendem und Angenehmem redete, meinte er damit Berlin. Da war sich Evita ganz sicher. Abends, kurz bevor sie einschlief, tauchte sie in die Straßen Berlins ein und verließ sie nach dem Aufwachen in der Hoffnung, dass es nicht für lange war. Sie erinnert sich nicht mehr, wann Berlin für sie zum Sinnbild der Freiheit wurde, aber es muss in ihrer frühen Kindheit gewesen sein. Eine Zeit, die eng mit Vaters Verschwinden verbunden war.

»Evita?« Geräusche und Stimmen, die nicht an diesen Platz der Einheit gehören, dringen langsam zu ihr durch. »Evita, du musst …«

Irgendwelche Arme schütteln sie. Wie haben sie hierhergefunden? Sie stören und halten auf. Außerdem kommt Müdigkeit auf. Evita weiß, dass sie sich ihr auf keinen Fall unterwerfen darf – dieses Mal nicht. Sie beißt die Zähne zusammen und steuert zielstrebig auf den Turm am Horizont zu. Sie wird ihn erreichen, koste es, was es wolle!

Als sie im Gras gelegen hatte, erschien ihr der Weg kreideweiß. Doch jetzt, während sie ihn beschreitet, fallen ihr dunkle, fast schwarze Körnchen Sand auf. Es sind eine Menge Körnchen, sie knirschen unter ihren Füßen, sie sind überall, aber sobald sie sich umschaut, sind sie verschwunden und der Weg ist wieder weiß. Evita erstaunt das nicht. Die Dinge sehen von Weitem anders aus als aus unmittelbarer Nähe. Unerreichbares Berlin, Berlin, die Lerchenfelder Vision war wunderschön und kompakt. Das alltägliche Berlin, durch das sie läuft, hat nichts Wunderschönes an sich. Es ist distanziert. Nicht greifbar. Die Nähe zerlegt es in Millionen unansehnlicher Puzzleteilchen. So sehr Evita sich auch anstrengt, sie schafft es nicht, sie aufzusammeln und ein ganzheitliches Bild aus ihnen zusammenzusetzen. Mit Menschen ist es ähnlich. Die Gesichter in der U-Bahn und auf den Straßen tauchen auf und wieder ab, sie verschwimmen ineinander, es ist nicht nötig, ihnen Platz

im Gedächtnis zu schaffen. Sie sind überflüssig. Nur ein Gesicht sticht hervor. Es ließ sich vom Augenblick der Begegnung weder vertreiben noch verleumden. Es ist immer in der Nähe.
»Guck, eine fliegende Wespe!« Niklas' Zeigefinger deutet auf eine Wespe, die, wer weiß wie, in einer Verbundglasscheibe einer Baggerkabine eingeschlossen war. Auf ewig in ihrer Bewegung verharrt.
»Guck mal, Liebe!«, er zeigt auf ein Häufchen Kondome in einem Durchgang hinter einer Disco.
»Guck mal, ein Tauben-Copyright!« Er streichelt den Abdruck eines Greifvogels im trockenen Beton.
»Die Königin Nofretete!«
Die Ägypterin taucht auf einem vergilbten Buchumschlag im Antiquariat so unerwartet auf, dass es Niklas fast umhaut. In stiller Bewunderung bleibt er stehen, bewegungsunfähig, sprachlos. Sein Blick springt von der Königin zu Evita und wieder zurück, er kann sich nicht losreißen.
»Das ist nicht möglich ... Das bist du!«, stößt er hervor, als er endlich die Sprache wiederfindet. »Schau dir das Kinn an! Die Nase! Das sind deine Augen!«
Er will das Buch gleich kaufen, aber er hat nicht genug Geld. Er feilscht mit dem Antiquar, der unerbittlich auf dem ursprünglichen Preis beharrt, einen Ausdruck von Ekel auf seinem Gesicht. Er schaut sie an, als wären sie Abfall, den jemand in seinen Laden gekippt hat.
»Geht zum Teufel, stinkende Junkies!«, schreit er schließlich und dadurch ist sein Schicksal besiegelt. Höchstwahrscheinlich dachte er, dass ihnen schon alles egal sei, aber so weit ist Niklas noch nicht. Er kann immer noch beleidigt sein. Er beugt sich über den Tresen, und während er versucht, den Verkäufer ins arrogante Gesicht zu schlagen, geht Evita seelenruhig mit der Königin Nofretete auf die Straße hinaus und entfernt sich ohne Eile.
Später lesen sie auf der Matratze im Keller über das Leben und das geheimnisvolle Verschwinden der ägyptischen Schönheit, und Niklas schwebt im siebten Himmel. Niklas schafft es, auch ohne

Gras oder anderen Stoff im siebten Himmel zu sein. Er hat etwas Besonderes, etwas, das Evita nie erlebt hat. Er vermag Freude zu empfinden.

»Wie machst du das nur«, fragt er manchmal, »dass ich so glücklich mit dir bin?«

Er täuscht sich komplett. Sein Glücksgefühl ist nicht Evitas Verdienst. Kann es nicht sein. Im Gegensatz zu ihm fühlt sie sich ausgedörrt und leer. Sie hat sich aller Wünsche und Illusionen entledigt. Willenlos und ohne Energie schiebt sie sich auf ihrer Umlaufbahn voran. Ein geduldiger Planet. Berlin hat, wie jedes Universum, unzählbare Schichten. Manche berühren sich, aber viele sind so weit voneinander entfernt, dass sie nicht einmal die Existenz der anderen kennen. Jede Schicht ist eine Welt für sich.

»Wir mussten uns begegnen, das war Schicksal«, behauptet Niklas, aber Evita ist sich nicht im Entferntesten sicher darüber. Da haben sich einfach zwei benachbarte Welten kurz berührt. Und zwar in dem Moment, als eine unerwartete Störung der Rolltreppe in der U-Bahn sie durch ihren ruckartigen Stillstand auf die gleiche Stufe stieß und sie sich einen Augenblick lang in den Armen lagen.

»Danke!« Sie ist froh, dass er sie auffängt. Sie hätte noch tiefer fallen können.

»Ich danke.«

Sie lockern den gegenseitigen Griff, aber berühren sich noch immer. Die Nähe ist zu groß, um sie einfach so auflösen zu können. Gemeinsames Hochsteigen der unbeweglichen Treppe, gemeinsamer Espresso aus dem Automaten, eine Zigarette. Wieder draußen auf der Straße. Ihr Schritt zurück, die Hand heben, ein Zeichen des Abschieds: »Also dann, ich muss ...«

Panik in Niklas' Augen: »Ich begleite dich.« Sichtbare Angst, dass sich ihre Umlaufbahnen nie wieder überschneiden werden. Schicksalhafte Begegnungen wiederholen sich selten.

Evita bleibt stehen. Sie kann nicht mehr gegen die Müdigkeit ankämpfen. Sie hat das Gefühl, dass sie viele Kilometer zurückge-

legt hat, aber dem Turm nicht ein Stückchen näher gekommen ist. Er ist genauso weit weg wie vor neun Monaten, als sie den Platz der Einheit zum ersten Mal betrat. Es passierte am Ende eines kühlen Nachmittags im November, natürlich mit Hilfe von Till. Der edle Till. Der verständnisvolle Till, bereit, sie aus der kalten Hütte zu ziehen, in der sie mit ein paar abgewrackten Gestalten überlebte. Der reiche Till mit einem gemütlichen Wohnzimmer und einem Bad. Der Dampf über der Badewanne, gefüllt mit heißem Wasser, ist nach monatelanger rauer Unbequemlichkeit ein Wunder. Evita genießt den ungewöhnlichen Luxus mit angehaltenem Atem. Sie überlegt, was der Preis dafür sein wird. Zu ihrer Überraschung will Till nichts. Er nutzt ihre Not nicht aus. Im Gegenteil, er ist freundlich. Ein verständnisvoller Unternehmer.
»Was hast du da, mein Trugbild?« Er nimmt ihr den Joint aus geschnorrten Grasresten und billigem Tabak ab, ertränkt ihn angeekelt in der Kloschüssel. »Wenn du schon rauchen musst, dann probier doch das hier. Danach wird dir wenigstens nicht übel.«
Nicht nur, dass es ihr nicht übel ist, sie fühlt sich glänzend. Das also ist Freiheit – der Augenblick des Loslassens, der Moment des Durchbrechens von Barrieren! Die Kiesel auf dem bleichen Weg, die flaschengrünen Baumkronen, das zarte hohe Gras, soweit das Auge reicht, die Leichtigkeit und Schnelligkeit, dass es einem den Atem verschlägt! Niemand hat eine Chance, sie zu fangen. Sie lässt alles Bekannte hinter sich und nähert sich dem Punkt, auf den sie schon immer zugesteuert ist. Dorthin, wo die Ferne beginnt. Sie liegt bestimmt hinter dem Turm. Dahinter liegt die Welt, in die sie ihre Mutter und die Ordensschwestern nie hineinlassen wollten. Jetzt können sie sie nicht mehr daran hindern. Sie wird ohne ihr Einverständnis hineinschauen.
»Du musst dich dünne machen, Trugbild, gleich kommt jemand!« Tills Stimme fordert sie auf, wer weiß warum, aufzuwachen. »Evita, hörst du? Also, wach schon auf!«
Sie lacht darüber. Sie schläft nicht und hat auch nicht geschlafen –

schon lange nicht mehr. Seine Hände. Sie ziehen sie an. Streifen ihr die Schuhe über.
»Und? Hattest du einen schönen Trip?«
Er kennt Evita seit neun Monaten, aber was weiß er schon von ihr und ihren Fluchten in die Freiheit? Er selbst hastet nirgendwohin, flüchtet nicht. Die Flucht der anderen ist sein Geschäft. Er kann sich die Zärtlichkeit des hohen Grases nicht vorstellen, die die Geborgenheit von Mutterarmen bietet, er hat nicht das Gefühl der Einheit erlebt, das *dort* existiert. Er hat nie den Turm am Horizont gesehen, sich nie dorthin geschleppt, nie danach gestrebt, das Geheimnis zu lüften, das er birgt. Schade, dass jeder Schritt mit einer solch schrecklichen Müdigkeit bezahlt werden muss! Evita wüsste gern, woher die kommt. Sie hat den Verdacht, dass gerade Till daran schuld ist. Er gaukelt Großzügigkeit vor, gibt ihr aber zu wenig. Er ist so wie die anderen. Er zwingt sie, umzukehren, zurückzukommen, nicht weiterzugehen. Im Netz zu bleiben.
»Lebe wohl, Trugbild! Und mach langsam, ich würde dich ungern verlieren!«
Das gewohnte alte Gelaber. Evita geht auf den Gang hinaus und die Treppe hinab. Sie fühlt, wie ihre Beine zittern. Sie hält sich mit aller Kraft am Geländer fest und gibt sich Mühe, dass ihre Knie nicht einsacken. Wenn Niklas hier wäre, würde er sie in den Arm nehmen. Aber Till ist hier. Er beobachtet sie – der aufmerksame Till. Der edle Till. Der Fiesling Till. Sie hat sich ein Jahr älter gemacht, damit er sie ernst nimmt. Trotzdem hat er versucht, ihr die Nadel auszureden.
»Sei nicht dumm, wohin so eilig? Ist Hanf nicht genug?«
Am Anfang war es genug, dann brauchte sie mehr. Till sträubte sich, spielte mit ihr wie eine Katze mit der Maus. Schließlich bekam sie, was sie wollte, sie musste nur bezahlen. Und dann ... Der erste Schuss war der beste. Mit Abstand. Nie wieder kam dem etwas gleich. Jeder weitere Schuss brachte nur Enttäuschung. Die *dort* verbrachten Augenblicke verkürzten sich gegen ihren Willen, die Entfernung zum ersehnten Turm wuchs von Mal zu Mal.

Genauso wie die Müdigkeit. Wenn das so weitergeht wird Evita ihn nie erreichen. Nie hochklettern können. Nie von oben in die Ferne blicken.
Endlich hört sie Tills Tür oben zuklappen. Sie macht noch einen Schritt, den zweiten, für den nächsten reicht es nicht mehr. Die Anziehungskraft der Erde macht sich bemerkbar, und gleichzeitig dreht sich ihr der Magen um. Sie kniet und erbricht sich. Zwischen den Geländerstreben sieht sie einen Mann hochkommen. Er schreit sie an. Vulgär. Was ist passiert? Schon ist er bei ihr. Tritt sie. Zieht sie nach unten. Evita spürt, wie ihr Kopf gegen jede Stufe schlägt. Es tut nicht weh, alles springt nur auf und ab vor ihren Augen. Sie schließt sie lieber. Der Mann wirft sie auf den Bürgersteig hinaus und verschwindet im Haus. Man kann den Schlüssel in der Tür hören. Dann nichts mehr.
Langsam tritt das Rauschen der Stadt in ihr Bewusstsein. Der Gestank des verstaubten Unkrautes und der Kotze. Sie stemmt sich mit den Armen hoch und blinzelt probeweise. Das überraschend weiche Abendlicht erfreut sie. Sie öffnet die Augen. Der unaufgeräumte kleine Platz vor Tills Haus wird von den Strahlen der untergehenden Sonne besprenkelt. Die Landebahn des Flughafens leuchtet bereits. In der Nähe erklingt ein trauriger Gesang, als käme er aus dem Rachen eines Raubtieres. Sie hat ihn schon irgendwo gehört. Wo? Wann? Sie will nicht darüber nachdenken. Sie muss sich auf wichtigere Dinge konzentrieren. Wie sie sich hinsetzen soll. Wie sie auf die Beine kommen und stehen bleiben soll. Wie sie zu Niklas kommen soll. Dann wird alles gut. Niklas ist nicht Till. Niklas kümmert sich um sie.

◆◆◆

»Du schwimmst gut.«
»Am liebsten würde ich immer schwimmen.«
»Und was hindert dich daran?«
»Heute muss alles in Maßen sein, ist dir das nicht aufgefallen? Sobald du das allgemein anerkannte Maß überschreitest, hast du eine Schraube locker.«
»Erst mal ist doch die Frage, was es heißt, eine Schraube locker zu haben.«
»Wenn ich mich auf die Schwimmmeisterschaft vorbereiten würde, mit einem Trainer, einer Stoppuhr und in einem richtigen Schwimmbecken, würden mich alle unterstützen. Die Schule würde die versäumten Stunden gerne tolerieren, und wäre stolz auf meine Medaille, wenn ich eine gewinnen würde. Aber einfach nur schwimmen? Blödsinn! Klares Zeichen, dass ich daneben bin!«
»Du musst es so sehen: Die Gesellschaft ist ein großer, lebendiger Körper. Er fühlt instinktiv, welche Idealtemperatur er haben sollte, welchen Blutdruck, Blutzuckerspiegel, Fettgehalt, wie viele weiße und rote Blutkörperchen und was weiß ich. Alles, was die optimalen Werte überschreitet, ist für den Körper gefährlich und muss beobachtet, im Extremfall eliminiert werden. Das ist doch glasklar, und wer das nicht akzeptieren will, muss die Konsequenzen selbst tragen.«
»Das denkst du wirklich?«
»Ich zitiere Dr. Trost.«
»Wer ist das?«
»Mein Vater. Im Hinblick darauf, dass unsere Gesellschaft auf rechtlichen Grundlagen basiert, gehe ich davon aus, dass mein Vater weiß, worüber er spricht. Oder sollte es zumindest, stimmt's?«
»Sollte er. Robin ...?«
»Was ist?«
»Hat dir dein Vater etwas getan?«

»Warum?«
»Du klingst so, als wolltest du ihn überschreien.«
»Blödsinn. Im Gegenteil, wenn er nicht gewesen wäre ... er hat mir ziemlich geholfen.«
»Wie?«
»Einfach geholfen.«
»Schwimmen wir zurück?«
»Besser, sonst wird Muffin noch verrückt.«

Die Schuhabteilung erstreckt sich über das ganze Stockwerk des Kaufhauses. Sylva wartet, bis die Verkäuferin ihr die passende Größe der Turnschuhe bringt, die sie sich ausgesucht hat, und dabei lässt sie den Blick über die Säulen der Schuhkartons um sich herum gleiten. Sie überlegt, wie viele Kaufhäuser es in Berlin gibt, wie viel in diesen täglich verkauft wird, was für Mengen Schuhe in allen Ecken Europas herumliegen. Ihr Urgroßvater würde sich im Grabe umdrehen, dieser häufige Ausspruch ihres Vaters fällt ihr gerade ein.
»Er hatte ein Paar schwarze Schuhe, sein Leben lang«, erzählte er ihr einmal. »Er nannte sie *die besseren*. Angeblich ließ er sich die Schuhe mit einundzwanzig anfertigen. Er zog sie Sonntag für Sonntag an, um in die Kneipe zu gehen, zu allen Beerdigungen, Hochzeiten und Feuerwehrbällen. Er zog sie an, als er mich zur Einschulung führte, und er hatte sie bei jedem Amts- oder Arztbesuch an. Als er sie im Sarg anhatte, habe ich mir die Schuhsohlen angesehen. Sie waren ziemlich abgelaufen, aber Löcher hatten sie nicht. Es war immer noch zu sehen, dass es *bessere* Schuhe waren.«
Vaters Erinnerungen riechen nach Nostalgie, aber Sylva weiß, worum es ihm geht. Es ist alles zu viel. Es ist nicht mehr genug, sondern Verschwendung. Seiner Meinung nach umgeben wir uns mit Dingen, die wir nicht brauchen, wir haben das Gefühl für Verhältnismäßigkeiten verloren. Deshalb hat er sich ins Ab-

seits zurückgezogen. Deshalb widerstrebt es ihm, neue Häuser zu bauen – er hat alles gebaut. Mutter ist anders. Sie denkt nicht in globalen Maßstäben. Schöne Sachen anzuhaben, sich mit schönen Sachen zu umgeben und schönen Sachen auf die Welt zu helfen, das freut sie.

»Jetzt eine Jacke«, sagt sie, als sie mit den neuen Schuhen und anderen Einkäufen auf die Straße herauskommen. »Irgendeine hübsche wasserdichte Windjacke.«

Eine Windjacke bei achtunddreißig Grad kaufen zu wollen, ist völlig durchgeknallt. Sich mit Mutter durch das schwitzende Berlin fortzubewegen, von Geschäft zu Geschäft – mal zu Fuß, mal mit dem Auto – von einem Punkt der Einkaufsliste zum nächsten, erinnert an eine Szene eines absurden Theaterstücks.

»Was, wenn wir den Rest auf morgen verschieben, Mutter Ubu?«

»Die haben vorausgesagt, dass es morgen noch heißer wird. Du bist schon eine Woche da, und es war nicht ein Mal das richtige Einkaufswetter. Wir können es nicht ewig aufschieben.«

Also weiter durch die Potsdamer Straße zum Platz, ohne Rücksicht darauf, dass man bei jedem Atemzug die Hitze der heißen Pflastersteine bis tief in die Bronchien spürt. Zum Glück werfen die mächtigen Hochhäuser tiefe Schatten und die Einkaufspassagen sind klimatisiert.

»Und wenn wir schon mal hier sind, schauen wir im Untergeschoss noch nach Taschen.«

Mutter tut der Anblick der Schaufenster und der eleganten Auslagen gut. Wer sie nicht kennt, würde sie als einen Konsumtypen bezeichnen, aber Sylva weiß, dass dahinter Mutters totalitäre Kindheit, die sie in Karl-Marx-Stadt verbracht hat, steckt. Sie hat sich bisher nicht davon erholt. Der frustrierende Mangel an allem und die Uniformität, von der Unterwäsche bis zu den Träumen, haben bei ihr einen Hunger nach Qualität und Quantität geweckt, den sie nicht stillen kann.

»Luxus-Fahrrad«, bewertete Robin das Fahrrad, das Sylvas Mutter ihr für den Ausflug zum See geborgt hatte. Nicht nur, dass es zehn Gänge hatte und alles, was von einem Damenrad erwartet wird, es war außerdem unglaublich leicht. Als Sylva den Waldweg von der S-Bahn-Station herunterdüste, hatte sie das Gefühl zu schweben. Sie musste sich bremsen, sonst hätte sie Robin mit dem Pudel im Körbchen problemlos abgehängt und wäre Hals über Kopf den Pfad hinunter zum Wasser gestürzt, das sie zwischen den Bäumen durchschimmern sah. Da würde sie das wunderschöne, teure Spielzeug an den Baum lehnen (»Vergiss nicht, es abzuschließen, sonst ist es weg, bevor du dich umdrehst!«), würde sich die Kleider vom Leib reißen, die Schuhe abstreifen und ins Wasser laufen – selbstverständlich im Badeanzug, um ihren Begleiter nicht zu erschrecken.

Dass Robin eigenartig ist, merkte sie schon auf der Terrasse. Als er hochkam und sie entdeckte, hatte es ihn offensichtlich verlegen gemacht. Er lief sogar rot an. Sie tat so, als hätte sie ihn nicht gesehen, um ihm Zeit zu geben, sich zu fangen. Sie beobachtete ihn jedoch heimlich zwischen den Wimpern hindurch. Er saß im Liegestuhl, eindeutig geistig abwesend, bewegte manchmal die Lippen. Zuerst dachte sie, er summte die Melodie in seinem Kopfhörer mit, dann begriff sie aber, dass er diskutierte. Seinem Gesichtsausdruck nach zu urteilen, stritt er lautlos mit jemandem.

»Was sagst du, Sylva, gefällt sie dir?«

»Sehr, danke, Mama!«

So, das wäre geschafft – sie haben eine Jacke und einen Rucksack gekauft. Was jetzt? Die Sonne steht im Zenit, und sogar ihrer Mutter wird die Hitze zu viel. Sie schaut sich um, wohin sie ihr entkommen könnten.

»Gehen wir einen Happen essen?« Sie zeigt auf das Restaurant im Sony Center, das durch Rauchglas sicher vor den Sonnenstrahlen geschützt ist. Sylva ist einverstanden. Einkaufen mit Mutter bedeutet nicht nur durch die Geschäfte laufen, es sind auch Augenblicke, die man zusammen in Cafés sitzt, in denen man sich über einem Sandwich oder Eis die Sachen erzählt, für die man sonst keine Zeit findet.

»Wir sehen uns alle drei Wochen und sind zufrieden damit«, antwortete Sylva Robin, als er sie fragte, wieso sie nicht öfter in Berlin ist. Dass zwischen ihr und ihrer Mutter über die Ferne hinweg eine Beziehung entstand, die einer intensiveren Kommunikation nicht bedarf und die trotzdem tief ist, wurde ihr erst vor Kurzem klar. Lange dachte sie, sie stünde ihrem Vater näher. Sie fühlte sich wohl in seiner Nähe, sie verstanden sich, ihre Gedanken funkten seit jeher auf gleicher Wellenlänge. Die Zeiten mit Mutter sind anders. Mutter ist unberechenbar, sie erinnert an einen unbekannten Fluss. Sylva kann nicht abmessen, wohin die Strömung sie tragen wird. Es ist ratsam, ständig Acht zu geben. Selbst auf scheinbar banale Kleinigkeiten zu achten. Nur so sieht man, was unter der Wasseroberfläche geschieht.

»Mit dem Zug von Meißen bist du in drei Stunden hier«, erwähnt Mutter beiläufig, während sie die Speisekarte studiert, die die Kellnerin gebracht hat. »Zu Vater schaffst du's in zweieinhalb Stunden.«

Ein zufälliger Zuhörer am Nachbartisch könnte meinen, es handele sich um ein Gespräch über Zugverbindungen, aber Mutters Worte sind nur die Spitze des Eisberges. Sie vermitteln eine Reihe indirekter Botschaften und Ideen. Diese enthalten sowohl Zärtlichkeit als auch Unsicherheit. Die Mutter gibt Sylva zwischen den Zeilen zu verstehen, dass sie sich mit ihrem neuen Lebensabschnitt nicht leicht tut. Sie hat Angst, dass Sylva sich in der neuen Stadt einsam vorkommen wird. Sie fragt sich, ob sie dort leben kann. Es geht nicht um die drei im Zug verbrachten Stunden, sondern darum, dass sie sich jedes Mal entscheiden muss, in welche Richtung sie fährt. Sie muss sich entscheiden, welchen Elternteil sie besucht.

»Ich hoffe, dass du mich auch mal abholst und wir zusammen zu Vater fahren«, sagt Sylva und nimmt einen tiefen Schluck des kühlen Mineralwassers. Die Kohlensäure schießt ihr in den Hals und in die Nase, sie niest sofort, darauf folgt der Schluckauf.

»Ent...schuldige.« Sie verdeckt den Mund mit der Hand, doch

zwischen den Fingern blubbert ein Lachen durch. Jedes Mal, wenn sie sich wie ein Höhlenmensch benimmt, muss sie vor Verlegenheit laut herauslachen. Ein paar Gäste, die am nächsten sitzen, drehen sich um. »Hast du ein Ta...schentuch?«
Die Mutter ist auf solche Situationen vorbereitet. Sie weiß, dass man mit allem rechnen muss, wenn man mit Sylva irgendwohin geht. Prompt reicht sie ihr eine Packung Taschentücher.»Oder auch anders herum«, schlägt sie vor, »ihr kommt manchmal zusammen zu mir.«
Sylva schüttelt den Kopf. Sie erinnert sich an den letzten Abend zu Hause in der Küche. An Vaters wenig überzeugende Ausrede.
»Vater hat Angst, herzukommen«, sagt sie. Mutter hebt die Augenbrauen. Mit einem Blick ermuntert sie Sylva, fortzufahren.
»Er denkt, du willst ihn nicht hierhaben.«
»Woher weißt du das?«
»Wir haben darüber gesprochen.«
»Wirklich? Was genau hat er dir gesagt?«
»Dass er nicht herfahren wird, weil ...« Sylva macht eine Pause und kramt in ihrem Gedächtnis, um Vaters Worte genau wiedergeben zu können, »... weil es zu schwül ist.«
»Und weiter?«
»Das ist alles. Im Herbst wird er sagen, es ist zu windig. Und im Winter wird es zu kalt sein.«
Mutter stellt keine Fragen mehr. Sie kennt Vaters Natur, kann sie aber nicht ändern. So wie sie sich nicht ändern kann. Es ist einfacher, das Thema zu wechseln.
»Was macht Niklas? Wie geht es ihm?«
»Er hat eine Freundin.«
»Hat er sie dir gezeigt?«
Sylva nickt. Im Magen drückt augenblicklich wieder der Stein, den sie schon seit Tagen mit sich herumträgt. Sie hat die Begegnung mit dem Mädchen im Morgenmantel immer noch nicht verarbeitet, es hat eine Mischung widersprüchlicher Eindrücke hinterlassen. Sylva muss sie erst ordnen.

»Wenn ich mal Filme drehe, wird niemand darin ein Wort sagen«, verkündete Niklas einmal, als sie sich ›Sonnenaufgang‹ anguckten. »Ich wette, Murnau würde selbst heute Stummfilme drehen. Die sind viel kraftvoller. Ist mehr Power drin.«
Das war vor zwei Jahren. Zu dieser Zeit hatte er noch eine Kamera.
»Wenn du die Schauspieler reden lässt«, erklärte er Sylva, »verliert sich die Energie im Dialog. Ich würde ihnen immer kurz vor Drehbeginn einen Knebel in den Mund stopfen, damit sie ohne Worte klarkommen.«
Das Mädchen in Niklas' Flur hat auch nicht viel geredet, trotzdem hat sie etwas Starkes ausgestrahlt. Stark und unheilvoll. Als Sylva darüber nachdachte, fiel ihr ein physikalisches Phänomen ein, *die Energie des Falles.*
»Ach, das ist doch Helga!«, ertönt es über ihren Köpfen. Sylva schaut auf. Der hochgewachsene Mann, der bei ihnen steht, hat ein dunkelbraun gefärbtes Gesicht und ein breites Lächeln. Ein echtes Lächeln. Er führt keine Gesichtsmuskelgymnastik vor, mit der die Erwachsenen oft einen Gruß ersetzen – bei ihm lachen sogar die Augen und die Stirn mit. Er zeigt unverfälschte Freude darüber, Sylvas Mutter zu sehen. »Was machst du bei diesem Wetter in Berlin?«
»Ich arbeite hier, und vor allem ist meine Tochter hier.«
Mutter stellt sie einander vor. Eine Schokoladenhand streckt sich Sylva entgegen. Eine Hauttönung aus einer anderen Klimazone, der Händedruck eines Seemanns. Er heißt Adam.
»Darf ich kurz?«
Er wartet nicht einmal eine Antwort ab. Schon hat er einen Stuhl herangeschoben und sich ohne Hemmungen dazugesetzt. Er fängt an zu reden. Er ist gerade aus Dubai hergekommen, in vierzehn Tagen geht es wieder zurück. Er baut ein großes Bürohaus. Tierische Sklavenarbeit. Unvorstellbare Hitze. Unerträgliche Luftfeuchtigkeit. Aber eine Menge netter Leute. Und das Projekt, Helga! Das ist mit allem Drum und Dran der Bau des neuen Jahrtausends. Er

ist für die Lufttechnik verantwortlich. Man verwendet zwar die modernsten Materialien, aber zugleich nimmt man ein uraltes System der Windtürme aus Persien zum Vorbild ...
Sylva merkt erst mit Verspätung, dass sie nicht mehr zuhört. Sie hat abgeschaltet. Sie beobachtet nur die Gesten und die Mimik. Niklas hat recht. Ein stummer Film sagt mehr aus als der ausgefeilteste Dialog. Man merkt, worum es wirklich geht. Der Schokoladen-Adam hat keinen Knebel im Mund, trotzdem fühlt Sylva, dass zwischen Mutter und ihm eine vertraute Verbindung besteht. Irgendeine versteckte Energie, die Sylva versucht, zu ergründen. Vielleicht haben sie sich eine Zeit lang nicht gesehen, aber sie wissen viel voneinander und stehen sich nah, was auch immer das heißen mag. Das Gleiche hatte Sylva über Niklas und sich gedacht. Sie war überzeugt gewesen, dass ihre Beziehung unzerstörbar war. Jetzt weiß sie, dass es eine Illusion war. So wie sie sich geografisch entfernten, veränderten sich auch die Inhalte ihrer beider Leben. Unausweichlich.
Unausweichlich? Sylva wüsste gern, ob sie die Gleiche wäre, wenn sie in Berlin geblieben wäre. Und Niklas? Würde er sich ändern, wenn er plötzlich in Tschechien leben würde oder in Griechenland oder in der Ukraine? Sind wir vor allem die Produkte unserer Umgebung, oder gibt es etwas Festes, Grundlegendes, das wir von Geburt an bis zum Tod in uns tragen? Birgt unser genetischer Kode auch die Fähigkeit der Wahl, einer Veränderung zu widerstehen oder ihr nachzugeben?
»Ich fange nach den Ferien woanders an«, antwortete sie Robin, als er sie nach der Schule fragte. Sie kletterten ans Ufer und setzten sich auf die warmen Steine. Die Sonne versteckte sich schon hinter den Spitzen der Grunewalder Bäume, aber die Luft wärmte immer noch, und über das Wasser fuhren ein paar Boote. Ihre Motorengeräusche gaben dem Abend einen unverwechselbaren Feriencharakter, so wie das ausgelassene Bellen von Robins Pudel, der umherrannte und das Wasser aus dem zotteligen Fell schüttelte.

»In einer anderen Schule?«
»Ich hab viel gefehlt. Nicht, dass ich krank gewesen wäre ...«
Er nickte mit dem Kopf. Er verstand.
»Ich habe auch im Halbjahr gewechselt.«
»Auch? Und ...« Schon wollte sie fragen, aus welchen Gründen, aber im letzten Augenblick stockte sie. Sie bemerkte die Linie an seinem Kinn. Er presste die Kiefer zusammen, und seine Halssehnen traten hervor, als ob er versuchte, irgendeinen Krampf in den Griff zu bekommen.
Sie stellte eine Ersatzfrage. »Und, wie gefällt es dir in der neuen Schule?« Es zeigte sofort Wirkung. Die Kiefer entspannten sich, der Krampf verschwand.
»Nicht schlecht. Vor allem Physik und Mathe.«
»Deine Lieblingsfächer?«
»Ich denke schon. Vielleicht werde ich darin Abi machen.«
Komischer Kerl. Undurchschaubar. Vorsichtig offen. Es sieht aus, als wüsste er viel, aber im Gegensatz zu Filip bindet er es einem nicht gleich auf die Nase. Auch sonst hält er sich zurück. Als würde er sich ununterbrochen kontrollieren. Als hätte er Angst vor sich selbst.
»Entschuldige«, stieß er hervor, als er merkte, dass sie sich das Handtuch umgewickelt hatte, um die Bikinihose runterzuziehen. Er drehte sich schnell um, jagte mit dem Hund zum Ufer und fing an, Stöckchen zu werfen. Seine sorgfältige Mühe, Sylva die ganze Zeit den Rücken zuzukehren, während sie sich umzog, war fast lächerlich.
»Willst du nicht einen Crêpe?«, fragt ihre Mutter, als die Kellnerin an ihrem Tisch stehen bleibt. »Oder ein Eis?«
Sylva schüttelt den Kopf. Sie isst den Thunfischsalat auf und wischt die Schüssel mit einem Stück Baguette sauber. Sie macht sich keinen Kopf darüber, ob sich das gehört oder nicht. Sie findet es schade um das pikante Dressing.
»Ich nehme einen Milchkaffee«, sagt Mutter.
»Einen Espresso bitte«, schließt sich der Schokoladen-Adam an.

Er hat nicht vor, zu gehen, man merkt, dass er und Mutter sich einiges zu erzählen haben. Über Architektur in Dubai. Und über andere Dinge. Sylva steht auf.
»Ich geh noch nach einer Jeans gucken«, sagt sie.
»Soll ich mit dir gehen?«
»Nö, muss nicht sein.« Sie sagt es so, dass klar ist, dass sie wirklich alleine gehen will. »Wir treffen uns zu Hause.«
Sie bekommt von Mutter Geld, gibt Adam die Hand. Seine lachenden Augen.
»Ich bin froh, dass ich dich getroffen habe. Ich wünsche dir noch schöne Ferien«, sagt er ihr. Man kann nichts machen, er ist einfach echt sympathisch. Er strahlt die angenehme Selbstsicherheit eines Menschen aus, der mit dem Leben etwas anzufangen weiß. Er hat bestimmt keine Stadtphobie. Er war wohl auch noch nie in einer Krise und vielleicht kann er sogar ihre Fragen beantworten. Sylva beschließt, es auszuprobieren. Sie war schon auf dem Weg zum Ausgang, kommt aber zurück.
»Meinen Sie, dass die Größe der Brüste einen Einfluss auf die Psyche der Frau hat?«
Sie hat ihn überrascht. Er schweigt einen Augenblick und schaut sie prüfend an. Er ist sich nicht sicher, ob sie sich lustig macht. Und über wen.
»Über die Brustgröße entscheidet wohl die Menge der Hormone«, sagt er schließlich wohlüberlegt. »Und Hormone beeinflussen unumstritten manche psychische Vorgänge.«
»Welche zum Beispiel?«
»Ich würde sagen, am meisten die, die direkt aus Instinkten entstehen.«
»Also ich handle Ihrer Meinung nach instinktiver als die Rothaarige da?«
Adam wirft einen Blick auf die flachbusige Rothaarige am Fenster, schüttelt den Kopf, lacht.
»Hör nicht auf mich, ich habe Technik studiert, das hat nichts mit Hormonen zu tun!«

»Danke, trotzdem.«
Als sie auf die Straße kommt, schlägt ihr die heiße Luft ins Gesicht, sodass sie nach Luft schnappen muss. Sie steuert nicht den Jeansladen an, sondern gleich die U-Bahn-Station. Das Gespräch mit Adam hat sie mobilisiert. Auf einmal weiß sie, wo sie hinfahren muss. Sie spürt es so intensiv, dass sie eine Gänsehaut auf den Armen bekommt. Sie fängt an zu laufen.

◆◆◆

»Das ist kein Spaß, Niklas!«
»Ich habe nichts weggenommen.«
»Lüg wenigstens nicht, verdammt noch mal!«
»Ich lüge nicht. Ich schwöre, ich habe nicht einen Cent genommen.«
»Wie erklärst du es dir dann, dass vierhundert fehlen?«
»Die einzige Erklärung, die ich habe, ist: Es ist ein Fehler. Irgendwas hat sich vielleicht aus Versehen ... oder ich weiß nicht ... zweimal gebongt.«
»Niklas, das ist eine Registrierkasse! Die verrechnet sich nicht! Da sollen zweitausendeinhundertfünfzig Euro drin sein, und es sind siebzehnhundert drin! Wo ist der Rest?«
»Es tut mir echt leid, aber ich weiß es nicht.«
»Es tut mir ebenfalls leid, weil wir in diesem Fall zur Polizei gehen.«
»Und wenn ich das Geld wiederbringe?«
»Du sagst, du hast es nicht genommen.«
»Das macht nichts, ich besorge es.«
»Bis wann?«
»Geben Sie mir eine Woche.«
»Bis morgen Abend.«
»Das ist nicht fair, so eine Galgenfrist. Ich arbeite doch bei Ihnen schon ein Jahr, und Sie hatten nie Probleme mit mir.«
»Ich ahnte, dass die kommen werden, mein Junge. Seit du dieses Dreckszeug in dich reinpfeifst, war klar, dass du die Kasse eines schönen Tages ausräumst.«
»Ich hab sie nicht ausgeräumt.«
»Niklas, verdammt, schau dich an, wie du aussiehst! Vor einem Jahr habe ich einen normalen, anständigen Jungen eingestellt, jetzt bist du zum Skelett abgemagert, mit hervortretenden Augen! Absolut daneben! In der letzten Zeit bist du ein paarmal bekifft zur Arbeit gekommen, aber ich habe dir immer noch eine Chance gegeben. Ich

habe gehofft, dass du dich aufrappelst. Ich mochte deinen Vater, nur dass du's weißt. Das war ein Mann, der war geradeaus. Ich dachte, du schlägst nach ihm, aber du ...«
»Ich habe nicht einen Cent genommen!«
»Gib mir alle Schlüssel. Bei mir bist du fertig.«
»Ich schwöre es Ihnen, ich habe die Kohle nicht angefasst.«
»Spar dir deine Schwüre. Mach, was ich dir gesagt habe, oder du steckst ganz schön in der Patsche.«
»Geben Sie mir wenigstens drei Tage, da lässt sich schon was ...«
»Bis morgen Abend.«

Nichts als Gerümpel! Eine verblichene Kopie von Gaugins »Weihnachten«, ein Tablett aus Kristallglas mit Musikantenfiguren darauf, Gedichte von Heinrich Heine in einem abgegriffenen Ledereinband, eine bestickte Tischdecke, eine Pendeluhr, die seit Jahren nicht geht. Für alles zusammen kriege ich um die hundert Euro, wenn ich Glück habe. Das Schiff in der Flasche mit dem Messingschild, das Vater und Mutter von ihrem ersten gemeinsamen Urlaub auf Rügen mitgebracht hatten, fiel mir mal herunter und die Flasche bekam einen Sprung. Sie hält einigermaßen zusammen, und wenn man sie geschickt auf das Regal stellt, ist der Sprung nicht zu sehen, doch im Pfandleihhaus würde man mir nichts dafür geben. »Bis morgen Abend«, hatte Herr Butzke gesagt. »Sonst steckst du in der Patsche!«
Für ihn ist es kinderleicht, vierhundertfünfzig Euro aufzutreiben. Er macht einfach den Geldbeutel auf. Oder den Safe. Im äußersten Fall geht er zum Geldautomaten. Ich würde am Automaten leer ausgehen. Also bleibt mir nichts anderes übrig, als weiterzustöbern. Der Flur und die Küche sind schon durchsucht, jetzt noch Mutters Zimmer. Zum Glück hat sie überall eine Superordnung, sodass man wenigstens keine Zeit verliert. Denn Zeit ist genau das, was mir fehlt. Es bleiben nur noch ein paar Stunden und ich bin immer noch in den Startlöchern.

»Von so 'nem Ramsch hab ich das ganze Lager voll!«, grinste der Pfandleiher, als ich ihm gestern die Münzen aus Vaters bescheidener Sammlung auf dem Pult ausbreitete. Es waren Reichspfennige dabei, Rubel und Kopeken aus den Kriegsjahren, ein paar alte polnische Groschen und ein Häufchen ostdeutsche Mark. Schließlich nahm er sie mir ab und gab mir achtzig Euro dafür. Vielleicht würde ich woanders mehr bekommen, aber hier kennt man mich. Gut, dass ich so davongekommen bin. Somit sind jedoch meine Möglichkeiten praktisch erschöpft. In dieser Wohnung werde ich wohl nichts Wertvolleres finden. Meine eigenen Sachen hab ich schon vor langer Zeit verscherbelt, und Mutters Habseligkeiten sind nur reich an Erinnerungen. Sie spiegeln ein Leben wider, das in vieler Hinsicht beschissen war, aber es ist ihres, und deshalb kann sie es nicht einfach aufgeben. Da müsste sie sich selbst aufgeben.

»Das lässt sich leicht sagen, wir hätten im Gefängnis gelebt. Aber meine Generation ist da geboren«, hörte ich sie tausendmal sagen. »Die Welt draußen mag bestimmt schöner gewesen sein, aber wenn von der Schönheit nur ein vergittertes Fenster bleibt, wendest du deine Aufmerksamkeit lieber deiner Zelle und deinen Mitinsassen zu, und wenn du Glück hast, kannst du zwischen ihnen auch einigermaßen glücklich sein. Ich war es zumindest!«

Diplome und Medaillen vom Wettbewerb in wortgewandten Vorträgen.

Ein bemaltes Tellerchen von der Freundin aus Ungarn. Vaters Füllfeder mit Widmung des Narva-Kollektivs. Für Mutter Schätze, für mich unverkäufliche Fetische.

Ich beende die Durchsuchung des Sekretärs und öffne den Schrank. Es hängt immer noch Vaters Anzug drin. Der älteste. Alle anderen sind beim Roten Kreuz gelandet, aber von dem da konnte Mutter sich nicht trennen. Ich kann mich nicht erinnern, wie Vater darin ausgesehen hat. Insgesamt habe ich recht wenige Erinnerungen an Vater. Es sind eher aufblitzende Augenblicke als ganze Bilder – mit einer Ausnahme. Als ich ungefähr vier war, nahm er mich eines Sonntags mit zum Fußball, und weil ich über das Meer von Fans nicht drübergucken konnte, setzte er mich auf seine Schultern. Ich saß das ganze Spiel über dort, aber er beschwerte sich nicht.

»Ein Fliegengewicht bist du nicht gerade«, war das Einzige, was er sagte, als er mich vor dem Stadion absetzte. Es klang wie ein Lob, und ich war stolz. Papa musste dann ein Bier trinken, damit er sich erholte, und ich bekam eine Cola, was wir Mutter lieber nicht erzählten. Gegen Bier hätte sie wohl nichts, aber Coca-Cola war für sie schon immer ein gefährliches Getränk. Dieser Fußballsonntag ist meine klarste Erinnerung, die ich an Vater habe. Wann immer ich sie abspule, habe ich Vaters Gesicht ganz genau vor Augen.

»Was meinen Vater angeht, erinnere ich mich an fast nichts«, hatte Evita gesagt, kurz bevor wir mit dem Streit anfingen. Wir hatten über Kindheit und ähnliche Probleme geredet. »Wenn ich ihm irgendwo begegnen würde, könnte ich ihn nicht erkennen. Vielleicht ist es der Fettwanst, der mir gestern im Supermarkt an den Hintern gefasst hat. Oder der Spießer da im BMW. Oder der verrückte Tabakhändler vom Bahnhof!«

Der Tabakhändler vom Bahnhofskiosk war tatsächlich kurz vorm Verrücktwerden, und mich wundert es auch nicht. Er sah, wie Evita ihm vor der Nase ein Päckchen Tabak abzockte, konnte es bei ihr aber nicht finden. Er durchfilzte ihre Taschen, drehte ihre Handtasche auf den Kopf, zwang sie sogar, ihm ihren Gürtel zu zeigen, fand aber nichts. Der Tabak blieb futsch. Er tauchte aber auf der Schillingbrücke wieder auf, als Evita Lust bekam zu rauchen.

»Hex, hex!« Sie zog das Päckchen Tabak hervor, das sie unter der Seitennaht des BHs versteckt hatte. »Abrakadabra!«

Wir lehnten uns gegen das Geländer, schauten in die Spree, und in mir wuchs das Bedürfnis, bestimmte Sachen anzusprechen. Nicht groß thematisieren, nur ein wenig drüber reden, sie wenigstens ans Licht bringen. Ich fühlte, ich konnte sie nicht länger für mich behalten.

»Evita?«
Sie hob den Kopf. »Was ist?« Sie hatte die Sonnenbrille auf.
»Nimm die Brille ab.«
»Warum?«
»Wenigstens für einen Moment.«
Sie drehte sich um, damit ihr die Sonne nicht genau ins Gesicht brannte, und hob die Brille vorsichtig an.
»Was ist?«, wiederholte sie.
»Schau mich an.«
Sie versuchte es, aber es gelang ihr nicht. Sie zwinkerte ein paarmal und ließ die Augen schließlich unter den Lidern versteckt. In der letzten Zeit tränten sie immer oder waren zumindest gerötet. Sie behauptete, dass es von der Sonne ist, aber ich war mir da nicht so sicher.
»Was ist mit deinen Augen?«, fragte ich.
»Augenentzündung, wahrscheinlich.«
»Diese Augenentzündung steht nicht zufällig in direkter Verbindung zu deinen Unterarmen?«
»Wie meinst du das?«
»Du weißt, wie ich das meine.«
Sie schüttelte den Kopf.
»Speedies sind lichtscheu. Ist dir das schon mal aufgefallen?«
»Was hat das mit mir zu tun?«
Ich wusste nicht, ob sie Speed oder was anderes nahm, aber das war ja sowieso nebensächlich. Ich ergriff ihren Ellbogen. Sie wollte ihn wegziehen, aber das ließ ich nicht zu. Mit der einen Hand hielt ich sie fest, mit der anderen schob ich den Ärmel zurück. Ihr Unterarm sah schlimmer aus als beim letzten Mal.
»Na und?!« Sie riss sich los. »Ich wollt's halt ausprobieren!«
»Wie oft? Und woher hattest du das Geld?«
»Ach, seht mal, Herr Vollbekifft spielt hier den Unschuldigen!«
Beleidigt drehte sie sich um und ging von mir weg.
»Ich dachte, dass wir nichts voreinander verstecken«, rief ich hinterher. »Dass wir alles zusammen machen!«

Sie blieb stehen.
»Worum geht es dir eigentlich? Willst du's auch probieren?« Die schwarzen Gläser ihrer Brille starrten mir ins Gesicht.
»Eigentlich nicht. Ich will, dass du aufhörst. Wir machen einfach eine Pause, was meinst du? Wir sind zu weit gegangen.«
In letzter Zeit hatte ich Schiss. Nicht nur wegen Evita. Irgendwas passierte in meinem Hirn. Ich war andauernd gereizt, laute Geräusche störten mich und von schnellen Bewegungen wurde mir schlecht. Ich vergaß auch immer öfter Dinge. Wie sehr ich mich auch anstrengte, ich konnte mich zum Beispiel nicht erinnern, ob ich, wenn ich das Haus verließ, den Herd ausgeschaltet hatte oder nicht, ob ich abgeschlossen hatte, ob ich das Butterbrot geschmiert und gegessen hatte oder ob ich das nur alles tun *wollte*. Die Grenze zwischen dem, was tatsächlich passierte, und was nur in meinem Kopf existierte, verschwand mehr und mehr und das machte mich nervös. Das aktivierte mein Alarmsystem.
»Schau, wir haben uns nicht mehr unter Kontrolle, es geht auf die Birne. Siehst du nicht, dass wir verblöden?«
»Sprich gefälligst für dich selbst! Ich brauche keine Predigt, das hatte ich zur Genüge!«
Sie hatte mir erzählt, dass man sie in irgendein Internat abgeschoben hätte, nachdem ihre Mutter gestorben war. Dort arbeiteten Nonnen. Die waren wohl ganz nett, aber sie versuchten andauernd sie geistig zu veredeln. Sie hatte dadurch einen Komplex bekommen.
»Hörst du mir überhaupt zu?«, fragte ich und näherte mich ihr ein paar Schritte. Über die Brücke huschte ein Auto nach dem anderen, und es machte mir keinen Spaß, dagegen anzuschreien.
»Du hast selbst gesagt, dass es dir nur darum geht, die Blockaden zu lösen und zu den versteckten Reserven vorzudringen. Du wolltest kein Sklave werden. Wir machen eine Pause. Wir pfeifen auf Hasch, Gras, auf die Pillen ... auf alles. Wir werden einfach eine Zeit lang clean sein. Oder ist das so ein Problem für dich?«
Sie antwortete nicht. Sie sah mich starr an, unergründlich wie eine

Statue. Als wäre sie tatsächlich in Stein gemeißelt in irgendeiner ägyptischen Gruft. Dann drehte sie sich wortlos um und ging weg. Ich überlegte, ob ich hinter ihr hersollte, tat es aber dann doch nicht. Königinnen darf man nicht drängen. Sie brauchen Zeit.

»Verdammt!«, schreie ich in die leere Wohnung hinein. Ich habe einen handfesten Entzug. Schon zwei Tage hab ich nicht mal geraucht, nichts. Ich fange an durchzudrehen. »Beschissene Klamotten!«

Ich trete gegen die Schranktür, die fast aus den Angeln fällt. Dann mache ich die Wäschekommode auf. Auch da sind Klamotten – drei Schubladen voll. Ich durchwühle sie beiläufig. Tischdecken, Geschirrtücher, Haufen von Bettlaken und Bettbezügen. Sie sind gebügelt und riechen nach Zitrone und Lavendel. In der Schublade darüber hat Mutter Handtaschen. Eine kleine aus Samt und zwei größere aus Leder. Die kleine hat sie früher mit ins Theater genommen, aber sie ist schon ewig nicht mehr hingegangen. Ich ziehe sie heraus und kämpfe mit dem gekrümmten Verschluss. Vor lauter Ungeduld werde ich immer wütender. Schließlich ziehe ich so fest daran, dass der Verschluss abbricht. Die Handtasche fällt auf den Boden und der Inhalt verteilt sich auf dem Teppich. Ich staune. Ich bin auf eine Goldader gestoßen. Um meine Füße herum kullern Ringe, Ketten, Broschen und Manschettenknöpfe. Auch Vaters Trauring ist da und Großvaters Zwiebeluhr an einem Goldkettchen. All diese Sachen kenne ich, meine ganze Kindheit über lagen sie in einer kleinen Schatulle im Wohnzimmer, aber irgendwann war sie verschwunden und ich hatte sie vergessen. Mutter hat sie wohl versteckt, als sie herausfand, dass ich ins Pfandleihhaus gehe. Sie hat sie aber schlecht versteckt.

»Ich bin heilfroh, wirklich heilfroh, dass Vater das hier nicht miterleben muss!«, würde sie sagen, wenn sie jetzt hier wäre. Zum Glück ist sie zweihundert Kilometer weit weg. Auch wenn sie mich täglich anruft, sie kann mich nicht sehen ... Die Arme hat keine Ahnung, was hier los ist. Wie tief ich gesunken bin! Noch ein paar Tage kann sie ihren Urlaub genießen, dann fängt der Tumult an.

Ich sinke auf die Knie, hebe den verstreuten Schmuck vom Teppich auf und lobe die geheimen Kräfte, die die Hand über mich halten, oder wer sonst für dieses Wunder verantwortlich ist.
»Danke!«, schreie ich in die leere Wohnung hinein. »Das vergesse ich euch nie!«
Es ist nicht das freigesetzte Adrenalin, eher muss ich was in meinem Inneren übertönen. Es geht darum, dass das Glücksgefühl, das mich über ein halbes Jahr begleitet hat, nicht mehr unendlich ist. Es ist geschrumpft. Als Evita auf der Schillingbrücke von mir wegging und ich, in der brennenden Sonne inmitten der Autoabgase, allein zurückblieb, fiel mir zum ersten Mal auf, wie wenig ich von ihr weiß. Wir hatten allerhand zusammen erlebt, und eigentlich war der Dialog nie abgebrochen, hauptsächlich aber bestand er aus einem Austausch von Gedanken. Äußerliche Fakten fanden wir nicht wichtig. Auf der einen Seite kannten wir uns wie siamesische Zwillinge, und auf der anderen waren wir Fremde. Nur wo nach einem Fremden suchen? Evita hatte mir keine Adresse gegeben. Sie hatte keine. Wenn sie nicht bei mir war, konnte sie an zehntausend anderen Plätzen sein. Es war so, als hätte sie aufgehört zu existieren. Zumindest von meinem Standpunkt aus.
»Keine Sorge, ich habe viele Möglichkeiten«, antwortete sie, als ich sie im Winter fragte, wo sie blieb, wenn ich im Presto oder in der Schule war. »Bei den meisten von ihnen kann ich mich nur kurz aufwärmen, aber irgendwo kann ich bestimmt auch über Nacht bleiben. Der gute Mensch lebt noch!«
Ich weiß nicht, ob sie jemand Konkreten meinte. Wenn ja, kannte ich ihn nicht. Ein paarmal waren wir zusammen auf Parties, wo die unterschiedlichsten Typen um sie herumschwänzelten. Aber obwohl sie mir einige vorgestellt hatte, war keiner so markant gewesen, dass er mir wirklich in Erinnerung geblieben wäre. Eine Zeit lang übernachtete sie in so einer Holzhütte in Heinersdorf, doch im Frühjahr hatte sich irgendein Giftzwerg aus der Nachbarschaft darüber beschwert. Die Polizei hatte das Grundstück

geräumt, und die ganze Bagage, die die Hütte bewohnte, verstreute sich in Berlin. Ich hatte weder eine Ahnung, was das für Leute waren noch wo sie zu finden waren und ob Evita mit einem von ihnen Kontakt hatte. Ich ließ ernsthaft die Möglichkeit zu, dass sie den Weg zu mir zurück nicht mehr fand. Im übertragenen als auch im tatsächlichen Sinn. Ich hatte Angst um sie. Sie hatte zwar schon vorher auf der Straße gelebt und konnte für sich sorgen, doch damals war sie in besserer Verfassung gewesen. In der letzten Zeit brauchte sie jemanden, der auf sie aufpasste. Jemanden, dem es wichtig war, dass sie nicht auf dem Bürgersteig herumlag und sich treten ließ. Jemanden wie mich.

Ich habe die Hand voll Schmuck. Ich verstaue ihn wieder in der Handtasche, sofort wird mir aber klar, dass das ein Fehler ist. Ich kann nicht mit Mutters Handtasche über den Hof und die Straße gehen. Das wäre verdächtig. Ich schütte meinen Schatz in eine Brötchentüte aus Papier. Die kann ich ruhig in der Hand halten, und keinem fällt was auf. Wenn ich erst mal im Pfandleihhaus bin, ist es schnuppe. Der Pfandleiher wird sich über nichts wundern. Er wundert sich nie über etwas.

»Du hast es auf der Parkbank gefunden, nicht wahr?«, fragte er mich, als ich ihm vor einiger Zeit das Handy brachte. Ich antwortete, dass es meins sei, aber er glaubte mir nicht. Er ist geklaute Ware gewöhnt. Durch seine Hände waren bereits solche Mengen an Kostbarkeiten und Schrott gegangen, dass er ihren Schicksalen gegenüber völlig gleichgültig war. Höchstwahrscheinlich hasste er sie. Es würde mich nicht überraschen, wenn er in einem unmöblierten Zimmer wohnte, das nicht einmal durch eine Tischlampe oder einen Aschenbecher verunstaltet wurde. Vier weiße, nackte, kahle Wände. Die Vollkommenheit der Leere. So stellte ich mir seine Wohnung vor.

Ich schließe ab, gehe die Treppe hinunter, und bevor ich in den Hof trete, werfe ich noch einen Blick in den Keller. Unsere Kammer ist leer. Ich erwartete auch nichts anderes. Nur insgeheim vielleicht …

»Wie heißt sie?«
»Sylva.«
»Wo lebt sie? Was macht sie?«
»Sie schwänzt die Schule. In irgendeiner tschechischen Stadt. Nach den Ferien fängt sie in Meißen an.«
»Sie kommt mir sympathisch vor. Wie wär's, wenn ich sie zum Tiramisu einladen würde? Das gelingt mir doch immer ganz gut, nicht?«
»Mama, bitte!«
»Was ist? Sie ist eine Woche da, und ich habe nicht ein Mal mit ihr geredet. Ich pflege gerne normale nachbarschaftliche Beziehungen. Ich klingle mal bei ihr. Sie langweilt sich bestimmt.«
»Sie ist nicht der Typ, der sich langweilt.«
»Woher weißt du das?«
»Ich weiß es einfach!«
»Werd nicht wütend, Robin. Immer wenn ich dich etwas frage, drehst du durch. Ich dachte, dass wir die paar Tage zu zweit genießen, dass wir endlich Zeit haben würden, zu reden, und stattdessen bist du entweder wütend oder du schweigst. Du erzählst nichts über dich. Ich weiß nicht, wie du dich in der neuen Schule eingelebt hast, ich weiß nicht, welche Freunde du hast, ich weiß gar nichts. Ich weiß nur, wie du malst. Ich habe mir dein letztes Bild angeschaut und ...«
»Mama! Warum meinst du, habe ich es hinter den Schrank gestellt?«
»Damit du Abstand bekommst. Damit du das Bild eine Zeit lang nicht siehst, oder?«
»Damit du es nicht siehst! Es ist nicht fertig!«
»Aber das Wichtigste hast du schon hereingelegt. Ich habe deine ganze Wut darin gefunden und auch ganz viel Sehnsucht und noch etwas Unglückliches und ...«
»Soll das eine Analyse meines Seelenzustandes sein?«
»Ich rede über dein Bild.«

»Du bist echt lustig, Mama.«
»Wurde auch Zeit, dass du es merkst.«
»Wenn du unbedingt reden willst, dann sag mir doch, was du weißt, ich meine, was du denkst ... du weißt worüber.«
»Über Melinda? Du hast sie nicht verletzt. Du würdest nie jemanden verletzen, Robin, da bin ich mir sicher.«
»Wie kannst du dir sicher sein? Ich bin mir selbst nicht sicher. In einem habe ich sie sicher verletzt.«
»Ah ja?«
»Sie wollte hören, dass ich sie liebe, und ich habe es ihr nicht gesagt.«
»Warum nicht?«
»Warum sollte ich jemandem sagen, dass ich ihn liebe, wenn ich nicht einmal glaube, dass so etwas existiert?«
»Was, glaubst du, existiert nicht?«
»Romantische Gefühle. Ihr habt sie euch ausgedacht.«
»Wer?«
»Ihr Mädels. Damit ihr eine Rechtfertigung für Sex habt. Damit ihr euch nicht wie Tiere vorkommt. Was ist? Warum guckst du so?«
»Warte nur, bis du dich verliebst!«
»Ich kann mich nicht verlieben, wenn ich nicht weiß, was das ist. Weißt du, was es ist?«
»Ich würde sagen – ja!«
»Also, erklär's mir.«
»Der Zustand des Verliebtseins lässt sich nicht erklären.«
»Welchem Zustand ähnelt er?«
»Wenn du dich verliebst, wirst du es wissen.«
»Anhand von was?«
»Du merkst es gerade daran, dass es nichts anderem ähnelt.«

Die Büsche strömen einen schweren, müden Geruch aus, die Luft ist völlig bewegungslos. Als wäre sie gar nicht da. Als hätte sie jemand aus der Stadt herausgepumpt. Die Parkwege gähnen vor Leere. Im Schatten der Bäume am Bach campen ein paar Touris-

ten, die sich dort vor der größten Hitze verstecken. Ein paar Mutige steigen mit aufgeschlagenen Reiseführern in den Händen hoch zum Schinkel-Denkmal.
»Muffin!« Robin versucht zu pfeifen, aber es wird nur ein trockenes Sausen. Sein Hals ist trocken, die Zunge bleibt am Gaumen kleben. »Bei Fuß!«
Der Hund hört mit dem Schnuppern am Mülleimer auf, trottet unwillig heran und lässt sich an die Leine nehmen. Eben noch hat er im Bach geplantscht, doch das Fell ist schon wieder trocken und heiß.
»Zu Hause legst du dich auf die Fliesen und ich schalte dir den Lüfter ein«, verspricht Robin ihm. Er verlässt den Park und tritt auf die Straße. Das Straßenpflaster scheint erst jetzt richtig Hitze abzugeben, obwohl es längst im Schatten liegt. Auch die Geländer und Zäune sind aufgeheizt. Der heißeste Sommer des Jahrhunderts, tönen die Meteorologen. Eine Hölle für Herzkranke, warnen die Ärzte. Vater schickt ihm dreimal täglich eine SMS, um sicher zu sein, dass es Mutter gut geht.
»Sie soll sicherheitshalber gar nicht vor die Tür, in der Wohnung geht es ihr am besten. Pass auf sie auf«, legt er Robin ans Herz. »Ich zähle auf dich, du bist ja schon ein Mann!«
Seine Anrufe knebeln Robin aus der Entfernung. Er ist im Harz, und gleichzeitig ist er hier bei ihnen und wacht über jeden ihrer Schritte. Nie vergisst er zu betonen, wie sehr er sich auf Robin verlässt. Gerade dieses andauernde Betonen ist verdächtig. Es riecht nach durchdachter Taktik. Robin würde Vater gerne sagen, dass er keinen Bock auf seine Männerreden hat, aber er traut sich nicht. Er ist froh, dass zwischen ihnen Frieden herrscht. Zwar ein angespannter, aber immerhin ein Frieden.
»Du kennst ihn, er hat seine Art«, sagte Mutter nachmittags über einer Schale Tiramisu. Wie üblich versucht sie, Vaters Verhalten zu erklären. »Du darfst es ihm nicht übel nehmen. Er selbst ist die fleischgewordene Verantwortung und will, dass du so bist wie er. Er meint es nicht böse.«

In Wirklichkeit würde Vater gerne alle so haben, wie er selbst ist. Zuverlässig, berechenbar. Ob er das böse meint oder gut, er ruft dadurch nur Spannungen hervor. Wenn er die Welt nicht vom rechtlichen Standpunkt aus sähe, sondern eher vom physikalischen, müsste er sehen, wie riskant er sich verhält. Er müsste damit rechnen, dass jeder Druck gesetzmäßig einen Gegendruck auslöst. Manchmal keinen direkten, doch je länger der Aufschub, desto stärker die Reaktion. Vater unterschätzt die Physik. Er ist überzeugt, dass alles über die Moral geregelt werden kann.
Muffins Bellen lässt Robin den Kopf heben. Sie sind schon beim Haus. Die Garageneinfahrt ist durch einen Porsche blockiert. Der rubinrote Glanz der Motorhaube blendet, sodass Robin eine Weile braucht, bis er das herabgelassene Seitenfenster bemerkt und den Kopf, der sich ihm zuwendet.
»Hallo, Robin! Ich bin froh, dich zu sehen!«
Sylvas Mutter. Sie kommt vom Einkaufen zurück. Auf dem Beifahrersitz hat sie eine Menge Taschen.
»Ich wollte mich bei dir bedanken«, fährt sie fort, noch ehe Robin den Gruß erwidern kann. »Dass du Sylva mit zum Schwimmen genommen hast.«
»Ich glaube, dass ihr ein bisschen die Strömung gefehlt hat. Sie sagte, sie schwimmt sonst in der Elbe.«
»Sie schwimmt überall, wo es geht. Und auch wo es nicht geht. Letztes Frühjahr ist sie in der Stadtmitte in die Spree gesprungen, von der Jannowitzbrücke. Die Polizei hat sie nach Hause gebracht. Ich musste dafür Strafe zahlen. Sie ist echt verrückt.«
Sie zuckt mit den Schultern und lacht. Robin überlegt, ob Sylva ihm verrückt vorkommt. Ihrer Mutter ähnelt sie jedenfalls nicht – sie strahlen unterschiedliche Energien aus. Sie haben auch eine unterschiedliche Statur und völlig unterschiedliche Gerüche. Sylvas Mutter ist zart, wirkt tatkräftig und riecht nach teurer Kosmetik. Sylva ist eher robust und riecht nach sich selbst. Ihr Temperament liegt nicht an der Oberfläche. Als Robin sie beobachtete, wie sie aus dem Wasser an das Ufer kam, sich die Haare aus dem Gesicht

strich und sich die Wassertropfen von der braun gebrannten Haut wischte, wobei keine der Bewegungen zwecklos oder sogar aufreizend war, sondern ruhig und natürlich, erinnerte sie ihn an einen Schelm. Kann ein Schelm verrückt sein?

»Wahrscheinlich gehe ich heute auch baden«, erwähnt Robin beiläufig, damit es nicht so aussieht, als ob er sich aufdrängt. »Wenn sie Lust hat …«

»Darauf kannst du wetten. Ich sage ihr, sie soll bei dir klingeln.« Sie nickt ihm zum Abschied zu und tritt fest auf das Gaspedal. Der Motor, der bisher müde schnurrte, donnert und Muffin reagiert mit einem gereizten Bellen. Robin zieht ihn zu sich, damit er nicht in das sich schließende Garagentor läuft.

»Die Rennfahrerin aus dem Osten!«, nennt Robins Vater Sylvas Mutter. Er denkt, dass sie mit dem Porsche und ihrem aggressiven Fahrstil ihre ostdeutschen Komplexe wettmacht. Einmal machte er sie höflich darauf aufmerksam, dass eine solche Art in die Garage zu fahren rücksichtslos und gefährlich ist – siehe Kinder, Hunde, alte Menschen usw. Sie wurde rot. Sie versprach, Acht zu geben. Seitdem ist sie tatsächlich vorsichtiger, obwohl sie sich hin und wieder vergisst und ihrem aufbrausenden Temperament freien Lauf lässt.

Robin betritt das Haus und schaut in den Briefkasten. Eine Postkarte aus dem Harz. Der Text, geschrieben in der runden Schrift seines Bruders, ist kein gewöhnlicher Urlaubsgruß. Er machte sich die Mühe, dass alle Wörter mit M anfangen. Da, wo es nicht passte, hat er den ersten Buchstaben verändert oder weggelassen.

Meine meistgeliebte Mannschaft!, liest Robin, während er die Treppe hochsteigt. *Mühlen mahlen Minuten, mir marschieren mit Mufflons, mästen Moskitos. Mittagessen: Makkaroni. Missen Marzipan! Massig Mittagssonne, möchten mehr Molken. Massieren Muskelkater mit Menthol-Melkfett. Millionen Meteoriten! Miteinander muffeln, Murmeln, Murinieren man Massiven. Meuer meist mitfühlender Mil.*

Unter die Unterschrift hat Emil sich und Vater auf einem Berggipfel gezeichnet. Vater hält eine Flagge in der Hand. Die Zeichnung ist minimalistisch ausgeführt, doch auch so ist an Vaters Haltung etwas Verbissenes. Robin amüsiert sich. Emil ist keine zehn und hat den Vater voll im Griff. Er weiß, was er von ihm zu erwarten hat und wie er sich verhalten muss. Im Gegensatz zu Robin versucht er nicht seinen Kopf durchzusetzen, sondern lässt dem Vater immer das letzte Wort, somit herrscht zwischen ihnen Harmonie. Noch.

»Es ist einfacher, als mit ihm zu streiten«, erklärte er Robin einmal, als er ihn fragte, warum er sich allen Befehlen des Vaters beugte. »Und manchmal tut er mir auch leid.«

»Leid? Vater?«, fragte Robin überrascht. Vaters Persönlichkeit hatte in ihm schon immer eine Reihe verschiedenster Gefühle hervorgerufen, doch Mitleid hatte dazwischen nie Platz. »Warum tut er dir leid, um Himmelswillen?«

»Mir ist was aufgefallen.«

»Was denn?«

»Was Trauriges.«

»Also sagst du's mir?« Robin wurde immer gespannter. Emils Ausdruck verriet, dass er ein geheim gehaltenes Unglück entdeckt hatte.

»Vater ...« Emil neigte sich so nah wie möglich zu Robin, denn die Information, die er im Begriff war zu verraten, war offensichtlich streng vertraulich, »...hat herausgeschlagene Zähne! Echt, hast du das nicht gemerkt? Die, die er im Mund hat, sind künstlich!«

Gegen den ersten spontanen Lachanfall konnte Robin sich nicht wehren, aber als er später darüber nachdachte, konnte er das Mitleid des Bruders begreifen. Der Verlust der Zähne, verursacht durch vorzeitige Parodontose, machte Vater zu einem behinderten Menschen und diese verdienen ja besondere Rücksicht. Man bedauert sie und streitet nicht mit ihnen, weil ihr Leben schwerer ist als das Leben der Gesunden.

»Meinst du, es tut ihm sehr weh?«

Robin unterdrückte die Lust, noch einmal herauszuprusten.
»Ich glaube nicht. Oder vielleicht, manchmal«, sagte er ausweichend. »Wer weiß.«
Jetzt, als er die Treppe mit der Postkarte seines Bruders in der Hand hochsteigt, muss er wieder an das Gespräch denken. Wer weiß, ob und wie falsche Zähne wehtun.
Schmerz ist eine unangenehme Sinnes- und Gefühlswahrnehmung multidimensionaler Art in Verbindung mit wirklicher oder potenzieller Beschädigung des Gewebes, fand er auf der Website der Ärztevereinigung. Ein Stück weiter unten stand: Schmerz ist immer subjektiv. Somit relativ und nicht mitteilbar, fügte Robin hinzu. Vielleicht tun Vaters Zähne mehr in der psychischen als in der körperlichen Dimension weh. Es ist möglich, dass er sich dadurch erniedrigt fühlt und in der Bemühung, seine Würde wiederzugewinnen, hält er übertrieben an seinen Vorsätzen fest.
Robin bleibt abrupt stehen. Ihm geht ein Licht auf. Natürlich! Ein halbes Jahr lang hatte er mit Vaters Haltung nichts anzufangen gewusst, und jetzt begriff er, in einem Bruchteil der Sekunde. Vollkommen, restlos. Er starrt an die Wand vor sich und weiß plötzlich: Vater hat ihm seine Version des großen Knalls niemals geglaubt. Er zweifelte zwar Melindas Behauptung an und verteidigte offiziell seinen Sohn in der schäbigen Situation, aber insgeheim wurde er die Angst nicht los, dass er voreingenommen gehandelt hatte. Dass er einen Lügner und Vergewaltiger in Schutz nahm. Dass er seine Vorsätze verriet. Er hatte die innere Sicherheit, die ihm Selbstachtung verlieh, verloren. Und das konnte er Robin sicher nicht verzeihen.
Muffin ist schon oben und bellt den emporsteigenden Aufzug an. Durch die verglaste Kabinentür ist Sylvas Mutter mit den Einkaufstaschen zu sehen. Sie kommt aus der Garage. Robin läuft schnell die restlichen Stufen hoch und packt den Hund am Halsband.
»Du wirst nicht springen, kapiert!«, befiehlt er ihm streng. Er kennt seine Vorliebe für glatte Frauenbeine.

»Jeder Hundebesitzer haftet für seinen Hund«, ist Vaters unermüdlich wiederholter Leitsatz und gleichzeitig die Bedingung, unter der er vor einiger Zeit Emils Betteln um einen Welpen nachgab.
Es wird besser sein, mit Muffin in der Wohnung zu verschwinden, bevor Sylvas Mutter aus dem Aufzug steigt. Robin steckt schnell den Schlüssel ins Schloss. Der Riegel gibt nach, doch die Tür öffnet sich nur ein paar Zentimeter. Irgendetwas behindert von innen. Robin drückt. Das Hindernis ist weich, mit ein wenig Anstrengung lässt es sich wegschieben. Wahrscheinlich die Sporttasche, die vom Kleiderhaken heruntergefallen ist, denkt er und stemmt sich mit voller Kraft gegen die Tür. Muffin ist schon drinnen. Er steht in der Diele und bellt.
»Mama?«, ruft Robin.
»Alles in Ordnung?«, fragt Sylvas Mutter von der Aufzugtür.
»Ich komm nur nicht rein. Etwas ist heruntergefallen ...« Endlich gelingt es ihm, den Kopf durch die Tür zu schieben. »Mama!«
Die Mutter liegt am Boden inmitten verstreuter Sonnenblumen und Scherben der kaputten Vase. Auf Robins Schrei reagiert sie mit einem Zucken der Wange. Die Lider beben ein wenig und öffnen sich unmerklich, fallen aber gleich wieder herunter. Sie ist kreidebleich. Robin fühlt, wie sich die Lähmung, die ihn im ersten Augenblick befallen hat, in fiebrige Aktivität verwandelt. Nur die Ruhe bewahren und handeln!
»Können Sie herkommen?«, ruft er durch den Hausflur. Rasch zwängt er sich in die Diele, schiebt die Sonnenblumen mit dem Fuß beiseite und beugt sich über seine Mutter. Der Boden ist nass von dem Wasser aus der Vase.
»Vorsicht, es ist rutschig und voller Scherben hier!«
Sylvas Mutter ist schon bei ihm. Ohne ein Wort fängt sie an, ihm zu helfen. Mit einem Blick hat sie die Situation erfasst, läuft ins Zimmer und ist sogleich mit einem Kissen zurück. Sie schiebt es der Mutter unter den Kopf.
»Alles wird gut«, spricht sie mit ihr. »Wir rufen schon den Krankenwagen.«

Mutter öffnet wieder die Augen, bewegt die Lippen, flüstert etwas. Robin beugt sich näher herunter.
»Was sagst du?«
»Nicht den Krankenwagen ...«
Robin begreift.
»Ich rufe Doktor Krapp an«, sagt er. Seine Mutter schließt zustimmend die Augen. Sie will nicht, dass ein fremder Notarzt kommt. Der Chefarzt, Dr. Krapp, hat ihr im vergangenen Jahr beim letzten Myokard-Infarkt geholfen, Mutter geht regelmäßig zum EKG und Ultraschall zu ihm in die Klinik, wo sie alle ihre Daten haben. Sie will nicht woanders hin.
Während Robin die Nummer wählt, die Vater aufgeschrieben und in die Ecke des Spiegels über das Telefon geklebt hat, klingt eine bis zum Gehtnichtmehr wiederholte Anordnung in seinen Ohren: »Emil, Robin, seht ihr die Nummer da? Lernt sie am besten auswendig! Wenn mit Mutter was passieren sollte und ich nicht da bin, sofort da anrufen!«
Alles verläuft schnell, glatt, wie am Schnürchen. Die Patientin von Dr. Krapp? Kurzfristige Bewusstlosigkeit? Sie soll ganz ruhig liegen bleiben, der Krankenwagen ist gleich dort. Ja, der Chefarzt ist im Haus, wir informieren ihn sofort ... Robin ist trotz des Schreckens, der ihm in den Knochen sitzt, fasziniert von der Effektivität des Mechanismus, der – durch einen einzigen Anruf in Gang gebracht – wie ein gut geöltes Getriebe funktioniert. Jeder kennt seine Aufgabe, erfüllt sie so schnell wie möglich, und das, im Gegensatz zu Robin, fehlerfrei. In dem Augenblick, als er seine Mutter auf dem Boden liegen sah, wusste er, dass bei ihm etwas gründlich falschlief. Er sieht sich im Spiegel, wie er den Hörer auflegt. Dabei erkennt er seine roten Wangen, seine nasse Stirn, die an den Schläfen klebenden Haare und denkt darüber nach, was er Vater sagen wird. Was Vater ihm sagen wird.
»Wenn du nichts vernachlässigt hast, brauchst du dir nichts vorzuwerfen«, wird wohl seine Reaktion sein. Scheinbar beruhigend. Scheinbar. In Wirklichkeit ist das Vaters Art, seine Söhne dazu zu

bringen, ihr Gewissen zu überprüfen. Den Punkt zu finden, an dem sie versagt haben. Robin beugt sich wieder über die Mutter, streichelt ihre Hand und geht in Gedanken durch den Tunnel der Erinnerung, um die kritische Stelle zu finden, das Wort oder die Geste zu identifizieren, an der sich die Dinge hätten anders entwickeln können. Wenn sich die Zeit um fünfzig Minuten zurückdrehen ließe ... nein, vierzig Minuten zurück, wäre noch alles in Ordnung, überlegt er. Er würde mit Mutter hier an der Garderobe stehen und sagen – Moment, was sagte er genau?

»Ich geh mit Muffin raus, er war seit heute Morgen nicht ...« Ja. Da war nichts Unpassendes dabei. Ein absolut unschädlicher Satz. »Ich gehe mit«, sagte Mutter. Nein, anders. Sie überließ ihm die Entscheidung, weil sie es als Frage stellte: »Willst du, dass ich mitkomme?«

Natürlich wollte er. Nach der Unterhaltung, die so unerwartet über der Schüssel Tiramisu entstanden war, empfand er eine fast greifbare Zärtlichkeit für sie. Er war froh, dass seine Zunge sich löste. Dass sie miteinander lachten. Dass sie Vaters Abwesenheit ausnutzten und mal wieder ohne Hemmungen offen redeten. Über Temperamalerei, Sex und andere Rätsel. Über alles, was er so lange in sich unterdrückt hatte. Auch Mutter freute sich darüber, er konnte es in ihrem Gesicht lesen: Ja, sie werden einen Spaziergang machen, sich auf die Parkbank unter den Bäumen setzen, sie werden den Augenblick der Einigkeit nicht unterbrechen. Schon wollte er ihren Vorschlag annehmen, aber dann erinnerte er sich an seine Verantwortung. An die mörderische Hitze hinter den Fensterscheiben. An den Vater. *Du bist schon ein Mann, Robin, ich verlasse mich auf dich.*

»Bleib lieber zu Hause«, sagte er schließlich. Es klang verantwortungsvoll. Es war ein schicksalhafter Fehler. Am liebsten hätte er sich dafür geohrfeigt. Warum ließ er sich, wie ein kleiner Junge, von Vaters Befehlen leiten? Er hätte seinem Instinkt folgen sollen! Seine eigene Entscheidung fällen sollen!

»Keine Angst, sie werden gleich hier sein«, sagt er. Sobald er es

ausspricht, wird ihm klar, dass er den Satz schon zum zigsten Mal wiederholt. Als würde er sich dadurch selbst Mut zusprechen.
»Ich werde vor dem Haus auf sie warten«, schlägt Sylvas Mutter vor. Sie hat schon die verstreuten Sonnenblumen aufgehoben, die Scherben weggefegt und den Boden aufgewischt. Sie nimmt Muffin an die Leine und wickelt sie sich um das Handgelenk. Ihre energische Natur bringt Sachlichkeit und Optimismus in die ganze Situation. »Du solltest währenddessen ein paar Sachen, die deine Mutter brauchen wird, einpacken.«
Sie geht mit dem Hund hinaus in den Hausflur. Robin hört, wie sie mit dem Aufzug ins Erdgeschoss fährt. Er schafft es nicht einmal, sich bei ihr zu bedanken. Aber dafür ist schließlich noch genug Zeit. Jetzt muss er die Tasche packen. Was soll er hineintun? Bestimmt den Morgenmantel und Hausschuhe …
»Zahnbürste, Brille, Handy«, hilft Mutter ihm. Ihre Stimme ist schwach, aber es ist schon Farbe in ihr Gesicht zurückgekehrt. Sie liegt entspannt da, keine unnötigen Bewegungen, kein überflüssiges Wort. Sie versucht so sparsam wie nur möglich mit ihrem Körper umzugehen. Genau nach ärztlicher Anordnung. Robin läuft in der Wohnung herum, sucht Mutters Sachen, verstaut sie in der Tasche, nimmt den Notfallausweis und Geld aus der Schublade, schaut sich um. Hoffentlich hat er alles. Von unten hört er das Geräusch des ankommenden Krankenwagens.
»Robin …?«
Schnell kniet er bei seiner Mutter nieder, damit sie nicht laut reden muss.
»Vater …« Mutter macht eine Pause. Es ist nicht klar, ob sie Kraft schöpft, um weiterzureden, oder ob sie überlegt.
»Ich rufe ihn an«, versichert ihr Robin.
»Warte noch ein Weilchen, wir wollen ihn nicht unnötig aufscheuchen. Wir warten ab, was der Chefarzt sagt. Vielleicht ist es nichts. Ich habe keine Schmerzen in der Brust. Ich bin wahrscheinlich wegen der Hitze umgefallen.« Sie schaut Robin ruhig an, in den

Mundwinkeln zuckt sogar ein Lächeln. »Keine Panik, einverstanden?«
Robin nickt und umklammert ihre Hand mit der seinen. Er fühlt seinen eigenen schnellen Puls. Den Puls seines gesunden Herzens. Er rast wie auf der Galopprennbahn, wird trotzdem nicht müde, muss sich nicht schonen. Wie erkennt man, was das Herz ertragen kann? Erst dann, wenn es kollabiert?
»Ich glaube, das Herz kann nichts dafür«, sagt seine Mutter, als könnte sie seine Gedanken lesen. »Das waren die Sonnenblumen, sie hatten zu wenig Wasser.«

♦♦♦

»Was haben wir letzte Woche durchgenommen? Kann das jemand zusammenfassen?«
»Globale Klimaveränderungen.«
»Zu denen gehören?«
»Wetterschwankungen, Überschwemmungen, Hurrikane, extreme Trockenheit ...«
»Wo es so ein Wetter gibt, ist früher oder später auch was?«
»Hunger.«
»Richtig. Schaut euch das Wort genau an, ich schreibe es an die Tafel. Jedes Lebewesen und jedes seiner Bestandteile muss sich von etwas ernähren. Wie kommt es dazu?«
»Wir fressen uns gegenseitig.«
»Jawohl – umgangssprachlich ausgedrückt, aber korrekt. Wir ernähren uns voneinander, oder mit Hilfe des anderen. Alles in der Natur ist miteinander verbunden, wenn wir ein Glied entfernen, fällt Stück für Stück die ganze Kette auseinander. Unter euren Fenstern fließt die Elbe. Durch die Begradigung des Flusses und die Wasserverschmutzung haben wir den Lachs daraus vertrieben, jetzt versuchen wir ihn mühevoll wieder einzusetzen. Könnt ihr mir andere gefährdete Arten nennen?«
»Kröten und Eidechsen ...«
»Manche Farne, Blumen, Pilze ...«
»Schimpansen, Bären, Wale, Pinguine ...«
»Stopp! Wir könnten Tausende davon nennen. Warum sind sie eigentlich gefährdet? Hm? Ihr habt keine Lust es zu sagen? Dann lasst es uns gemeinsam aussprechen. Wegen des Menschen. Men-schen. Die Dezimierung der Artenvielfalt ist eine logische Konsequenz der ›Gefräßigkeit‹ des Menschen. Unseres expansiven Verhaltens. Meines, deines ... Sagt nicht, dass die Kröten gefährdet sind, gewöhnt euch an zu sagen: Ich gefährde Kröten, ich rotte Farne aus, ich töte

Eisbären, meinetwegen verenden Pinguine, tagtäglich bemühe ich mich darum, dass unsere Welt ein Stück ärmer wird.«
»Stressen Sie uns nicht, Herr Tabery! In irgendeiner Weise nutzen wir doch auch der Natur, oder nicht?«
»Fällt dir was ein? Ein Beispiel? Nein? Mir auch nicht, aber nun gut, sei's drum, lasst es uns glauben. Wenn nicht die Menschheit an sich, so ist wenigstens jeder Einzelne von uns hoffentlich im Kleinen behilflich. Zumindest einem anderen kleinen, einzelnen Individuum. Wir sollten uns jedenfalls täglich darum bemühen ...«

Der Stoff des neuen Rucksacks ist noch steif und reibt an Sylvas Schultern. Er fühlt sich unerträglich heiß an. Sie reißt sich den Rucksack herunter und trägt ihn zur Abwechslung in der Hand. Er ist ganz leicht. Abgesehen von ihrem Geldbeutel und einer Handvoll Popcorn ist er leer. Warum hatte sie ihn überhaupt mitgenommen? Sie hätte ihn, zusammen mit den anderen Einkäufen, im Auto lassen sollen. Oder bei ihrer Mutter im Restaurant. Sie handelte wie immer: impulsiv, ohne nachzudenken. *Hormongesteuert.* Deshalb schleppt sie sich auch jetzt durch diese sinnlose Straße. An den sinnlosen Häusern vorbei, die die karge Landebahn des Flughafens Tempelhof umranden. Sie wird von der Hitzewelle des tonnenschweren Betons, die sich über den Zaun schiebt, überrollt. Es gibt kein Entkommen, sie kann nur weitergehen. Langsam und erschöpft, wie das Mädchen. Immer in sicherer Entfernung hinter ihm her. Wie lange schon? Stunden? Dutzende von Minuten? Niklas' Hof und den Augenblick, als sie ihn betrat, hat sie jedenfalls lange hinter sich.

»Hallo!« Der Junge mit dem Roller begrüßte sie locker wie eine alte Bekannte. Diesmal klingelte er nicht und führte auch seine Fahrkünste nicht vor. Er saß auf dem Baumstumpf und aß Popcorn aus einer Riesentüte. Er streckte ihr die Hand entgegen. »Willst du?«

Gedankenlos nahm sie eine Handvoll, und erst als sie diese zum Mund führte, bemerkte sie am Geruch und der Klebrigkeit, dass es süß war. Das hielt sie davon ab, das Popcorn zu essen.
»Danke«, sagte sie. Die Hand mit dem Popcorn vor dem Körper angewinkelt, steuerte sie auf Niklas' Eingang zu.
»Er ist weg«, murmelte der Junge mit vollem Mund. »Ich meine, wenn du zu ihm gehst.«
»Zu wem?«
»Na, zu dem ... er ist weggegangen. Gerade eben. Wieso habt ihr euch nicht gesehen?«
Sie blieb stehen und sah zu den Fenstern im ersten Stock hinauf. Die hohen, schmalen Fensterscheiben wirkten distanziert, im Glas spiegelte sich die Fassade von gegenüber. Sylva trat unentschieden auf der Stelle und wandte sich an den Jungen.
»Hast du eine Ahnung, wo er hingegangen ist?«, fragte sie. Der Junge zuckte mit den Schultern.
»Er redet nicht mit mir«, sagte er, den Mund schon wieder voll mit Popcorn. »Er ist groß.«
Der Respekt in seiner Stimme amüsierte Sylva.
»So groß ist er auch wieder nicht«, erwiderte sie.
»Er schleppt so'n Mädel mit in den Keller.«
»In den Keller?«
»Manchmal in den Keller, manchmal heim. Die poppen zusammen.«
Das Gespräch nahm eine unerwartete Richtung an. Der Junge sprang vom Baumstumpf herunter und kam schlendernd näher.
»Du weißt doch, was poppen ist«, sagte er. Sylva nickte. Sie spürte, wie das Popcorn immer ekliger an ihren Fingern klebte. Sie nahm den Rucksack, machte ihn auf, und während sie vorgab etwas zu suchen, ließ sie das Popcorn hineinfallen. Der Junge merkte nichts. Prüfend sah er ihr in die Augen. »Und, kannst du's?«
»Was?«
»Poppen.«

»Wie alt bist du?«, fragte sie.
»Sieben ... fast.«
»Fahr lieber noch 'ne Zeit lang Roller«, riet sie ihm und schritt aus dem Hof heraus. Dem Rascheln hinter ihrem Rücken nach zu urteilen, kramte er wieder in der Tüte.
»Du kannst es nicht«, nuschelte er. »Sonst würdest du mir antworten!«

Eigentlich ist sie selbst schuld an ihrem Schweiß, der auf der Haut juckt, an ihrem verklebten Mund, der sie durstig macht, und auch an ihrem ermüdenden Wandern durch die Straßen. Zuerst Friedrichshain, jetzt Neukölln ... Kilometerlange verstaubte Bürgersteige, und wozu das alles? Wenn sie nicht so sicher wäre, dass etwas los ist mit Niklas, wäre sie jetzt bestimmt woanders. Höchst wahrscheinlich wäre sie mit ihrer Mutter auf dem Balkon, da ist um diese Zeit schon Schatten, sie würde am gekühlten Mineralwasser nippen und das Gespräch fortsetzen, das sie im Restaurant angefangen hatten. Doch dafür ist es zu spät – etwas hängt in der Luft, etwas Hoffnungsloses, aber nicht Greifbares. Sylva fühlt es mit jeder Pore. Schmerzhaft, intensiv. Es ist das gleiche Gefühl wie damals, als sie Niklas' Hand in ihrer hielt. Damals, vor Jahren. Auf dem Leuchtturm.
»Überraschung! Geschenk zum zehnten Geburtstag!«, präsentierte ihre Mutter die Idee, als sie mit ihnen zum unerwarteten Ausflug aufbrach. »Welcher Junge würde nicht gerne wenigstens einmal im Leben auf einen Leuchtturm klettern! Meinst du, dass es so einen Jungen gibt, Niklas?«
Es gab ihn. Natürlich würde er es um nichts auf der Welt zugeben. Bis es kein Ausweichen mehr gab.
»Geh alleine«, forderte er Sylva einsilbig auf. Er drückte sich auf dem ersten Treppenabsatz gegen die Wand, schloss die Augen, versuchte vergeblich das Zittern in den Griff zu bekommen. Obwohl sie seine Höhenangst nicht im Geringsten teilte, blieb sie bei ihm. Sie nahm die Angststarre seines Körpers wahr und erwiderte sei-

nen Händedruck. Er hielt sie krampfhaft fest, als wäre sie der einzige feste Punkt, der ihn vor dem Absturz bewahrte. Er wäre ohne ihre Hilfe nicht einmal imstande gewesen, zurück ins Erdgeschoss zu kommen. Der Mutter, die am Strand wartete, sagten sie nichts. Sogar miteinander sprachen sie nie darüber, doch Sylva vergaß dieses Gefühl der geteilten Schwäche und Stärke nicht. Seitdem trägt sie es in sich. Deshalb lässt sie sich jetzt auf der Straße grillen. Deshalb schlurft sie immer weiter und weiter – der Teufel weiß wohin. Das Mädchen vor ihr bewegt sich wie eine Marionette. Es scheint so, als käme sie niemals ins Ziel. Hat sie überhaupt eines? Sylva bezweifelt es immer mehr. Aber was bleibt, außer weiterzugehen? Sie schöpfte alle Möglichkeiten aus, sie ist am Ende. Die Szene im Presto brachte das Fass zum Überlaufen.
»Es arbeitet kein Niklas hier«, verkündete der ältere Mann hinter dem Tresen in einem Ton, als hätte Sylvas Frage ihn persönlich gekränkt. Er schenkte ihr einen kurzen, abschätzenden Blick und packte weiter einen Karton mit CDs aus.
»Aber ... das ist nicht möglich«, wandte sie ein.
»Möglich ist leider alles«, gab er schroff zurück. Den Karton hatte er fertig ausgepackt und sortierte jetzt die CDs in ein Fach ein. Mit bestimmenden, ruppigen Bewegungen. »Kann ich noch etwas für Sie tun?«
Sein Gesichtsausdruck verleitete allerdings nicht zu weiteren Fragen. Sylva steuerte auf die Tür zu, berührte die Klinke, zögerte, kam zurück. *Etwas hängt in der Luft.*
»Ich weiß nicht, was für ein Problem Sie mit ihm haben«, sagte sie so versöhnlich wie möglich. »Es interessiert mich auch nicht. Ich suche ihn nur, das ist alles. Mir wurde gesagt, dass er hier arbeitet ...«
Der Mann fegte den leeren Karton so heftig vom Tresen herunter, dass sie vor Schreck zur Seite sprang. *Etwas Hoffnungsloses.*
»Hier, mein liebes Fräulein, brauchen Sie ihn nicht zu suchen!«, stieß er schroff hervor. »Nie wieder!«

Die Straße biegt im rechten Winkel ab, so wie der Zaun, der das Flughafengelände abschirmt. Das Mädchen bleibt plötzlich stehen. Sie lehnt sich gegen ein Straßenschild und dreht sich eine Zigarette. Sie schaut nicht um sich, scheint in ihrer eigenen Welt isoliert zu sein. Sylva dreht ihr trotzdem lieber den Rücken zu und gibt vor, eine Klingel an dem Hauseingang, an dem sie gerade steht, zu drücken. Sie kommt sich lächerlich vor. Wer weiß, ob das Mädchen sie überhaupt erkennen würde. Sie selbst war sich im ersten Augenblick nicht sicher, als sie sie am Hermannsplatz aus dem Bus steigen sah. Im klaren Nachmittagslicht schien das sauber geschnittene Gesicht des Mädchens wie eingefroren. Kränklich. Auch von der Figur her ähnelte sie nicht der Gestalt in Niklas' Flur, der ein Morgenmantel und das Halbdunkel weibliche Züge verliehen hatten. Jetzt, im dünnen T-Shirt und Shorts, in denen sich ihre dürren Schenkel abzeichneten, sah sie mager aus. Doch kurz bevor sie die Sonnenbrille aufsetzte, bemerkte Sylva die schwarze Träne in ihrem linken Augenwinkel. In dem Moment verließen sie alle Zweifel. Sie war auf der richtigen Spur.
Verdammt! Der Platz am Straßenschild ist leer. Sylva fängt an zu laufen, aller Müdigkeit zum Trotz. Ihre Sohlen brennen, die Schnallen ihrer Sandalen schneiden in die verschwitzten Fußrücken, doch sie darf das Mädchen nicht verschwinden lassen – es soll sie zu Niklas führen. Deshalb ist sie doch hinter ihr her! Anfangs mit deutlichem Abstand, aber nach und nach verlor sie die Scheu, und der Abstand ist kürzer geworden. Obwohl das Mädchen ihrer Umgebung keine Aufmerksamkeit schenkte, merkte Sylva schnell, dass ihr schlafwandlerischer Gang nicht ziellos war. Sie suchte bestimmte Ecken auf. Telefonzellen. Parkwege. Hier und da blieb sie bei jemandem stehen und sie redeten zusammen. Sylva wagte es nicht, in Hörweite zu geraten, aber auch so erahnte sie, dass das Mädchen Drogen auftreiben wollte.
Schon erreichte sie das Straßenschild. Sie biegt um die Ecke und bleibt stehen. Leer liegt die Straße vor ihr, die Sonne lehnt sich unbarmherzig gegen die Häuserfront, die meisten Fenster haben

heruntergezogene Jalousien. Das verwilderte Plätzchen auf der gegenüberliegenden Seite ist mit Kletten und Brennnesseln zugewachsen, um die Spiersträucher und verkrüppelten Akazien liegt Müll verstreut. Sylva schaut sich um. Beobachtet das Mädchen sie von irgendwoher? Lacht es darüber, wie geschickt es sie abgehängt hat, oder hat es von ihrer Anwesenheit immer noch keine Ahnung? Wahrscheinlich wohnt sie in irgendeinem der Häuser und ist einfach darin verschwunden. Aber in welchem? Sylva gleitet ratlos mit dem Blick über die Reihe der Eingangstüren. Keine davon verrät, ob sie gerade jemanden hereingelassen hat. Nirgendwo bewegt sich etwas. Starre. Hitze. Einöde. Die Stadt ist voll von Spuren, doch Sylva hatte ihre verloren.
Sie setzt sich auf das niedrige Geländer, streift die Sandalen ab und rammt die wunden Füße ins Gras. Es ist verwelkt und staubig, bestimmt unzählige Male von Hunden markiert. Was soll's, es ist Gras, und Sylva spürt die kühle Erde darunter. Die Berührung mit der Natur entspannt sie und sie schließt die Augen. Sie ist entschlossen, die nachmittägliche Odyssee aus dem Kopf zu verbannen – das verschwundene Mädchen, seine Drogen, den wütenden Mann im Presto, ihr Gefühl der Nichtigkeit. Schluss, aus, Ende. Sie ruht sich aus und danach wird sie zur nächsten U-Bahn-Station gehen. Zu Hause wird sie eine kalte Dusche nehmen und alles von sich abwaschen, auch Niklas. Vor allem Niklas. Warum sollte sie sich den Kopf über jemanden zerbrechen, der ihr dauernd zu verstehen gibt, dass sie sich um ihren eigenen Kram kümmern soll, der ihr ausweicht, der sich sogar vor ihr versteckt? Sie wird nicht mehr an ihn denken. Sie schiebt ihn in eine Ecke ihrer Erinnerung, nichts weiter. Eine Art Glücksbringer aus ihrer Kindheit, der sie eine Zeit lang beschützt, aber schließlich seine Macht verloren hat. Genauso wird sie es machen. Es bleiben ihr ein paar letzte Ferientage, und sie wird nicht eine Minute davon verschwenden. Sie wird Mutters Anwesenheit genießen, mit Robin zum See fahren, sie wird sich auf der Terrasse sonnen und Kraft für Meißen sammeln. Sie wird anfangen, rational zu handeln.

Das Geräusch schleicht sich allmählich in die Stille ein, ganz nebenbei. Schnelles, seichtes Schnaufen. Sylva öffnet die Augen. Am nächsten Spierstrauch steht ein Hund. Sein Maul geöffnet, die Zunge heraushängend schaut er sie an. Sobald sich sein Blick mit dem ihren kreuzt, duckt er sich abwartend. Die markanten, stehenden Ohren erinnern an Satellitenschüsseln. Sylva schaut sich um. Die Straße hinter ihrem Rücken hat sich kein Stück verändert – sie gähnt immer noch vor Leere.

»Was machst du denn hier?«, fragt sie in einem Ton, in dem man einen unerwarteten Besucher begrüßt. Der Hund schließt das Maul und richtet seine Ohren nach vorne. Das Fell auf seiner Stirn schimmert kupferfarben.

»Bist du alleine hier?«, fragt Sylva weiter. Sie redet gewöhnlich nicht mit Tieren. Sie beobachtet sie gerne, vor allem in der freien Natur, aber Kontakt nimmt sie meist keinen zu ihnen auf. Aber in dieser unerwarteten Einsamkeit und Niedergeschlagenheit, die sie hier empfindet, ist ihr jede Gesellschaft willkommen. Sie erinnert sich an den süßen Mais und öffnet den Rucksack. Die Bewegung erschreckt ihn. Er springt hinter den Busch, nur die Ohren schauen heraus. Natürlich beobachtet er sie durch das Blattwerk. Als das Häufchen Popcorn auf ihrer Handfläche erscheint, biegen sich die Äste des Strauchs auseinander, und wieder erscheinen die Augen, der Kopf, der leicht rötliche Körper. Das Angebot von Futter mindert seine Scheu. Er nähert sich durch das verbrannte Gras zwischen dem Müll hindurch, leichtfüßig, mit vielen Unterbrechungen. Als sich die Entfernung zwischen ihnen auf ein paar Meter verkürzt hat, bemerkt Sylva seinen Hinterlauf. Er schont ihn, als könnte er nicht mit vollem Gewicht auftreten. Es ist jedoch keine Wunde zu sehen. Nur Dreck. Das gräuliche Fell auf Brust und Bauch ist mit kleinen Klettenkugeln übersät. Ein Stückchen vor Sylva bleibt er stehen und wittert. Aus dem Hals dringt dabei ein gedämpftes Geräusch hervor, es kommt tief aus der Brust, etwas zwischen Knurren und Gesang.

»Da, nimm«, fordert sie ihn auf und streckt ihm die Hand hin. Er ist extrem scheu. Es dauert eine Ewigkeit, bis er den Mut zusammennimmt und sie mit der Schnauze berührt. Auch dann frisst er äußerst wachsam. Den Hals nach vorn gestreckt, nimmt er den Mais zwischen die Lefzen, er schlürft ihn eigentlich. In ein paar Sekunden ist die Handfläche leer. Sylva schüttet die Maisbrösel aus dem Rucksack in das Gras und beobachtet ihn, wie er sie sucht. Dem Fell nach zu urteilen, ist er noch nicht ausgewachsen. Es fehlen ihm jedoch die welpenhaften Rundungen, er ist dürr. Der Körper auf den langen Beinen sieht unproportioniert aus, der lang gezogene Kopf mit den großen Ohren fast lächerlich. Von einem Halsband keine Spur.

»Bist du ausgebüxt? Verloren gegangen? Wie lange streunst du schon herum?«

Sie spricht gedankenlos mit ihm, ohne echtes Interesse. Eher aus dem Bedürfnis heraus, die verklebten Lippen zu bewegen und den Hals freizubekommen. Sie umrundet mit der Zunge die trockenen Zähne, versucht Spucke zu sammeln. Ein-, zweimal schluckt sie mühsam. Sie muss schnellstmöglich etwas trinken, der Durst wird langsam unerträglich.

»Also, mach's gut«, beendet sie das Gespräch, schiebt die wunden Füße zurück in die Sandalen und steht auf. Der Hund wird unruhig. Er senkt seine Satellitenschüsseln und beginnt den Schwanz nervös gegen die Hinterläufe zu schlagen. Er knurrt nicht und fletscht auch nicht die Zähne. Falls Sylva seine Körpersprache richtig deutet, ist er nicht im Begriff anzugreifen, eher bringt er zum Ausdruck, dass er sich in die Enge getrieben fühlt. Wer weiß, wie lange er hier schon campiert, was er hinter sich hat und was ihn erwartet. Er hat jemandem gehört, er wurde gefüttert, aber jetzt ist er alleine. Mitten im verbrannten Berlin. Aber was soll sie mit ihm anfangen?

»Schau, mir steht das Wasser heute bis zum Hals«, erklärt sie ihm. »Außerdem stehe ich nicht auf Haustierchen. Warte auf jemand Besseren.«

Sie nimmt den Weg über den Rasen zur anderen Seite des Parks,

von wo entfernt das Rauschen der belebten Straße zu hören ist. Sie will nicht zurückgehen. Nicht den gleichen Weg, den sie sich hinter dem Mädchen hergeschleppt hat. Sie ist entschlossen, geradewegs die nächste U-Bahn-Station anzusteuern. Kein Umweg.
Sie dreht sich so schnell um, dass ihr schwarz vor Augen wird. Ein Geräusch hat sie erschreckt, weil es in unmittelbarer Nähe ertönte. Diesmal kein Winseln, sondern ein klarer Gesang. Er kommt tief aus der Kehle, wie beim Jakutsker Schamanen Gendo, sie war auf einem Konzert von ihm letztes Jahr. Kargyraa nennt man es. Eine Gesangstechnik, in der die Töne durch einen besonderen Einsatz des Kehlkopfes erzeugt werden. Ein paar Wochen später versuchte Sylva immer noch, beeindruckt von Gendos Kehlkopfgesang, den eigenen Klang zu imitieren, jedoch erfolglos. Diesem Hund hier macht es offensichtlich keine Probleme. Er steht mitten im Müll und singt, den Blick auf die sonnengebadete Landebahn geheftet. Während seiner Vorführung kehrt er Sylva das Hinterteil zu, sodass sie die Wunde sieht. Sie ist groß. Sie zieht sich vom Oberschenkel hin bis zum Kniegelenk. Sie blutet nicht, aber die Ränder klaffen auseinander. Um die Wunde herum ist das Fell mit Dreck verklebt. Sylva schaut sich die verletzte Stelle an. Plötzlich, ohne Vorwarnung, durchfährt ein brennender Schmerz ihren eigenen Schenkel.
»Verdammt ...!« Sie atmet heftig. »Was ist ...?«
Sie erstarrt, bewegt sich nicht, wartet, bis der pulsierende Schmerz im Nervengewebe abklingt. Sie ist wütend. Auf diese dreckige Gegend, auf das Mädchen, das sie hierhergeführt hat, auf den verwundeten Hund und vor allem auf sich selbst. Sie ist wütend, weil sie weiß, dass sie es nicht schafft, ohne ihn wegzugehen.

◆◆◆

»Wo ist denn hier das Klo?«
»Da hinten, aber das ist nur für Gäste.«
»Na klar. Ich nehm 'ne Suppe.«
»Hör mal, Mädchen, willst du nicht woanders essen?«
»Duzen wir uns, Glatzkopf?«
»Ich duze alle Scheißjunkies.«
»Was hast du gesagt?«
»Hau ab, rat ich dir.«
»Ist diese Spelunke zu fein dafür, dass ich hier 'ne Suppe esse?«
»Mach keinen Aufstand und scher dich raus. Ich hab die Schnauze voll davon, eure Kotze und Spritzen aus den Klos zu räumen! Du hast Glück, dass du eine Göre bist, sonst hätte ich dich schon auf die Straße befördert! Du hast die Chance, freiwillig zu verschwinden, bevor ich bis drei zähle.«
»Bis vier kannst du nicht?«
»Eins ...«
»Leck mich, Alter! Wenn du so stolz auf diese Existenz bist, nur weil du dir jeden Tag eine weiße Schürze um den Bauch binden kannst, tust du mir leid!«
»Zwei ...«
»Bist du überhaupt mal hier rausgekommen? Kennst du was anderes als diese armselige Ecke? Ist dir mal in den Sinn gekommen, dass die Welt nicht nur aus Kneipe besteht und Bier nicht das Maß aller Dinge ist?«
»Drei. Du schreist danach, du sollst es haben ...! Na also! Und ab jetzt setzt du keinen Fuß mehr hier herein, merk dir das! Wenn du dich noch mal hier blicken lässt, Schlampe, werfe ich dich ohne Gruß raus!«
»Ohne? Heute hab ich ihn wohl überhört, was, du Glatzkopf ...«

Das Problem ist, dass sie schlecht sieht. In letzter Zeit schafft sie es nicht, die Sachen vor den Augen scharf zu kriegen. Alles wackelt, verschwimmt, schwebt sonst wohin. Menschen und Dinge zerfallen wie auf einem ausgedienten Fernsehbildschirm. Höchste Zeit, sich einen neuen zu besorgen. Bald kann sie einen Polizisten nicht von einem Bahnwärter unterscheiden. Auch wenn gerade das keine Rolle spielt – Uniform ist Uniform, alle haben etwas Gefährliches an sich. Evita hat sich angewöhnt, ihnen aus dem Weg zu gehen.

»Gras oder Hasch, Süße? Ich hab Top-Qualität!«

Sie wird nicht einmal langsamer. Sie weiß, was sie sucht, hat aber Angst, dass sie wieder nicht fündig wird. Nach der gestrigen Enttäuschung ist sie vorsichtiger. Sie will nichts mehr riskieren. Dabei machte die Dealerin in der Unterführung einen echt guten Eindruck. Sie stand an der richtigen Stelle, war korrekt, wartete, bis Evita sie selbst ansprach. Auch der Preis stimmte. Als sie sich dann aber auf dem dunklen Grundstück hinter irgendeinem Friedhof (sie hatte lange nach einer Stelle gesucht, wo niemand sie störte) den Schuss in ihre Vene drückte, war es ein Drama. Sie kam nicht einmal *hin*. Sie blieb an dem rostigen Gitter hinter ihrem Rücken kleben, im Kopf rosa Watte, die Beine leblos, kein Gefühl der Leichtigkeit, keine Befreiung, nur Stumpfheit und ein eigenartig eisglattes Gefühl auf der Haut. Als würde der Wind sie umarmen. Anfangs war es ganz angenehm, doch nach und nach kühlte der Wind ab und wurde so heftig, dass er ihren Körper durchbohrte. Sie spürte, wie er in ihr rumorte, sie hin und her riss, sie eiskalt umwehte, aber sie konnte nichts dagegen tun. Nicht mal aufstehen konnte sie, weil die Beine ihr nicht gehorchten, also musste sie den inneren Sturm fast die ganze Nacht ertragen. Erst in der Morgendämmerung, als sich die Friedhofsmauer von dem hell werdenden Himmel abhob, gelang es ihr, sich erst hinzuknien und dann langsam, mit abgehackten Bewegungen, aufzustehen. Ihr Kopf brummte, und egal zu welcher Seite sie blickte, die Welt schwankte. Sie dachte, das würde sich legen, doch es wurde noch schlimmer. Das rostige Gitter unter ihrer zittrigen Hand, die Straße, die sie Schritt für Schritt betrat, und auch die Gesichter hinter den Bus- und Straßenbahnfenstern zitterten heftig. Berlin hatte seine feste Basis verloren. Es vibrierte, strudelte, zuckte und fiel auseinander – mit oder ohne Brille.

»Bist du das?« Eine Stimme im linken Ohr. Oder hat sie es geträumt? »Evita!«

Sie zuckt. Seit langer Zeit hört sie ihren Namen nur von Niklas, ab und zu noch von Till. Jemand anders nannte sie schon lange nicht mehr so. Der Mann auf der Bank hat zwar ein fremdes Gesicht, aber er lächelt, als sei sie eine alte Bekannte.

»Wie geht's?«

Geht? Was meint er damit? Was weiß er von ihr? Moment, er hat was mit Musik zu tun ... Sie schweift mit dem Blick zu seinen Händen. An den auffällig langen Fingern sitzen mehrere Ringe. Sie zittern und zerfallen, wie alles andere, funkeln mit großen Steinen, und Evita weiß, dass sie diese über Pianotasten laufen gesehen hat. Der Herr der Ringe, fiel ihr damals ein. Es muss schon eine Ewigkeit her sein. Sie erinnert sich, dass es draußen schneite, der Mann saß am Klavier und spielte ein Stück, das sie nie im Leben zuvor gehört hatte, traurig und altertümlich edel, er wiegte sich leicht hin und her, und über ihm stand ... na klar, es war bei Till im Wohnzimmer!

Evita bleibt stehen. Sie kehrt zur Bank zurück.

»Hallo«, sagt sie. Sie hat nicht vor, nach Till zu fragen. Viele Male hatte er es ihr ausdrücklich verboten, mit irgendjemandem über ihn zu sprechen, und sie hatte sich immer daran gehalten. Sie wird auch weiterhin seinen Wunsch respektieren, hat aber die Hoffnung, dass sie irgendwann auch ohne zu fragen erfährt, was mit ihm ist. Das hohle Läuten der Klingel in seiner Wohnung und die Tür, die sich seit einigen Tagen weigert aufzugehen, jagen Evita Angst ein. Was, wenn es für immer so bleibt? Was wird sie tun? Nicht nur, dass sie ihr ganzes bescheidenes Hab und Gut bei ihm in der Wohnung hat, vom Schlafsack bis zur Fotografie ihrer Mutter im kaputten Rahmen, das alles würde sie noch verschmerzen, was sie jedoch nicht entbehren kann, ist Till. Ohne seine Hilfe verliert sie sich hoffnungslos im Drogendschungel. Sie hält die zittrige Bank fest, lässt sich vorsichtig darauf nieder und holt das Päckchen Tabak heraus.

»Wie kommst du hierher?«, fährt der Herr der Ringe mit dem Gespräch fort. *Hierher*? Wieder eine verwirrende Frage. Wo sollte sie sonst sein? Klar, sie könnte auch *dort* sein, aber mit Dreck, wie dem von gestern, hat sie keine Chance.

»Ich suche ...« Sie macht eine Pause und leckt den Rand des Zigarettenpapierchens ab. Der Geschmack des Klebers dreht ihr den Magen um, heftig und unerwartet zwingt er sie in eine tiefe Verbeugung. Sie übergibt sich auf den Sandweg, ohne die Erleichterung, die gewöhnlich das Leeren des Magens mit sich bringt, eher mit einem Gefühl des Schmerzes. Etwas schneidet ihr in den Magen. Wahrscheinlich Hunger. Soweit sie sich erinnert, hat sie nichts gegessen, höchstens ein Eis, ein Bananen- und Schokoladeneis, aber das ist ewig her. Gestern?. Vielleicht vorgestern? Oder war es ... Blödsinn, heute war es nicht. Heute versteckt sie sich doch vor Niklas. Von dem Augenblick an, als sie das Grundstück hinter dem Friedhof verlassen hat, hält sie sich von ihren gemeinsamen Pfaden fern. Absichtlich sucht sie Orte auf, an denen ihm nicht einfallen würde, sie zu suchen.

»Ich hatte Angst«, sagte er (gestern? vorgestern?). »Ich dachte, du willst mich nicht mehr wiedersehen.«

»Spinnst du? Wie kommst du denn darauf?« Niklas' Umarmung ist das absolute Asyl. Nie wird sie es freiwillig aufgeben. »Du bist der einzige Mensch, der mir am Herzen liegt.«

»Meinst du das ernst?«

»Todernst.«

»Dann tu was für mich.«

»Was du willst – ich tue alles für dich.«

»Versprich mir, dass du aufhörst. Versprichst du's mir, Königin?«

Natürlich versprach sie es. In diesem Augenblick meinte sie es sogar ernst. Kurz darauf aber nicht mehr. Ohne zu zögern nutzte sie die Gelegenheit, die sich ihr bot. *Scheißjunkies kann man nicht trauen.* »Ich muss noch was erledigen!« Unbändige Eile. Kribbeln in den Fingerspitzen. Aber noch ein Kuss zum Abschied – kalt, mit Eisgeschmack. »Ich komme gleich!«

Sie kann nichts dafür, sie stand unter Druck. Till zwang sie dazu. Seine beängstigende Abwesenheit trieb sie zu einer Tat an, die man nicht billigen kann. Höchstens verzeihen. Zum Glück kann Niklas verzeihen. Bedingungslos. Wenn sie zusammentreffen, und dazu muss es früher oder später kommen, denn sie bewegen sich auf der gleichen Umlaufbahn, wird sie ihm erklären, dass sich in ihr nichts verändert hat.

Schicksalhafte Begegnungen kann man nicht mit einem Kassenklingeln löschen. Sie unterliegen anderen als ethischen Prinzipien. Außerdem, völlig sachlich und ohne jegliche Emotionen betrachtet, was bedeuten schon vier Hunderter für einen Ladenbesitzer auf der Warschauer! Der muss sie schon längst wieder reingeholt haben! Im Gegensatz dazu ist es für Evita richtig viel Geld. Sie kann sich gar nicht mehr erinnern, wann sie das letzte Mal so einen Ertrag hatte. Mit kleinen Diebstählen, gelegentlichem Betteln und damit, dass sie sich nicht weigerte, Tills Trugbild zu sein, hält sie sich knapp über Wasser.

Jetzt aber ist sie reich – für wie lange? Je nachdem, wo sie was einkauft.

»Geht's dir besser?«

Ihr wird klar, dass sie immer noch nach vorne gebeugt dasitzt. Sie bricht nicht mehr, und der hungrige Schmerz ist nicht mehr so stechend. Langsam richtet sie sich auf. Es sieht so aus, als hätte sich der Magen beruhigt.

»Ich hab wohl was Falsches gegessen …« Wenn sie nach der Kopfschmerztablette etwas Warmes gegessen hätte, wäre nicht so ein Durcheinander im Magen entstanden. Aber der Glatzkopf war kompromisslos und hatte keine Probleme, bis drei zu zählen. »Ich weiß schon, ich habe nichts gegessen.«

Der Herr der Ringe streckt ihr ein Taschentuch hin. Etwas amüsiert ihn an ihr, er lacht. Das vorher zittrige Gesicht schwankt nun vollkommen unerträglich hin und her. Evita drückt das Taschentuch an den Mund und schließt schnell die Augen. Sie kommt sich außer Betrieb vor.

Ohne Deckung auf offenem Feld. Niklas würde sie nicht in diesem Zustand sitzen lassen. Er würde sich um sie kümmern. Bei Till hatte sie wiederum die Gewissheit, dass er ihr keinen Dreck gab. Doch diese beiden Säulen ihrer wackeligen Welt sind auf einen Schlag weg.

»Du hast gesagt, du suchst jemanden«, erinnert sie der Herr der Ringe. Offenbar kann er Gedanken lesen. Vielleicht ist er auch mit anderen Fähigkeiten ausgestattet. »Oder hast du eher *etwas* gemeint?«

Er hat aufgehört zu lachen und redet leise. Seine Stimme weckt Vertrauen. Trotzdem, sie muss Acht geben. Sie will nicht gelinkt werden, so wie gestern.

Evita wechselt absichtlich das Thema. »Damals, im Winter, als du Klavier gespielt hast, das hat mir echt gefallen.« Zeit genug, nur nichts überstürzen. Die Sonne sinkt langsam, es ist nicht mehr so drückend heiß, hinter der Bank duftet der besprenkelte Rasen. In der Nähe tut jemand so, als könne er Mundharmonika spielen.

»Was war das für ein Stück?«

»Ich erinnere mich nicht mehr. Ich spiele, was mir gerade einfällt. Wenn ich irgendwo kann.«

Evita wird hellhörig. War das eine Anspielung? Sie öffnet die Augen, versucht krampfhaft durch die Sonnenbrillengläser sein Gesicht scharf zu kriegen.

»Jetzt kannst du es nirgendwo mehr?«

»Es gibt weniger Möglichkeiten. Nach allem, was passiert ist …«

»Was ist denn passiert?«

»Du weißt es nicht?« Seine Stimme wird so leise, dass sie kaum noch zu hören ist. »Eine Bestie hat unserem Unternehmer die Rippen gebrochen. Er liegt im Krankenhaus.«

Das ist des Rätsels Lösung. Nicht, dass sich dadurch Evitas Situation irgendwie geklärt hätte, aber sie weiß wenigstens, woran sie ist.
»Warst du dort?«
»Wir haben nur telefoniert.«
»Und hat er ... was über mich gesagt?«
»Sollte er?« Er betrachtet sie aufmerksam, dann rückt er näher. Er riecht nach süßlichem Pfeifentabak. »Was willst du? Sag. Du bekommst es für ein Küsschen. Ich habe ein breites Sortiment.«
»Ich brauche ...« Evita verstummt ratlos. Warum hatte sie Till nie danach gefragt, was er ihr eigentlich gab? Versuchte sie damit, die Verantwortung abzuschütteln? Auch das Gefühl des Versagens nach der Rückkehr von *dort* und überhaupt jeden Fehlschlag auf ihrem Weg *dorthin* schrieb sie Till zu. Sie trug keine Schuld, aber er und sein Geiz. Wenn er ihr nur ein bisschen mehr gegeben hätte, wäre sie am Ziel angekommen, und endlich würde sich ihr ... was erwartete sie eigentlich? Sie hat dafür keinen Namen, aber sie ahnt, dass dort am Horizont die Grenzen der Welten in einem Punkt zusammenlaufen. Evita ist sich sicher, dass das Erreichen dieses magischen Punktes ihr eine ganz andere Perspektive eröffnen wird und dass die Dinge danach nie mehr so sein werden wie vorher. Man erlangt Gewissheit.
»Mir ist egal, was du mir gibst«, sagt sie, »ich will nur nicht auf halber Strecke stehen bleiben. Verstehst du?«
Er lächelt sie an, nickt mit dem Kopf. Versteht.
»Ich habe etwas ...« Er sucht den passenden Ausdruck: »Einfach etwas Göttliches. Ich wette, dass es dich genau dahin führt, wo du sein willst.«
Evita läuft ein Schauer der Erregung über den Rücken.
»Willst du sagen, du hast es probiert? Du warst dort?«
Sein Schweigen ist aussagekräftiger als alle Worte. Evita begreift. Im Gegensatz zu Till, der sich selbst immer zurückhielt, preschte der Herr der Ringe vor. Vielleicht ist er schon mal *dort* angekom-

men. Hat es gesehen. Ist *eingeweiht*. Evitas Herz fängt an zu klopfen. Sie will nicht glauben, dass ihr gerade heute, nach einer vergeudeten Nacht und einer ganztägigen Odyssee, die man durchaus mit einem Kreuzweg vergleichen kann, ein solches Glück begegnen sollte.

»Mit einem Kreuzweg hörte es nicht auf, damit fing alles an«, erzählte Schwester Callista einmal vor Ostern, als sie in der Kapelle die Bilder der einzelnen Kreuzwegstationen schmückten. »Viele Menschen verstehen den Aufstieg zum Hügel Golgatha als eine harte Pilgerfahrt, eine bittere Strafe, die dem unausweichlichen Ende vorausging, anstatt ihn als Weg der Freude zu sehen.«

Die eindringlichen Worte der Lerchenfelder Schwestern gingen Evita immer nur zum einen Ohr rein und zum anderen wieder raus. Auf keinen Fall wollte sie sich einmal an die Belehrungen erinnern müssen. Vergeblich. Andauernd kamen sie ihr in den Sinn. Sie wurden in den Augenblicken an die Oberfläche gespült, wenn sie sie am wenigsten erwartete, und genau jetzt, wo sie nicht mehr mit dem Internat verbunden waren, fehlte ihnen der erzieherische Ton, der sie so genervt hatte. Manchmal geben sie Evita sogar Kraft. Als sie sich heute Nachmittag auf der Treppe vor Tills Wohnung krümmte und ihr so schlecht war wie lange nicht mehr, erwischte sie sich beim Beten. Gedankenlos, automatisch leierte sie das Gebet um schnelle Hilfe herunter. Als es ihr bewusst wurde, hörte sie mit einem Gefühl von Scham damit auf, doch am liebsten hätte sie weitergemacht.

»Ich hab's nicht dabei«, sagt der Herr der Ringe. »Wenn du kurz wartest, bring ich's dir. Wie viel?«

»Was kostet 'n Gramm?«

»Wir werden uns schon einig«, versichert er und beugt sich zu ihr. »Am Preis soll das Geschäft nicht scheitern, Kätzchen.«

Wenn sie nicht so schwach wäre, würde sie aufstehen und gehen. Sie braucht seine Hand mit den Ringen nicht auf ihrer Schulter, sie braucht niemandes Kätzchen oder Trugbild zu sein, sie ist doch reich.

Sie versucht sich zu erheben, aber sie fühlt sich wie eine platt gedrückte Cola-Büchse.
»Keine Angst«, hört sie die tröstende Stimme in ihrem Ohr. »Der Herr Unternehmer wird nicht sauer sein, dass ich mich um dich gekümmert hab.«
Evita fühlt, wie er ihr über die Wange streicht. Sie kann sich seinen Fingern nicht widersetzen. Sie schließt die Augen. Der Kreuzweg ist ein Weg der Freude.

◆◆◆

Wir Menschen haben ein Problem, warum sollten wir es leugnen, Sylva? Wir wollen uns selbst als hochentwickelte spirituelle Wesen sehen, und dabei sind wir einfach nur Herdentiere. Wir müssen unsere Existenz verteidigen, das heißt Nahrung aufnehmen, uns fortpflanzen, unsere Nachkommen ernähren. Wir müssen uns den Platz in der Herde ständig erkämpfen, in dem wir Aggressivität zeigen. Aber gleichzeitig brauchen wir Mitgefühl. Wir fletschen die Zähne und betteln eigentlich um eine Streicheleinheit. Ist dir, Sylva, jemals in den Sinn gekommen, wie schizophren die Welt ist, die wir erschaffen haben? Die Signale des primitiven Menschen waren eindeutig, die des zivilisierten Menschen sind unverständlich. Das soll Fortschritt sein? Gestern, als ich von der Arbeit wegging, wurde mir klar, dass meine Existenz null Wert hat. Du weißt, mein Vater ist Obstgärtner, meine Mutter arbeitet in der Molkerei. Ich hab mir eingeredet, dass ich aus ihrem Schatten herausgetreten wäre, aber einen Scheiß bin ich! Als ob Bildung einen Einfluss auf die Qualität der Persönlichkeit hätte! Sie stärkt weder den Charakter noch verhilft sie einem zu innerer Ausgeglichenheit. Im Gegenteil, sie relativiert alles. Hab ich zu irgendetwas ein unproblematisches Verhältnis? Auf der einen Seite mache ich mich über die Herde und ihre Hierarchie lustig, auf der anderen Seite will ich ihr Bestandteil sein. Wie soll man aus dieser Zwickmühle herauskommen? Hat der Mensch überhaupt Aussichten, Sylva?

Der Nachmittag verläuft ruhig. Der tätowierte Verkäufer ist nicht da und sonst hat niemand das Bedürfnis, die Ferienjobber zu schikanieren. Filip arbeitet vor allem in der Abteilung »Balkon und Garten«. Er räumt Dutzende Paletten mit Astern und Geranien aus, die aussehen, als wären sie aus Plastik, es aber nicht sind, schiebt Säcke mit Erde in die Regale, sowie Sägen, Baumscheren,

die *den höchsten Anforderungen entsprechen*, bunte Hängematten, Sonnenschirme. »Haben Sie auch nicht Ihre kleinen gefiederten Freunde vergessen?«, zwitschert eine Frauenstimme aus dem Lautsprecher. »Verwöhnen Sie Ihre Wellensittiche, Kanarienvögel und anderen Lieblinge mit unserem Premium Vogelfutter ...«
»Lass uns die Kurve kratzen!«, ruft Olin, der gerade mit einem leeren Rollwagen vorbeifährt. Er zeigt auf die Uhr. »Wir schenken den Sklaventreibern nicht eine Minute!«
Schon vorhin hat er jemandem am Telefon versichert, dass er sich nicht verspäten wird. Er rast zum Angestelltenausgang, als wäre im Laden ein Feuer ausgebrochen. Filip legt die letzten zwei Pakete »Der kleine Gärtner« ins Regal, richtet sich auf und schiebt den leerten Einkaufswagen langsam in den Mittelgang. Er hat genug. Er fühlt keine Müdigkeit, sondern eher Abgestumpftheit. Als er sich für diese Ferienarbeit entschied, dachte er, sie würde ihn vor allem körperlich fordern. Das Schlimmste daran aber war die Mattscheibe, die sie im Kopf hinterlässt. Alles erscheint unklar, entfernt, wie aus dem Jenseits. Filip ist nicht fähig, sich auf etwas zu konzentrieren. Er verwechselt die Tage, denn einer ist wie der andere – inhaltslos. Das Buch, das er immer dabeihat, bleibt auch nach der Schicht zugeklappt, wenn er mit dem Bus heimfährt. Er schaut in die ausgedörrte Landschaft, nimmt sie aber nicht wahr. Vor seinem geistigen Auge marschieren die Leben der Verkäufer, Lagerarbeiter und Kassierer vorbei. Er trägt das Einkaufszentrum in sich.
»Kennen Sie schon den besten Rasensprenger? Wissen Sie, dass Sie ihn in unserer Sonderaktion unverbindlich anschauen können?«
Die Werbeangestellte steht unter einem geblümten Sonnenschirm. Mit immer gleichen Slogans animiert sie die Kundschaft, an ihrem Pult stehen zu bleiben, immer und immer wieder erklärt sie die Vorzüge des Produktes, unzählige Male schraubt sie die Spritzdüsen auf, zieht Filter heraus, demonstriert die große Auswahl an Einstellungen, verabschiedet sich mit einem Standardlächeln:

»Warten Sie nicht zu lange, unser Angebot läuft nur bis Ende August ...«
Nach ein paar Stunden hat Filip unbändige Lust, sie mit dem Gartenschlauch zu erwürgen. Um diese Regung zu unterdrücken, versucht er, sich in die Verkäuferin hineinzuversetzen. Er stellt sich vor, wie es ist, auf diese Weise lange Monate, unendliche Jahre, das ganze Leben zu verbringen. Jeden Morgen in den Firmenkittel zu schlüpfen, das Firmengesicht aufzusetzen, vor Freude zu zittern, wenn es gelingt, irgendeines der angepriesenen Produkte an den Mann zu bringen, Prozente vom Verkauf oder Anteile an den Firmenerfolgen zu berechnen, abends den Kittel wieder auszuziehen ... und? Wie auch immer er sich in das fremde Leben einzufühlen bemüht, das Einzige, was er dabei empfinden kann, ist seelische Verkümmerung. Teilnahmslose Leere. Ein grauer Schleier.

Erinnerst du dich, Sylva, wie du mal von deinem Vater geredet hast? Du hast gesagt, der Konsum hätte ihn müde gemacht. Ich glaube, ich fange erst jetzt an, das wirklich zu verstehen. Das Leben, gemessen am Verbrauch von Dingen, die nicht lebensnotwendig sind, erschöpft schrecklich. Wir fühlen uns alle auch so schon schwer genug, durch den Körper und was zu ihm gehört (es ist nicht immer ein angenehmes Inventar!) und wenn du den ganzen Unsinn dazurechnest, mit dem wir uns von klein auf umgeben, gerät die Existenz auf dieser Welt an den Rand der Zumutbarkeit ...

»Soll ich dich mitnehmen?«, ruft Olin.
Filip kommt aus der Pforte heraus und blinzelt in die Sonnenstrahlen, die ihn sofort attackieren. Es ist fast fünf, aber es fühlt sich an, als erreichte die Hitze des Tages erst jetzt ihren Höhepunkt. Die Haltestelle ist menschenleer, das Hinterteil des Busses verschwindet hinter dem Hügel, der nächste kommt frühestens in zwanzig Minuten. Die Betonfläche um das Einkaufszentrum gleicht einem kochenden Magmafeld. Filip spürt die Hitze durch die Sandalensohlen.

»Wenn du willst, dann komm, aber beeil dich!«
Olin steuert mit schnellen Schritten auf den am Rande des Parkplatzes geparkten Skoda zu, wo ein Mädchen in einem roten Kleid wartet. Sie hält sich eine zusammengefaltete Zeitung über die Augen.
»Es wurde nicht bewilligt«, ruft sie Olin entgegen. »Nicht mal nach der Berufung.«
»Das war zu erwarten.« Olin schmeißt seinen Rucksack in das Auto. »Das ist Filip. Er fährt ein Stückchen mit.«
»Hallo, ich bin Berenika.« Das Mädchen lächelt. Ihre Zähne sind wie eine Serienfertigung Schneemänner, die Augenbrauen wachsen zu einem Dächlein zusammen, was ihrem Gesicht einen erstaunten Ausdruck verleiht. Die Haare, im Gegensatz zu Olin kurz geschnitten, nehmen im Sonnenlicht einen kupferfarbenen Schimmer an.
»Hast du keine Angst?«, fragt sie Filip. »Auf meinem Lappen ist die Tinte noch nass.«
»Wir quatschen nicht, wir haben's eilig!« Schon hat Olin seine Beine unter dem Handschuhfach verstaut. Er trinkt gierig aus einer Plastikflasche und spornt währenddessen an: »Los, lasst uns fahren! Quatschen könnt ihr unterwegs!«
Filip drückt sich hinter ihn. Der Rücksitz ist voller Kram: Drähte, Malerpinsel, eine zusammengerollte Wäscheleine, Büchsen mit Farbe und eine Rolle Stoff. Irgendein Transparent. Oben neben dem entschiedenen NEIN duckt sich ein giftig-gelbes Skelett.
»Die Polizei ist schon da, hält sich aber zurück«, sagt Berenika, während sie langsam von dem Parkplatz fährt. »Wir lassen sicherheitshalber das Auto ein Stück weiter stehen, falls sie die Straßen gesperrt haben.«
»Sagen sie was im Radio?«
»Es ist eine Reporterin aus Agara da. Sie hat ein Interview mit dem Bürgermeister und ein paar Leuten gemacht.« Berenika streckt den Arm nach dem Rückspiegel aus und rückt ihn zurecht. »Bis jetzt sind so um die hundertundfünfzig Leute da.«

»Das ist zu wenig«, brummt Olin enttäuscht. »Ich hab mindestens mit zweimal so viel gerechnet!«
»Die kommen noch, du wirst sehen.«
Sie lassen das Einkaufszentrum allmählich hinter sich. Der Nachmittagsverkehr wird dichter, auf der schmalen Landstraße bildet sich ein Stau. Freitag, Wochenendanfang. Nervöses Fahrbahnwechseln. Filip beobachtet die Gesichter der Fahrer, eingesperrt in ihre Blechkisten, und spürt, wie das Gewicht der eigenen Existenz, für einen Augenblick vergessen, wieder schwer auf seinen Schultern lastet.

Ich habe nie kapiert, wieso eine Ameise das Zehnfache ihres Gewichts tragen kann und der Mensch nicht. In der letzten Zeit hat es mich sehr beschäftigt, und jetzt glaube ich, die Ursache gefunden zu haben. Wenn wir den Menschen mit der Ameise vergleichen, konzentrieren wir uns nur auf die physische Komponente. Das ist aber ein grundlegender Fehler, Sylva! Wir haben den Ameisen gegenüber ein riesiges Handicap, weil wir zu unserem Eigengewicht zusätzlich auch noch die Gedanken in uns tragen. Man kann das Gewicht der Gedanken zwar nicht wiegen, aber das heißt nicht, dass es uns nicht beschwert. Vor allem die negativen Gedanken, die entziehen uns so viel Kraft, dass wir nicht mehr können …

»Wo sollen wir dich absetzen?«, fragt Olin.
»Das ist egal.«
»Uns ist das auch egal, sag nur. Am Bahnhof?«
Filip spürt ein beunruhigendes Stechen unter den Rippen. Nur nicht am Bahnhof. Der absolut schlechteste Platz für einen Menschen, der nicht weiß, wohin. Warum platzieren die Dichter ihre desorientierten Helden so oft in die Nähe eines Bahnhofes, ja sogar auf den Bahnsteig? Sie versuchen, ihnen einen Weg zu zeigen. Das macht Sinn. Und die hilflosen Figuren finden auch meist einen, auch wenn es wie bei Kerouac oder London nur eine Straße ohne

Ziel, ohne Hoffnung ist. Auch Tolstoj wusste Bescheid. Hätte er Anna Karenina anstatt auf den Bahnhof zum Beispiel mit ins Museum genommen, hätte sie nicht so überzogen reagiert. Sie hätte eine Perspektive gewonnen, Abstand von sich selbst. Mit Hilfe von Bildern und Musik gelingt das meistens. Manchmal helfen auch klar strukturierte Menschen – wenn man sie im richtigen Augenblick trifft.

»Und was ist, wenn du mit uns fährst?« Berenikas Augenbrauen im Rückenspiegel heben sich fragend, das Dächlein zwischen ihnen wird markanter. Herausfordernder. »Komm, fahr mit! Ich meine, falls du nichts Besseres vorhast.«

»Und wohin?«

»Auf die Demo.«

»In dieser Hitze demonstrieren? Dazu muss man schon einen triftigen Grund haben.«

»Vielleicht haben wir ja einen.«

Olin reicht ihm die Zeitung und zeigt auf den Artikel mit dem Titel »Gefährliche Nachbarschaft«. Er ist nicht lang. Filip lässt den Blick über die Zeilen schweifen. Nichts Neues unter der Sonne: Gefährlicher Abfall in einer stillgelegten Fabrik deponiert, unzureichend informierte Öffentlichkeit, Proteste der ökologischen Aktivisten, ein unentschlossener, höchstwahrscheinlich korrupter Bürgermeister, eine ungenehmigte Demonstration, Drohungen ... Filip liest zu Ende und beugt sich zu Olin.

»Was genau wollt ihr machen?«

»Das Objekt besetzen«, antwortet Berenika prompt.

»Wir besetzen es nicht, wir blockieren die Einfahrt«, korrigiert Olin. »Es ist so eine halb demolierte Bruchbude, der Hof voll mit Containern. Es gibt dort zwei Tore mit zwei Zufahrten. Wir sperren beide. Wir lassen niemanden rein, und wenn wir uns an den Zaun ketten müssen. Keinen weiteren Laster, keinen weiteren Dreck ...«

»Für wie lange?«

»Solange, bis sie endlich mit uns reden.«

»Bis jetzt wurden wir gar nicht ernst genommen!«
»Ihr gehört zu diesen Ökoaktivisten?«
»Was heißt schon Aktivisten? Wir sind dort zu Hause, verstehst du? Wir wohnen dort! Da haben wir doch wohl das Recht zu entscheiden, ob gegenüber von unserem Haus irgendeine toxische Kacke gelagert wird, die uns bald alle wie Irrlichter strahlen lässt! Dieser Mistkerl von Bürgermeister hat keinen gefragt und hat uns allen den Totenschein ausgestellt oder wenigstens für unsere Invalidität gesorgt!«
»Wahrscheinlich hat er sich dafür einen fetten Batzen Geld eingesteckt.«
»Also was? Gehst du mit?«, fragt Berenika. »Je mehr Leute, desto härter wird der Job für die.«
»Wie weit ist es?«
»Eine knappe halbe Stunde.« Ihr Blick im Rückspiegel. Lebendig, elektrisierend, ohne ein einziges Milligramm Müdigkeit. Filip empfindet ein leichtes Kitzeln auf dem Scheitel und in den Händen, als ob er aufgeladen würde. Warum sollte er nicht einen Ausflug machen? Zu Hause erwartet ihn keiner, die Eltern sind nach Mähren zur Taufe von irgendeinem Patenkind gefahren und kommen erst in zwei Tagen zurück. Ein Wochenende im leeren Haus verspricht nichts Überwältigendes.
»Das schaffst du nie, liebe Schwester, Fuß vom Gaspedal!«, warnt Olin Berenika vor der kommenden Kreuzung. Die Ampel springt gerade auf Rot. Berenika tritt so heftig auf die Bremse, dass das eingerollte Transparent vom Sitz rutscht. Filip hebt es auf. *Danke, kein Interesse!* Steht da neben einem giftig-gelben Skelett. Er erinnert sich daran, dass er vor einem Jahr ein ähnliches Transparent aus dem Fenster der Turnhalle gehängt hat. Ein Zufall? Aus Sicht der mathematischen Statistik sicherlich ja. In einem durchdachten System der Wechselbeziehungen, so wie es zum Beispiel in der Antike verstanden wurde, hat der Zufall allerdings nichts zu suchen. Eine zufällige Erscheinung hat keine Ursache und keinerlei Sinn, doch ein Menschenleben folgt dem Plan der Notwendig-

keit. Sophokles nennt es *Tyche*. Filip hatte dieses Wort im mythologischen Wörterbuch nachgeschlagen und fand heraus, dass es im alten Griechenland sowohl für Zufall als auch Schicksal verwendet wurde. Er rollt das Transparent zusammen und legt es zurück auf den Sitz.
»Das erinnert mich an etwas«, sagt er. »Im letzten Jahr hatten wir in der Schule ein Problem mit dem Sportlehrer. Er schikanierte jeden, der eine Rolle am Reck nicht schaffte oder hundert Meter Sprint nicht unter zwölf Sekunden lief. Ein total kranker Typ. Wir haben eine Sitzung des Schülerrats einberufen und einen Antrag verfasst, dass wir ihn nicht mehr in der Schule haben wollen. Ich musste deswegen einige Paragraphen nachlesen, um zu wissen, wie wir argumentieren könnten. Der Schulleiter stellte sich zuerst taub, aber als wir uns in der Turnhalle verbarrikadierten und aus dem Fenster ein Transparent mit *Danke, kein Interesse!* hängten, gab er nach. Jetzt ist der zum Glück weg.«
Olin dreht sich zu ihm: »Kennst du dich mit Paragraphen aus?«
»Eigentlich nicht, ich hab nur das Bürgerliche Gesetzbuch durchgeblättert. Ich bin der Sprecher in unserem Schülerrat.«
»Dann lassen wir dich aber nicht wieder weg! Jetzt musst du erst recht mitfahren, du kannst nützlich für uns sein!« Berenikas Augen im Rückspiegel sind zwei funkensprühende Elektroden. Filip spürt eine deutliche Bewegung in seinem Brustkorb.

Sylva, du hast einmal gesagt, dass das Herz mit Gefühlen nichts zu tun hat, dass die Leute sich das nur einbilden, weil sie die Gefühle irgendwohin platzieren müssen. Ich glaube, dass die Vorstellung vom Herz als Sitz der Gefühle dadurch entstanden sein kann, dass das Herz starke elektromagnetische Energie ausstrahlt. Sie strömt ganz bestimmt nicht nur unter der Haut, sondern, und da bin ich mir sicher, sie hat auch einen direkten Einfluss auf die zwischenmenschlichen Beziehungen. Glaub mir, Sylva, wir werden von den Kraftfeldern unseres Körpers beherrscht, ob uns das gefällt oder nicht …

»Also was ist jetzt? Fährst du mit? Oder hast du ein besseres Programm?«
Filip grinst Berenikas Spiegelbild an.
»Klar fahre ich mit«, antwortet er. »Angekettet am Fabriktor! Ein besseres Freitagsprogramm kann ich mir kaum vorstellen.«

♦♦♦

»Ein Infarkt ist das also nicht?«
»Keine Angst, Robin, das Herz kann diesmal nichts dafür. Es läuft wie ein Uhrwerk.«
»Warum ist sie dann ohnmächtig geworden?«
»Irgendwas hat sie vielleicht aufgeregt oder ... Hat sie etwas Anstrengendes gemacht?«
»Nein, soweit ich weiß, nicht. Sie hat eine Vase in die Küche gebracht, um den Sonnenblumen mehr Wasser zu geben.«
»Das ist wirklich merkwürdig.«
»Was ist so merkwürdig daran?«
»An Wasser für die Sonnenblumen hat sie gedacht, aber sie selbst hat vergessen, genug zu trinken. Sie hat ihren Wasserhaushalt vernachlässigt.«
»Ich weiß hundertprozentig, dass sie zum Mittagessen Mineralwasser getrunken hat. Am Nachmittag auch. Mindestens drei Gläser, würde ich sagen.«
»Bei dieser Hitze ist das eigentlich viel zu wenig.«
»Wenn sie durstig gewesen wäre, hätte sie doch mehr getrunken?«
»Es gibt eine Menge Leute, die eine verminderte Durstwahrnehmung haben. Sie schwitzen, verlieren Flüssigkeit und nehmen es gar nicht wahr. Sie hat bei uns eine Rehydrationslösung und kalten Tee bekommen. Momentan geht es ihr wesentlich besser. In ein paar Stunden könnte sie nach Hause gehen, aber wir lassen sie vorsichtshalber über Nacht hier.«
»Warum?«
»Weißt du, man kann bei Herzkranken nie vorsichtig genug sein.«
»Sie haben gerade gesagt, dass ihr Herz wie ein Uhrwerk läuft.«
»Ein Uhrwerk, das allerdings schon mal repariert wurde.«
»Kann ich sie jetzt besuchen?«
»Klar doch. Warte noch, Robin. Ich wollte fragen ... Wie alt bist du?«

»Siebzehn.«
»Ich wäre froh, wenn mein Sohn mit siebzehn so reif wäre wie du.«
»Hahaha, war das ein Ärztewitz? Was soll an mir reif sein? Gar nichts! Nicht mal meine Weisheitszähne sind schon durch!«
»Ich habe nicht über die körperlichen Merkmale gesprochen.«
»Was die psychische Entwicklung angeht, ist es noch viel schlimmer. Ich besitze keinerlei Gespür für Verantwortung, und man kann sich auf mich leider nicht verlassen. Und ich habe auch absolut keine Ahnung, was ich mit meiner Zukunft machen möchte.«
»Pfeif auf die Zukunft. Heute hast du es ganz gut bewältigt.«
»Da wäre ich mir nicht so sicher.«
»Wieso nicht?«
»Irgendetwas habe ich hundertprozentig vermasselt. Mein Vater ...«
»Robin, dein Vater wird sich über dich freuen.«

Eine Vorgewitterschwüle. Irgendwo in der Ferne donnert es. Der Ventilator läuft auf vollen Touren, wirbelt die Luft im Zimmer jedoch kaum auf. Sie ist wie ein dickflüssiger Brei, der außen und innen am Körper klebt. Robin geht auf den Balkon hinaus und schaut zum Himmel. Noch immer keine Wolke in Sicht, aber im Westen färbt sich das Spektralblau über den Bäumen in Violett. Falls der Regen kommt, dann aus dieser Richtung.
»Rob?!«, ertönt es aus der Küche. »Kann ich das aufessen?«
Nach der Woche in den Bergen ist Emil ganz wild nach Süßigkeiten. Er hat schon sämtliches Eis liquidiert, momentan verputzt er den Rest vom Tiramisu.
»Dir wird übel.«
»Wieso? Es ist gut.«
»Ja, aber es ist nicht gut, sich ein Kilo davon einzuverleiben«, sagt Robin und setzt sich auf die Bank im Schatten. Draußen kann man ein bisschen besser atmen als in der Wohnung. Aus dem Park verirrt sich manchmal eine leichte Brise hierher und streichelt die verschwitzte Haut.

»Vater hat mir in der ganzen Zeit nur dreimal Eis und einmal Marzipanbrot gekauft!«
»Sei froh, dann wirst du auch nicht fett.«
»Genau das hat er mir auch gesagt – unter anderem.« Robin hört hinter seinem Rücken die Schritte seines Bruders. »Ich musste mir mindestens eine Million gute Ratschläge anhören. Echt, ich hab davon ein totales Loch in den Kopf gekriegt!«
»Wenigstens hat sich dein Gehirn nicht überhitzt.« Robin macht Platz, damit Emil sich neben ihn setzten kann. »Was hat er dir noch erzählt?«
»Wie man Hindernisse bekämpft. Kraft und Begabung seien nicht das Wesentliche. Um auf den Gipfel zu kommen, brauche man ein Prozent Geschicklichkeit und neunundneunzig Prozent Ausdauer.«
»Welche Lehre hast du daraus gezogen?«
»Dass ich nie wieder mit Vater auf einen Berg steigen sollte.« Emil futtert den letzten Löffel Tiramisu. »Die ganze Woche nur mit ihm, das waren echt keine Ferien. Er kann einfach nicht vergessen, was er ist.«
»Was ist er denn?«
»Ein Elternteil.«
»Glaubst du, dass man so was vergessen kann?«
»Mama kann das.«
Er stellt die leere Schüssel auf den Boden und Muffin steckt sofort den Kopf hinein. Er wedelt mit dem Schwanz, offensichtlich im siebten Himmel. Seitdem Emil zurückgekommen ist, rührt er sich keinen Schritt von ihm weg. Die letzte Nacht schlief er sogar in seinem Bett. Unter normalen Umständen würde Vater so etwas nicht dulden, aber zu Hause geht alles drunter und drüber, und kleine Details, wie ein Hund im Bett, entgehen seiner Aufmerksamkeit.
»Wann kommt Vater zurück?«
»Abends, denke ich. Du weißt doch, dass er sich im Krankenhaus um Mama kümmert.«
Weil kein anderer sich kümmern kann! Robin passt auf, seine

Gedanken nicht laut zu äußern. Er will seine hitzigen Gefühle gegenüber dem Vater, von denen er seit gestern geplagt wird, nicht auf seinen Bruder übertragen.
»Und wann wird Mama entlassen?«
»Bald. Vielleicht schon morgen.«
»Vorhin hast du gesagt, schon heute.«
»Der Oberarzt hat's gedacht. Er will aber noch etwas überprüfen lassen.«
»Was denn?« Emils Stimme ist gedämpft. Er denkt wohl, dass es sich nicht gehört, über gesundheitliche Beschwerden laut zu sprechen.
»Es geht um diese Arhythmie. Weißt du, was das ist?«, fragt Robin. Sein Bruder schüttelt den Kopf. »Das heißt, dass das Herz nicht immer regelmäßig schlägt, sondern manchmal zu schnell und dann wieder zu langsam.«
»Hat sie das schon lange?«
»Noch vor einem Jahr hatte Mutter keinen blassen Schimmer davon. Sie sind erst darauf gekommen, als sie mit dem Herzinfarkt im Krankenhaus war.«
»Vielleicht hatte Sie das vorher nicht.«
»Kann sein«, antwortet Robin. Er gibt sich Mühe, dem Thema nicht auszuweichen, er will vor dem Bruder nichts vertuschen. Beide haben zu Mutters Krankheit die gleiche Einstellung wie sie, eine sachliche. »Ich bin kein Arzt, aber ich würde sagen, dass es möglich ist. Vielleicht hat sich das erst in der letzten Zeit entwickelt.«
»Oder sie hatte es, aber nur ganz schwach. Kann doch sein, dass das Herz nur ein bisschen spinnt und sie es einfach nicht bemerkt hat, verstehst du?«
»Ich verstehe«, stimmt Robin ihm zu. Genauso hatte er gestern Abend seinem Vater im Krankenhaus geantwortet. Es war kein richtiges Gespräch, denn aus dem Vater sprudelte ein Vorwurf nach dem anderen heraus. Ein endloser Wortschwall. Nach außen hin gelang es Robin, Ruhe zu bewahren, aber innerlich war er ein Pul-

verfass. *Nein, ich verstehe nicht! Ich verstehe dich überhaupt nicht, Vater!* Als er sich danach vom Vater abwandte und zum Aufzug ging, waren seine Lippen krampfhaft zusammengepresst. Er hatte Angst zu explodieren. Nicht mal im Aufzug entspannte er sich. Erst als er draußen vor der Klinik war und dem erstbesten Mülleimer einen heftigen Fußtritt verpasst hatte, sank der innere Druck unter die Explosionsgrenze. Aber davon brauchte Emil nichts zu wissen. Sein Verhältnis zur Autorität der Eltern ist noch immer eine neutrale Mischung aus Bewunderung und harmloser Kritik. Er hat nicht (und möglicherweise wird er es auch nie haben) Robins leidenschaftliches Bedürfnis, den Vater zu überzeugen, Anerkennung von ihm zu bekommen und sein Misstrauen zu beseitigen.

»Wie konntest du mir das verschweigen, Robin?« Der Besucherkittel der Intensivstation verlieh dem Vater ein unpersönliches Aussehen, was ihn aber nicht daran hinderte, seinen Gefühlen freien Lauf zu lassen. Seine Stimme schwankte zwischen Verständnislosigkeit und Getroffenheit. »Du hast mich enttäuscht. Ich dachte, ich kann mich auf dich verlassen.«

Das hast du nicht gedacht, du Lügner!, brannte es Robin auf der Zunge, aber er sagte es nicht. Stattdessen bemühte er sich um eine Erklärung, wie üblich eine wenig überzeugende.

»Wir wollten dir keine unnötige Angst machen.«

»Unnötige Angst? Denkst du, dass Angst um einen Menschen zu haben, den du liebst, unnötig ist?«

»Der Arzt hat mir versichert ...«

»Du begreifst immer noch nicht, wovon ich rede!« Vaters Hand schiebt Robin weiter weg, damit das Gespräch nicht bis in Mutters Zimmer zu hören ist. »Sie hat das Bewusstsein verloren, wurde mit dem Rettungswagen ins Krankenhaus gebracht ... verdammt, meinst du nicht, dass dies alleine schon Grund genug ist, auch wenn das Herz dabei keine Rolle spielte? Du hättest mich unverzüglich anrufen müssen! Un-ver-züg-lich!«

»Mama wollte es nicht. Sie sagte, du würdest gleich ins Auto springen und herkommen.«

»Natürlich, ist doch klar!«
»Ihr hättet zwei Tage verloren. Die letzten Tage deines Urlaubs. Mama wollte sie dir nicht nehmen. Sie hat mich gebeten, keine Panik zu machen, und ich ...«
»Und du hast selbstverständlich keine eigene Meinung.« Ein ironisches Kopfnicken und ein Seufzer begleiten Vaters Worte. »Wann wirst du endlich begreifen, dass dich das Leben immer wieder mit Situationen konfrontieren wird, in denen du selbst entscheiden musst und die Verantwortung nicht anderen überlassen kannst? Stell dir vor, es wäre plötzlich etwas schiefgegangen, Mutters Zustand hätte sich verschlechtert und ich hätte im Harz gesteckt! Es ist reiner Zufall, dass ich einen Tag früher zurückgekommen bin.«
Reiner Zufall! Robin glaubt es ihm nicht. Viel wahrscheinlicher ist, dass Vaters vorzeitige Rückkehr etwas mit seiner Kanzlei zu tun hat, konkret mit seiner Einstellung, dass ohne ihn gar nichts funktioniert. Nirgendwo kommt man ohne ihn zurecht – er ist unentbehrlich.
»Willst du auch?« Emil begießt seine Beine mit lauwarmem Wasser aus einer Gießkanne. »Pfui, das ist ja pisswarm! Warte!«
Mit Muffin an den Fersen läuft er in die Küche kaltes Wasser holen. Man hört das Patschen seiner nassen Füße auf den Fliesen und das metallische Wasserrieseln in der Spüle – die einzigen Geräusche in der schwülen Nachmittagsstille. Kein Laut dringt aus der Nachbarwohnung. Robin steht auf, beugt sich über das Geländer, erfasst mit einem Blick den angrenzenden Balkon. Er ist von wildem Wein beschattet, aber durch die Ranken und Blätter kann man einen Tisch mit einer bunten Tischdecke sehen. Nichts rührt sich, die Balkontür ist zu, Sylva ist bestimmt noch nicht nach Hause gekommen. Und wenn schon – an einen Ausflug zum See ist heute nicht zu denken. Es sei denn, sie würden sich wieder auf dem Dach treffen ...
Robin blickt unwillkürlich zur Gusseisentreppe, die nach oben führt. Jetzt, unter den unbarmherzigen Sonnenstrahlen, sehen die

Zypressen auf dem Dachrand jämmerlich aus. Gestern Nacht im Mondlicht haben sie anders gewirkt. Als sich Robin hinter ihnen auf den Holzplanken ausstreckte, gaben sie ihm Schutz vor den umliegenden Häusern, sodass nur der Raum über seinem Kopf frei blieb, scheinbar leer, scheinbar endlos. Der beste Zufluchtsort für seine von Vaters Vorwürfen und seinem eigenen Minderwertigkeitsgefühl angekratzte Seele. Das Funkeln der Sterne und vereinzelte Satellitenbewegungen versetzten die Luftmassen über Robin in eine andere Zeitdimension, was Robin dazu verhalf, sich von den aktuellen Geschehnissen zu lösen. Er wurde zwar die erlebten Kränkungen nicht los, aber er erkannte plötzlich deren Vergänglichkeit und auch den sich unweigerlich verändernden Einfluss der Eltern auf sein Leben. Noch waren Mutter und Vater nah und strahlten stark auf ihn ab, egal aus welchem Spektrum ihr Licht auch entstammen mochte. Aber es würde unausweichlich sein, sich voneinander zu entfernen. Ein paar Jahre noch, und der Photonenstrom ihres unmittelbaren Einflusses würde schwächer werden, bis er schließlich ganz verschwunden war. Der helle Schein würde nur noch eine kleine Wolke aus fluoreszierendem Staub sein. Dann würde Vaters verletzendes Misstrauen seine Wirkung verloren haben. Es waren neuartige Gedankengänge, die ihn so unruhig werden ließen, dass Robin sich aufrichten musste.
Er kann mir gestohlen bleiben, dachte er. Nichts geschah. Der Gedanke steckte zu tief, als dass er Wirkung zeigen konnte. Es war notwendig, ihn auszusprechen. Halblaut, aber deutlich genug, damit sich jedes einzelne Wort vom nächtlichen Firmament abstieß und heilend zurückfiel.
»Er kann mir gestohlen bleiben ... bald wird er mir gestohlen bleiben ... schon jetzt ist er mir total schnuppe, Vollidiot!«
Die Erleichterung, die ihn überkam, wurde unmittelbar darauf von Entsetzen abgelöst. Er hatte Schritte gehört auf der Gusseisentreppe. Bestimmt Vater, wer sonst! Robin hatte seine Botschaft so intensiv an seinen Vater gesandt, dass dieser davon wach geworden war. Jetzt kam er her, um ihn zur Rede zu stellen. Ein weite-

res Gespräch, das die Entfernung zwischen ihnen nur vergrößern wird.
»Bist du das, Robin?« Nicht Vaters, sondern Sylvas Stimme, an der oberen Grenze des Flüsterns. »Was machst du hier?«
»Ich kann nicht schlafen bei dieser Bullenhitze«, antwortete er erleichtert. Ihr unerwartetes Auftauchen machte ihm nichts aus. Im Gegenteil. »Hier oben kann man wenigstens ein bisschen atmen.«
Sie schlängelte sich durch die trockenen Zypressen und setzte sich zu ihm. Sie war so nah, dass er ihre Haut riechen konnte. Sie duftete nach Salz, Jod und noch etwas anderem. Vergeblich forschte er im Gedächtnis, was es sein mochte.
»Wie geht es deiner Mutter?«, fragte sie.
»Gut, morgen wird sie wahrscheinlich entlassen«, sagte er. Dann plötzlich, ohne nachzudenken, fügte er hinzu: »Mein Vater ist zurück.«
Sie nickte. »Ich hab's gehört. Oder war er nicht mit dem Vollidiot gemeint?«
Robin lachte auf.
»Unsere Beziehung ist ein bisschen kompliziert«, erklärte er.
»Das heißt, er wird dir nicht gestohlen bleiben?«
»Noch nicht. Der Photonenstrom hat sich noch nicht abgeschwächt, verstehst du?«
Eine Weile dachte sie nach, dann schüttelte sie den Kopf. Durch die leichte Luftbewegung drang wieder der scharfe, nur schwer identifizierbare Duft zu ihm durch. Er kannte ihn, nur kam er nicht darauf, woher.
»Er glaubt mir nicht.«
»Dr. Trost? Wieso nicht?«
Robin wurde achtsamer. Er merkte, dass sie sich auf gefährliches Terrain begaben. Nur keine Vertraulichkeiten! Nicht mehr verraten, als man einem Fremden sagen würde. Es war zu riskant, sich jemandem anzuvertrauen, den er erst seit einer Woche kannte. Mit dem er kurz in der Sonne gelegen hatte, neben dem er ein Stück

geschwommen war, mit dem er ein wenig geplaudert hatte. Das Problem ist, dass sie sich so dicht neben ihn gesetzt hatte. Sie stört seine Kreise, sendet Düfte aus, die ihn beunruhigen.
»Ich habe etwas getan und Vater kann es nicht vergessen«, sagte er schroff, mit abgewandtem Gesicht. »Oder ich habe es nicht getan und er kann's nicht verstehen. Frag nicht, was es war.«
Sie hob ihre Hand und berührte ihn. Mit ruhiger Selbstverständlichkeit fasste sie ihm an die Schulter.
»Ich wiederum habe jemanden gesucht«, sagte sie. »Aber statt diesem Jemand habe ich einen Hund gefunden. Er hat ein verletztes Bein. Kennst du einen Arzt, der ihn sich angucken würde?«
Er versprach, die Adresse von Dr. Krassnig, Muffins Tierarzt, unter ihre Fußmatte zu legen. Während er redete, kämpfte er gegen den Drang an, seine Hand auf ihre zu legen, die Berührung zu erwidern. Schließlich aber beherrschte er sich. Er hatte es doch nicht nötig, jemanden so dicht an sich heranzulassen – er kam allein zurecht.
»Also, tschüss dann«, sagte sie und stand auf. Der Druck auf seiner Schulter ließ nach, sie kam ihm plötzlich unangenehm leicht vor. Als ob ein Teil in ihrer Hand geblieben wäre. Robin schaute, wie sie an den Zypressen vorbei zum Geländer ging. Sie setzte den Fuß auf die oberste Stufe, die Stahlkonstruktion fing an zu ächzen. Sylvas Rücken sank mit jedem Schritt tiefer, bis sie unter dem Dachrand verschwand. Kurz bevor sie ganz aus seinem Blickfeld verschwunden war, wusste Robin plötzlich, wonach sie gerochen hatte. Es war der Duft eines wilden Tieres.
»Willst du?« Emil ist schon zurück mit der Gießkanne voller Wasser. Robin streckt ihm seine Beine hin und lässt sich die Knie begießen. Kalte Bächlein fließen auf seiner heißen Haut hinunter zu den Knöcheln und bilden unter den Füßen eine Pfütze, die sich schnell erwärmt. In der Diele läutet das Telefon. Emil stellt die Kanne auf den Boden und galoppiert hin. Telefonieren ist sein Hobby, nur ungern überlässt er es anderen. Er erweckt den Eindruck, immerwährend auf eine interplanetare Nachricht zu warten. Robin

horcht. Er hört die Stimme seines Bruders, kann die einzelnen Wörter jedoch nicht verstehen.
»Wer war das?«, fragt er, als Emil auf den Balkon zurückkommt.
»Vater. Er kommt spät. Wir sollen nicht auf ihn warten.«
»Ist es vielleicht ... geht es Mama schlechter?«
»Nö, ich hab mit ihr gesprochen, es geht ihr gut. Sie schickt dir einen Kuss.«
»Hat sie noch etwas gesagt?«
»Morgen früh kommt sie heim.«
»Dann müssen wir aufräumen«, bemerkt Robin. »Sonst haut es sie erneut um, gleich wenn sie zur Tür hereinkommt.«
Er erwartet eine amüsierte Reaktion, aber Emils Gesicht ist ernst. Er weicht Robins Blick aus, hebt die Kanne und fängt an, den Lavendelstrauch in der Balkonecke zu gießen. Egal, was ihm im Kopf herumgeht, Robin weiß, dass es keinen Sinn hat zu fragen. Er wird damit herausrücken, wann es *ihm* beliebt. Im Moment schweigt er, seine Hand mit der Kanne bewegt sich automatisch von links nach rechts, die feuchten Lavendelblätter erfüllen die Luft mit ihrem intensiven Aroma. Vom Westen ertönt wieder schwaches Donnern. Robin schätzt, dass das Gewitter irgendwo über Brandenburg kreist. An Berlin wird es vermutlich vorbeiziehen.
»Mutter wird nicht danach gucken, ob es hier aufgeräumt ist«, sagt Emil auf einmal. »Und Vater auch nicht.«
»Woher willst du das wissen?«
»Genauso, wie ich auch andere Sachen weiß. Zum Beispiel, was eine verkochte Ehe ist.«
Robin stockt.
»Wo hast du denn das gehört?«
Emil hatte schon das ganze Wasser verbraucht, jetzt dreht er seinen Arm mit der Kanne herum wie einen Windmühlenflügel.
»Vater hat fast jede Nacht mit Mutter telefoniert. Jedes Mal ist er aus dem Zelt gekrochen und hat stundenlang mit ihr geredet. Er hat gedacht, dass ich schlafe. Aber dabei konnte man nicht schlafen. Weißt du nichts davon?«

Robin schüttelt erstaunt den Kopf.
»Worüber haben sie gesprochen?«
»Mutter hat sich in jemanden verliebt.«
»Mutter? Veräppelst du mich?«
Emil antwortet nicht. Er starrt grimmig vor sich hin, den Arm mit der Kanne immer noch kreisend in der Luft. Robin schüttelt den Kopf, als erwarte er, dass diese, total komische Information wieder verschwindet.
»Wahrscheinlich hast du was falsch verstanden. Vielleicht hat Vater von jemand anderem geredet.«
»Nö, er hat von keinem anderen geredet.«
Robin will keinen Streit anfangen. Er versucht, sich zu orientieren. Allmählich, Stück für Stück, fügt sich alles zusammen. Zu allererst die eigene Ignoranz und Unfähigkeit, Mutters Anspielungen zu begreifen. *Warte nur, bis du dich verliebst …* Sie hat es ihm direkt unter die Nase gehalten, nur dass er sie in seiner Selbstbezogenheit nicht verstanden hatte. Er dachte, dass sie über ihn sprach, während sie die Gelegenheit suchte, sich ihm anzuvertrauen. Auf der anderen Seite der Vater: seine wachsende Nervosität und telefonischen Anweisungen, die Robin lächerlich vorkamen, weil sie in Wirklichkeit Ratlosigkeit verrieten. *Sie soll sicherheitshalber nicht rausgehen, in der Wohnung geht es ihr am besten. Pass auf sie auf!* Was erwartete er? Wahrscheinlich war das von seiner Seite nur ein verzweifelter Versuch, das Unvermeidliche doch noch zu verhindern. Robin wüsste zu gerne, was unmittelbar vor Mutters Ohnmacht geschehen war – welches Gespräch, wer oder was hatte sie aufgeregt?
»Rob?« Emils Stimme reißt ihn aus dem wirren Gedankenwirbel.
»Ja?«
»Sie will nicht mehr mit Vater zusammenleben. Vater droht ihr, dass er das Sorgerecht für mich vor Gericht gewinnt.«
»Und ich?«
»Du bist groß, sagt er. Du musst dich selbst entscheiden.«
Emil hört endlich auf, die Kanne zu schwenken, und schaut Robin

an. In seinen Augen liegt Unsicherheit, Müdigkeit. Man sieht, dass er in der letzten Woche einiges durchlebt hat. Der Mangel an Eis und Marzipan war sicher nicht das Schlimmste. Robin steht auf und zieht den Bruder an sich heran. Emil sträubt sich ein bisschen, aber schließlich gibt er nach und bohrt seinen Kopf in Robins Achselhöhle.

»Ich wusste nicht, dass Erwachsene so abdrehen können«, murmelt er.

»Das wundert mich auch«, sagt Robin. »Aber wenn du es aus der intergalaktischen Perspektive betrachtest, was für ein Unterschied besteht eigentlich zwischen uns? Nur der, dass alles, was wir können, die Erwachsenen schon ein paar Jahre länger können.«

»Und besser«, fügt Emil hinzu. »Weil sie geübt sind.«

»Nicht nur das, sie haben auch neunundneuzig Prozent Ausdauer«, sagt Robin.

Emil lacht. »Und falsche Zähne. Die vielleicht nicht weh tun, aber vielleicht doch!«

»Und die Mehrheit von ihnen hat irgendwelche Probleme hinter sich.«

»Zum Beispiel eine blöde Lehrerin.«

»Oder einen Herzinfarkt«, sagt Robin.

»Vor allem haben sie weniger Zeit.«

»Stimmt.« Robin schaut Emil anerkennend an. »Das vor allem.«

◆◆◆

»Ich fürchte, das ist keine gute Idee, Sylva. Was würde ich mit einem Hund machen?«
»Das Gleiche wie ohne ihn.«
»Er würde mich meiner Bewegungsfreiheit berauben.«
»Im Gegenteil, du wirst mit ihm jeden Tag spazieren gehen.«
»Aber das Reisen kann ich dann vergessen.«
»Papa, wann warst du zum letzten Mal unterwegs?«
»Ich habe vor, sobald ich mein Buch zu Ende geschrieben habe, den Anker zu lichten, und mich in der Welt ein bisschen herumzutreiben. Ich kann doch nicht ewig in diesem Kaff hängen bleiben.«
»Und wann ist dein Buch fertig?«
»Tolle Frage! Du weißt doch, wie langsam es vorangeht. Seitdem du in Berlin bist, habe ich noch keine zwei Seiten geschrieben.«
»Der Hund hilft dir. Er scheint intelligent zu sein.«
»Wie sieht er aus?«
»Bunt. Der Kopf und der Rücken rötlich braun, der Bauch weiß, der Schwanz und die Seiten aschgrau mit schwarzen Streifen. Witzige Ohren. Ich habe im Handy ein Foto von ihm. Ich schick's dir.«
»Er ist krank, hast du gesagt?«
»Sein Hinterbein ist verletzt. Nichts Schlimmes, glaube ich. Wir sind gerade auf dem Weg zum Arzt.«
»Ich weiß nicht, Sylva ... Gibt es denn keine andere Möglichkeit?«
»Meinst du Mama? Keine Chance. Als ich mit ihm angekommen bin, hat sie gesagt, dass ich ihn sofort ins Tierheim bringen soll. Es war schon mühsam, sie zu überreden, dass er bis Montag bleiben darf.«
»Wieso bis Montag?«
»Am Montag fängt doch die Schule an. Mama fährt mich nach Meißen. Wenn du auch hinkommst, kannst du den Hund gleich mitnehmen. Die Leine hab ich schon gekauft. Du kannst sie hinten an der Kopfstütze festmachen ...«

»Erzähl mir nicht, wo ich die Leine festmachen soll! Ich habe noch nicht gesagt, dass ich ihn nehme!«
»Er ist nackt, Papa.«
»Was ist er?«
»Nackt. In der Pubertät. Er hat sich noch nicht genug Schichten zugelegt. Er braucht jemanden, dem er vertrauen kann. Außer dir fällt mir keiner ein.«
»Ich lasse es mir durch den Kopf gehen.«
»Ich schicke dir inzwischen das Foto, damit du dich langsam an ihn gewöhnen kannst.«

Das Wartezimmer ist leer geworden. Von dem letzten Patienten, einem schwarzen Cockerspaniel, ist auf dem Boden ein zerkauter Latexknochen, ein Haarbüschel und ein umgekippter Napf übrig geblieben. Sylva sitzt gegenüber der Tür zur Ambulanz, und die Ungeduld, die sich in ihr im Laufe des langen Nachmittags breitgemacht hat, wird immer intensiver. Sie kann es in dem stickigen Raum kaum aushalten. Noch dazu wächst in ihr eine beklemmende Unruhe. Warum ruft der Arzt sie nicht endlich?
Die Sprechstunde geht gleich zu Ende, sogar die Arzthelferin hinter der Glaswand guckt schon nervös auf die Uhr, aber der Arzt lässt sich Zeit.
»Du bist also Muffins Freund?«, fragte er zu Beginn, als er begriff, wer Sylva zu ihm geschickt hatte, und beugte sich über den Hund.
»Im Augenblick sind sie Nachbarn«, präzisierte Sylva. »Sonst kennen sie sich überhaupt nicht. Das hier ist ein Straßenhund.«
Der Hund kroch rückwärts unter den Stuhl im Wartezimmer, drückte seinen Hintern an die Wand, und aus seinem Hals kamen wieder die tiefen, gedehnten, gesangähnlichen Töne. Andere Tiere im Wartezimmer antworteten wie auf Befehl. Im Nu stieg der Geräuschpegel um einige Dezibel. Der Arzt musste seine Stimme heben.
»Sieh da, ein Bariton!«, rief er mit Bewunderung. Die zum Strei-

cheln ausgestreckte Hand vergrub er wieder in der Kitteltasche.
»Wer hat dir das beigebracht? Dein Frauchen?«
»Ich sag doch, dass ich ihn gefunden habe.«
»Wo denn?«, er musterte den Hund, dann blieb sein Blick an Sylva haften. Sie sah das Misstrauen in seinen Augen.
»Am Flughafen. Er hatte kein Halsband, nichts. Ich habe ihn im Rucksack nach Hause gebracht.«
Vor Angst hatte er sie bepinkelt, als sie ihn in den Rucksack stopfte. Sie musste schnell den Reißverschluss zuziehen – nur ein kleines Stückchen ließ sie offen, sonst wär er hinausgeklettert. Die ganze Zeit über hatte er so leidenschaftlich gesungen, dass Sylva es nicht wagte, in ein öffentliches Verkehrsmittel zu steigen. Sie ging zu Fuß, den Rucksack mit dem Hund auf dem Bauch, damit sie ihn sehen konnte. Als sie endlich zu Hause ankam, war sie in Schweiß gebadet und völlig erledigt. Der Hund kroch unter das Bett und versteckte sich dort für den Rest des Nachmittags. Erst abends schlich er sich zu dem Teller hin, den Sylva ihm hingestellt hatte, und fraß gierig ein Hühnerschnitzel. Dann schlürfte er ausgiebig Wasser aus dem Plastiknapf. Sylva und ihre Mutter beobachteten ihn aus der Küche. Die Mutter schüttelte den Kopf.
»Welche Rasse ist das?«
»Wohl ein Mischling.«
»Er sieht aus wie ein Fuchs.«
Sehr wahrscheinlich hatte die Mutter zum letzten Mal als Kind in Karl-Marx-Stadt einen lebendigen Fuchs gesehen. Hinter Gittern, im Zoo. Sylva dagegen begegnete den Füchsen an den Hängen der Elbe ziemlich oft. Im Winter trauten sie sich bis in den Garten und suchten etwas zu fressen. Sylva konnte vom Fenster aus ihre zierlichen Körper sehen, die sich in den Schneewehen beinahe verloren.
»Füchse sind kleiner, Mama. Vielleicht kannst du dich an den Fuchsschwanz aus dem Physikunterricht erinnern.«
»Natürlich, genau wie dieser da.«
»Er ist buschiger und ziegelrot.«
»Dann ist es ein Wolf.«

Mit ihrer Mutter über Rassen und Gattungen zu sprechen, machte keinen Sinn. Teilweise musste Sylva ihr jedoch recht geben. Das gefundene Tier hatte etwas Wildes, Ungezähmtes an sich. Vor allem war es scheu. Es erweckte den Eindruck, die Anwesenheit der Menschen zwar zu ertragen, sie aber nicht zu suchen. Mit keinem Blick, keiner Berührung bemühte es sich, Kontakt aufzunehmen. Es folgte seinen Instinkten. Sie veranlassten ihn gestern aus seinem Versteck hervorzukommen und befahlen ihm, sich Sylva zu nähern, Nahrung zu erbetteln, seine Wunde zu zeigen.

»Hat ihn schon jemand behandelt?«, fragte der Arzt, als Sylva den Hund endlich aus der Ecke unter dem Stuhl im Wartezimmer hervorgezogen hatte und ihn auf dem Untersuchungstisch platzierte. Die rutschige Tischplatte unter seinen Füßen erschreckte ihn dermaßen, dass er zittrig im Stillstand verharrte, winselte und sich nicht traute, auch nur einen Schritt zu tun. Die Wunde am Schenkel ähnelte dem Gelben Fluss in China.

»Ich habe es mit Jodtinktur gereinigt«, erklärte Sylva. Locker. Als ob es für sie Routine wäre. In Wirklichkeit hatte nur ganz wenig gefehlt, um bei der Prozedur einige Finger zu verlieren. Am Abend, als der Hund satt war und Anstalten machte, wieder unter dem Bett zu verschwinden, fasste sie ihn beim Schwanz und zog ihn heraus. Er strampelte, fletschte die Zähne, versuchte sie zu beißen. Sylva drückte ihn aber mit ihren Knien zu Boden und Mutter band sein Maul mit einem Gürtel zu. Dann brachten sie ihn ins Badezimmer. Dort stutzten sie ihm das Fell am Schenkel, Sylva säuberte die Wunde und legte einen Verband an. Als sie sein Maul wieder freigaben, schnappte er so heftig nach ihr, dass sie es fast nicht schaffte, auszuweichen.

»Es würde mich interessieren, wann er das letzte Mal gebadet wurde«, bemerkte der Arzt, während er die Spritze mit Betäubungsmittel aufzog. Er schüttelte den Kopf, offensichtlich voller Bedenken, und beobachtete den abgemagerten Tierkörper mit dem schmutzigen Fell. »Falls er je gebadet wurde. Er stinkt wie ein Frettchen!«

Ja, er hatte Recht. Wie nach Frettchen hatte morgens das ganze Badezimmer gestunken. In den Ecken lagen Reste des abgerissenen Verbandes, der Hund hatte sich in die Dusche verkrochen, vor seinen Pfoten eine zerkaute Zahnpastatube. Überall auf dem Boden Pfützen. Mutter sagte kein Wort, aber Sylva sah, dass sie den Atem anhielt. Vor dem Gang zur Arbeit kämmte und schminkte sie sich in der Küche. *Wir machen hier einen Fehler* verriet ihr Gesichtsausdruck. Am Ende arrangierten sie sich. Wenn Vater versprach den Hund zu nehmen, würde Mutter es mit ihm bis Montag in der Berliner Wohnung aushalten. Sollte das nicht der Fall sein, würde Sylva das Tier ins Tierheim bringen. Mutters großer Vorteil: Sie spricht deutliche Worte. Sie sucht keine Ausreden, täuscht auch nichts vor. Sylva kann sich darauf verlassen, dass sie sich an die Abmachung hält, auch wenn der Hund bis Montag die ganze Wohnung bepinkelt und alle Hygieneartikel auffrisst.

»Es wird etwa eine halbe Stunde dauern, bis er sich beruhigt und ich ihn behandeln kann«, sagte der Arzt, nachdem er dem Hund ein Betäubungsmittel gespritzt hatte. »Setz dich mit ihm solange ins Wartezimmer.«

Seitdem warteten sie. Schon eine ganze Ewigkeit. Während Sylvas Anspannung stieg, versank der Hund in Lethargie. Sie beobachtete ihn. Er presste den Hintern zuerst an die Wand, nach einer Weile setzte er sich hin, den Blick aufmerksam auf die Tür gerichtet. Allmählich ließ aber seine Wachsamkeit nach und er sank mit erhobenem Hals zu Boden. Er gähnte in immer kürzeren Zeitabständen und schließlich legte er seinen Kopf auf den Rucksack und schlief ein. Sylvas Blick glitt über ihn. Das war kein niedlicher Hund. Der Schädelbau verriet, dass er eine spitze Nase mit großen Nasenlöchern und eine kräftige Schnauze haben würde, wenn er ausgewachsen war. Die eng geschnittenen Augen saßen ganz nah an der Nasenwurzel, sodass er hinterlistig wirkte. Die kleinen Tiere im Wartezimmer reagierten gereizt auf ihn, der schwarze Cockerspaniel hörte nicht eine Sekunde auf zu knurren.

»Er mag keine Schäferhunde«, erklärte seine Besitzerin. »Das ist ein Belgier, oder?«
Sylva zuckte die Achseln. Es war ihr ziemlich egal, ob sie einen Belgischen Schäferhund oder einen Mischling ohne Stammbaum gefunden hatte. Was sie beschäftigte, war die Verbindung, die sie zwischen sich und dem Hund spürte. Als ob sie seit dem Augenblick, als sein Kopf aus dem Gebüsch hinter der Landefläche auftauchte, genau das getan hatte, was er wollte. Ein Teil seines Wesens ging auf sie über, beherrschte sie unterschwellig und lenkte ihre Schritte. Am deutlichsten äußerte sich das, indem er sie seinen Schmerz an ihrem eigenen Körper spüren ließ. Ganz egal auf welch wundersame Weise diese Übertragung auch geschah, sie funktionierte. Der Schmerz weckte Anteilnahme in Sylva, und er legte sein Schicksal in ihre Hände. Erst wollte sie es ihrer Mutter erzählen, aber dann wurde ihr bewusst, dass es keinen Sinn hätte. Mutters Sachlichkeit würde mit solchen Gedanken gar nichts anfangen können. Schließlich stieg sie aufs Dach zu Robin – nicht nur wegen des gefundenen Tieres. Seit der ersten Begegnung interessierte er Sylva. Sie nahm eine gewisse Verwandtschaft zwischen ihnen wahr, die sie anzog und ihr ein Intimitätsgefühl vermittelte. Sie spürte, dass sie mit ihm ohne Verlegenheit schweigen, aber auch über alles sprechen konnte. Auch über abstrakte Dinge. Vielleicht war das der Grund, überlegte sie, warum er Mathe mochte. Mathematik als Ganzes war etwas Abstraktes. Unfassbares. Die unteren Stufen dieses Gebildes ließen sich ohne Inspiration, allein mit rationalem Denken beherrschen. Der hoch aufragende Rest der Konstruktion entzog sich jedoch allen herkömmlichen Denkschemata. Das Gespräch auf dem Dach kreiste sowieso um ganz andere Sachen. Wesentlich unfassbarere.
»Einen Augenblick bitte, ich verbinde«, hört Sylva die gedämpfte Stimme der Arzthelferin hinter der Glaswand. Sie spricht am Telefon. Den Kittel hat sie schon ausgezogen, über ihrer Schulter hängt eine Handtasche. Offensichtlich will sie weg. »Herr Krassnig ...« Sie dreht der Glaswand den Rücken, ihre Stimme wird noch lei-

ser. Sylva spitzt automatisch die Ohren. »Ich verbinde Sie mit der Behörde ...«
Den Rest des Satzes versteht Sylva nicht. Alarmiert steht sie auf. Das Telefongespräch betrifft ohne Zweifel sie und das Fundtier. Sie tritt an die Tür zur Ambulanz heran, zögert kurz, macht aber dann ohne anzuklopfen die Türe auf. Der Arzt sitzt mit dem Rücken zu ihr.
»Sie behauptet, dass sie ihn gefunden hat«, sagt er ins Telefon. Mürrisch. Auch er würde gern nach Hause gehen. »Aus Grunwald? Machen Sie Witze? In deutschen Wäldern gibt es keine Kojoten. Und ein Flughafen, soweit meine Kenntnisse ausreichen, ist auch kein natürliches Territorium für sie. Sie sind Präriewesen. Er muss von jemandem hier aus ...«
Sylva dreht sich um. Das Tier liegt in einem tiefen Kunstschlaf auf dem Boden. Er sieht tot aus. In seinem entspannten Körper bewegt sich kein Muskel, aus dem halb geöffneten Maul fließt Speichel auf den Rucksack. Ein Präriewesen. Ein Kojote.
»Ich verstehe«, sagt der Arzt am Telefon. »Selbstverständlich, er wurde betäubt. Ich hab ihm ...«
Beim Sprechen dreht er sich ein wenig zur Tür. Über sein Gesicht huscht ein Ausdruck von Überraschung, getarnt durch ein unbeholfenes Lächeln. Er erhebt sich vom Stuhl, den Hörer immer noch am Ohr. Mit einer Handbewegung deutet er Sylva an, dass sie warten soll. Es passiere nichts, er werde ihr gleich alles erklären, nur Geduld. Sylva schließt die Tür wieder. Natürlich wartet sie nicht auf seine Erklärung. Sie macht zwei schnelle Schritte, bückt sich, hebt das ohnmächtige Tier vom Boden und schleppt es aus dem Wartezimmer. Durch die Glaswand erhascht sie den besorgten Blick der Arzthelferin.
»Moment mal!«, ruft sie Sylva nach und läuft hinter ihr her. »Warten Sie!«
Sylva beschleunigt ihre Schritte. Sie flitzt durch den Flur und stürzt hinaus ins Freie. Trotz der fortgeschrittenen Nachmittagsstunde ist die Straße wieder unerträglich heiß. Wie ausgestorben. In der zwi-

schen den hohen Häusern stehenden Luft pulsiert Staub. Sylva zögert keinen Augenblick. Mit dem Tier im Arm rennt sie so schnell sie kann weg. Sie hat keine Ahnung, was jetzt zu tun ist. Sie überlegt nur fieberhaft, welche Spuren sie hinterlassen hat. In der Ferne hört man es donnern.

◆◆◆

»Niklas? Ich bin nicht sicher, aber ich glaube, dass ich Geburtstag habe. Was für ein Tag ist heute?«

»Der sechzehnte.«

»Das könnte stimmen.«

»Wieso könnte? Wann bist du geboren?«

»Laut meiner Mutter war der Kopf am sechzehnten draußen, die Ferse am siebzehnten. Ich hatte immer das Gefühl, der Kopf ist wichtiger als die Ferse, also hab ich am sechzehnten gefeiert.«

»Aber wenn der Rest nicht rausgekommen wäre, könntest du gar nicht feiern.«

»Genau das haben auch die Ärzte gesagt, und dementsprechend haben sie meine Geburtsurkunde ausgestellt. Trotzdem ist es mir heute festlich zumute.«

»Darf ich dich irgendwohin einladen?«

»Weißt du was? Wir werden uns Züge angucken und einfach da sein. Nur so.«

»Willst du deinen Geburtstag auf dem Bahnhof verbringen?«

»Gefällt's dir hier nicht?«

»Ich möchte dir ein Geschenk geben.«

»Nicht nötig. Was ich brauche, kann ich mir immer selbst organisieren.«

»Hör auf! Ich will dir was schenken!«

»Was denn?«

»Etwas, was du dir nicht organisieren kannst, was dir kein anderer geben kann. Ich muss nachdenken.«

»Lass dir Zeit. Ich werde inzwischen Züge anschauen.«

»Und was, wenn mir bis zum Abend nichts einfällt?«

»Dann schenkst du's mir morgen. Oder in einer Woche. Oder in einem anderen März. Denn Geburtstag hat man jedes Jahr – zumindest die große Mehrheit der Menschen.«

Ich bin total geschafft. Eigentlich hatte ich gehofft, bis zur Elisenbrücke zu kommen, aber ich habe mich überschätzt. Ich muss mich ausruhen. Die Baustelle am Hafenende liegt schon im Dunkeln. Ich setze mich auf den Sockel einer zukünftigen Terrasse und relaxe. Bis auf ein Radfahrerpärchen, das sich in Richtung Stadtzentrum schleppt, bin ich allein auf dem Kai. Direkt vor mir ragen zwei eiserne Figuren aus der Spree heraus, durchlöchert wie ein Sieb. Sie täuschen vor, auf der Wasseroberfläche zu tanzen. Aus einer leichten Vogelperspektive, von der Brücke aus vielleicht, könnten sie den Eindruck erwecken, vom Bildhauer beabsichtigt, luftig und geschmeidig zu sein. Aber aus meiner Perspektive wirken sie schwerfällig. Ohne Energie. Wie ich.
»Penn dich zu Hause aus«, riet mir der Bulle, der mich von der Bank im Thälmannpark zog. Es war halb drei Uhr morgens, noch dunkel, der Rasen dampfte feucht. Die krankhafte Hitze des Tages wurde von Tau befeuchtet. Für einen Moment. Der Bulle war ein dienstlich reservierter, harmloser Trottel. Er hatte die Vorstellung eines ordentlichen Parks und ich passte nicht in dieses Bild. Es war egal, ich konnte sowieso nicht schlafen. Nach dem dreitägigen Entzug platzten meine Nerven wie Glasfasern, alles in mir zuckte, alles tat weh. Das Atmen, das Schlucken, mein ganzer Körper, jeder Muskel. Am schlimmsten war es beim Gehen. Von der ständigen Belastung waren meine Zehen angeschwollen und die Knie fühlten sich an wie Wachs. Mit aller Kraft bemühte ich mich, nicht daran zu denken, weil ich dagegen sowieso nichts tun konnte. Nichts, außer weiterzugehen. Stehen bleiben kam nicht in Frage. Kommt nicht in Frage. Stehen bleiben heißt, Evita nicht finden.

Die Sonne ist untergegangen, der Fluss hat seinen Glanz verloren, und am Himmel ziehen weiße und graue Wolken auf. Etwas liegt in der Luft. Hoffentlich ein kräftiger Schauer. Es hatte schon eine ganze Ewigkeit nicht geregnet. Als ich nachmittags duch Heinersdorf lief, in der leisen Hoffnung, Evita gerade dort zu finden, wo wir zum ersten Mal zusammen Dope ausprobiert hatten, bemerkte ich, wie rissig die Erde schon geworden war. Die meisten Gärten sahen aus wie nach einem Brand. Keine Blumen, gelber Rasen, trockenes Laub am Boden. Hier, mitten in der Stadt, nahm man es nicht so stark wahr, aber wenn man irgendwohin kam, wo es sonst grün war, sprang es einem ins Auge. Die Heinersdorfer Kleingartenkolonie hatte sich sich im Laufe des Sommers in eine Prärie verwandelt.

»Das nenn ich Apokalypse!«, rief ein Opa einem anderen über den Zaun zu. »Der vierte Engel goss die Zornesschale in die Sonne und die Menschen wurden von ihr mit großer Hitze versengt.«

»Menschen haben dieses Klima gemacht, Menschen sollen es auch genießen! Was aber wird mit meinem Aprikosenbaum? Der kann nichts dafür und leidet nicht minder!«, beklagte sich der andere. Beide warfen mir einen bösen Blick zu, als hätte ich schuld am Ausgießen der Zornesschale und überhaupt an diesem Klima. In dem Augenblick fiel mir ein, dass das kein schlechter Film wäre. Eine verbrannte Landschaft, überall verzweifelte Menschen, und ein armer Depp latscht ständig mit geschwollenen Füßen umher und sucht jemanden. Alle sehen in ihm einen Verdächtigen, weil er den Anschein erweckt, das ganze Unheil verursacht zu haben. Am Ende stellen sie ihm eine Falle, erwischen und lynchen ihn. In dem Augenblick fängt es an zu regnen …

Man müsste den Film in diesem Sommer drehen, womöglich jetzt gleich. Damit die Spannung hielt, durfte der Film nicht zu lang sein, und den Deppen müsste ein Naturtalent spielen, zum Beispiel ich.

Der Betonsockel, auf dem ich sitze, ist immer noch warm, aber sonst wird es jetzt unter dem bewölkten Himmel kühler. Auch die Nähe des Flusses trägt dazu bei, ich spüre sogar einen Windhauch. Einen ganz leichten, seichten. Er hat nicht mal genug Kraft, einen weggeworfenen Kaffeebecher wegzupusten. Er schaukelt ihn nur hin und her. Oben auf dem Hafenkran spielt der Wind mit einem beweglichen Teil. Ab und zu hört man ächzenden Stahl. Sonst ist

es still. Die gerade Linie des Kais scheint mit der übrigen Stadt nichts zu tun haben. Sie läuft am Wasser entlang, und irgendwo, man kann nicht genau erkennen, wo, verschmilzt sie mit ihm. Sie verliert sich einfach. Das ist höchstwahrscheinlich der Grund, warum ich Evita an diesem Platz suche. Sie kam gern hierher. Sie sagte, dass sie den Osthafen fast genauso mag wie den Bahnhof.
»Vielleicht hätte ich nach Hamburg fahren sollen, dort ist die Ferne näher«, überlegte sie einmal, als wir hier saßen und uns einen Joint drehten. »Ich verstehe nicht, warum mich Berlin immer so angezogen hat.«
»Du hast gewusst, dass ich hier auf dich warte.«
Sie gab mir recht. »Ich hab gewusst, dass etwas hier auf mich wartet. Es hätte aber auch anders ausgehen können. Stell dir vor, du hättest damals auf der Rolltreppe zwei Stufen tiefer gestanden und ein anderer hätte mich aufgefangen!«
»Er hätte eins auf die Fresse gekriegt«, sagte ich. Sie lachte. Ihr herrlich heiseres Lachen rief in mir ein kleines Erdbeben hervor. Wie jedes Mal. Sie konnte nicht ahnen, dass es gerade ihr Lachen war, was mich zu ihr hinzog. Schon lange vor der Störung der Rolltreppe, schon im Waggon. Sie stand am anderen Ende, las eine Zeitschrift und lachte sich kaputt. Es interessierte sie nicht, dass alle Köpfe sich in ihre Richtung drehten, dass die Leute ihr einen Vogel zeigten oder sich anstecken ließen und mitlachten. Ich lachte nicht. Ich starrte sie an, und über meinen ganzen Körper trippelten kleine sanfte Pfoten. Ich hatte noch nie vorher so was gespürt, so was erlebt. Mir war sofort klar: Wenn sie aussteigt, steige ich auch aus, wenn sie nach links geht, gehe ich auch nach links, ich lasse sie keinen Moment aus den Augen, für nichts auf dieser Welt trenne ich mich von ihr. Es hätte also nicht anders ausgehen können. Auf der Rolltreppe, die plötzlich stehen blieb, hätte kein anderer sie auffangen können.
Ich stehe auf, denn ich habe keine Zeit, hier ewig zu sitzen. Ich mache ein paar Schritte, bis sich wieder die schmerzenden Zehen und alles andere melden. Nicht nur der Entzug und die durch-

wachte Nacht machen mich so fertig, ich verliere immer mehr die Hoffnung. Je mehr Zeit seit unserer letzten Begegnung verrinnt, je mehr Gegenden ich durchsucht habe, desto geringer wird die Chance, Evita zu finden. Vielleicht ist sie nicht mehr in Berlin. Möglicherweise rückt sie weiter fort in Richtung Ferne. Nach Hamburg oder anderswohin. Mit Hilfe der Kohle aus Butzkes Kasse könnte sie per Billigflug an einen anderen Ort in der Welt kommen, das ist mir klar. Was mir nicht klar ist, ist der Sinn. Was würde sie dort suchen? Warum ließ sie mich hier allein. *Du bist der einzige Mensch, der mir am Herzen liegt.* Seit sie das gesagt hat, sind etwa fünfzig Stunden vergangen. Ich habe keinen Grund zu vermuten, dass sich innerhalb dieser Zeitspanne etwas geändert hat – etwas Grundlegendes.

Das Licht zieht sich langsam zurück, der Himmel ist schon fast vollständig bedeckt. Die abendlichen Schwalbenformationen beginnen sich aufzulösen. Sie spüren den Regen, beschleunigen ihren Flug und verlieren an Höhe. Es sieht aus, als wollten sie sich mit den Flügeln von der Wasseroberfläche abstoßen. Ich gehe an einer Umzäunung aus rostigem Blech vorbei, die immer noch Sonnenwärme ausstrahlt, und nähere mich dem Kran. Er steht still und verlassen da, nur auf dem Dach des Führerhauses bewegt sich etwas. Ich bleibe stehen und gucke hinauf. Das Etwas ist gelborange. Plötzlich gerät mein Atem ins Stocken. Als Evita zu mir in den Laden kam, an dem Tag, an dem ich sie zuletzt gesehen habe, trug sie ein gelbes T-Shirt. Ein gelboranges.

»Evita?«, rufe ich. Es klingt schwach. Meine Stimmbänder sind rau, weil ich lange mit niemandem gesprochen habe. Ich räuspere mich und versuche es noch mal: »Evita, bist du das?«

Keine Antwort. Der gelbe Fleck oben auf dem Maschinenraum wippt leicht und unregelmäßig. Ich trete noch ein Stück näher heran, aber es hilft nicht viel. Das Einzige, was ich mit Sicherheit erkennen kann, ist die Farbe und die Bewegung. Jemand hockt auf dem Führerhaus, drückt den Rücken gegen das Geländer und wackelt ein bisschen.

»Evita?«, rufe ich noch mal. Diesmal gelingt es mir, meine Stimme auf das Zwerchfell zu stützen, sodass sie voll zur Geltung kommt. Sie muss mich gehört haben. Falls sie da oben sitzt. Und falls sie nicht total stoned ist. Mir wird übel bei der Vorstellung, wie sie bis nach oben geklettert ist und wie einfach sie herunterfallen könnte. Das Dach der Steuerkabine befindet sich nach meiner Schätzung etwa zwölf Meter über dem Boden, vielleicht noch mehr. Vom Fahrgestell aus führen Leitern nach oben. Auf mehreren Seiten und in verschiedenen Größen. Um dahin zu kommen, wo sie gerade sitzt, muss man zunächst von der einen Seite der Drehscheibe, die unterhalb der Kabine liegt, auf die andere kommen. Erst von dort aus konnte sie weiterkraxeln. Die Leiter ist zwar mit Rundbügeln geschützt, aber das macht sie in meinen Augen nicht attraktiver. Sich Sprosse für Sprosse nach oben zu plagen, um sich dort ungestört einen Schuss zu geben, kommt mir absolut wahnsinnig vor.

Eine würdige Tat für eine Königin.

»Evita!«, brülle ich, so laut ich kann. Der gelbe Fleck schaukelt wieder, dann ändert er seine Lage – und verschwindet aus meinem Blickfeld. Sie hat sich wahrscheinlich hingelegt. Jetzt weiß ich: Sie versteckt sich vor mir!

»Die Knete ist wieder zurück in der Kasse«, schreie ich und hoffe, dass sie es glaubt. »Ich weiß, dass du sie gebraucht hast! Hörst du?«

Es hat keinen Sinn, hier herumzustehen und zu grölen. Es bringt nichts, ich ziehe damit höchstens Aufmerksamkeit auf mich. Ich muss was unternehmen. Jemanden finden, der sie herunterholt. Ich habe keine Ahnung, wen. Auch wenn hier ein Wärter oder Kranführer wäre, würden sie nichts riskieren. Sie würden die Polizei rufen. Wenn Evita das Vertrauen zu mir verliert, könnte sie eine Dummheit machen. Vor allem wenn sie zugekokst ist. Rein theoretisch wäre die beste Lösung, selbst zu ihr nach oben zu klettern. Es klingt kinderleicht, ist aber in der Praxis nicht durchführbar. Nie werde ich in diese Höhe aufsteigen können. Auch wenn ich

es noch so sehr wollte, ich könnte es nicht. Die bloße Vorstellung macht mir weiche Knie.
Der Himmel hat keine Wölbung mehr, er ähnelt einem heruntergefallenen Schieferdach. Der Regen kommt sicher bald. Ich glaube sogar, das Gemurmel des fernen Donners zu hören.
»Evita!« Ich versuche es zum letzten Mal. Keine Reaktion von oben. Möglicherweise ist sie gar nicht dort. Bestimmt sogar. Irgendein T-Shirt liegt da oben herum, oder ein gelber Lappen, mit dem die Mechaniker Teile geputzt haben. Nur einem Verrückten würde in den Sinn kommen, auf einen Hafenkran zu klettern.
Ich setze mich langsam in Bewegung, um endlich die Brücke zu erreichen. Das Donnern kann man jetzt ganz deutlich hören. Es kommt von Westen her, wächst und verhallt, wie im Kino mit Dolby Digital Sound. Der ächzende Teil oben am Kranarm meldet sich wieder. Es klingt wie ein eisernes Schluchzen. Ich bleibe unschlüssig stehen. Wer weiß, vielleicht ist es gar nicht so furchtbar, eine gesicherte Leiter nach oben zu klettern!? Man guckt einfach auf die Sprossen und die eigenen Hände, nichts weiter. Die Tiefe sollte man besser vergessen. Stattdessen an wichtige Sachen denken. Zum Beispiel an die schwarze Träne in Evitas Augenwinkel. Einmal erzählte sie mir, dass sie in der Kindheit versucht hatte, sie wegzukratzen. Ich bin froh, dass es ihr nicht gelungen ist. Die Träne verleiht ihr einen einmaligen Ausdruck, sie kann damit gleichzeitig lachen und weinen.
Ich trete an den Kran heran und teste mit dem Fuß die unterste Sprosse. Sie ist fest, solide. Ganz zuverlässig. Ich versuche die zweite – absolut stabil. Am Fahrgestell ist ein Schild mit der Adresse des Herstellers und diversen anderen Daten befestigt. Ich kenne mich da nicht aus, aber bestimmt ist alles so, wie es sein soll: vielfach überprüft, gepflegt, perfekt. Die Leiter, auf der ich stehe, sind Dutzende, wenn nicht Hunderte von Leuten vor mir hochgeklettert. Keinem ist was passiert. Es ist eine für Extremhöhen geeignete Leiter. Eine bewährte Leiter. Auch die dritte Sprosse ist fehler-

frei. Der Stahl, den ganzen Tag über heiß, fühlt sich an den Handflächen angenehm an.
Ich hebe den Kopf. Über mir sehe ich die Drehscheibe, weiter oben erhebt sich massiv der Kasten des Führerhauses. Nicht zwölf, höchstens zehn Meter hoch. Vielleicht sogar weniger. Das schaffe ich doch. Ich darf nicht darüber nachdenken, ich tu es einfach. Es gibt keinen Grund zur Panik. Ich komme nach oben, setze mich neben sie und nehme ihre Hand. Ich werde ihren Puls fühlen. Wir sagen uns alles, verzeihen uns alles. Dann kommen wir auf den Boden zurück. Zusammen. Es ist wertlos, etwas allein zu machen. Ohne Evita ist alles wertlos.

◆◆◆

Der Kojote (lat. *Canis latrans)* ist ein nordamerikanisches Raubtier. Er zählt zu den Hundeartigen. Sein Name leitet sich vom aztekischen Wort *cÿyotl* ab, was singender oder heulender Hund bedeutet. Aus ihrer ursprünglichen Heimat, der mexikanischen Hochebene, drangen diese Präriewesen allmählich nach Norden vor, und heute sind sie fast über den ganzen Kontinent Nordamerikas verbreitet. Der Kojote ist sehr anpassungsfähig in der Nahrungsaufnahme. Er nimmt auch mit Kleinsäugern, Reptilien, Lurchen und Aas bis hin zu Insekten, Früchten und Gras vorlieb. Die Kojoten jagen meist allein oder in Paaren. Wenn es die Situation erfordert, schließen sie sich einem anderen Raubtier an, einem Fuchs oder einem Dachs, hetzen ihre Beute gemeinsam und bewohnen sogar gemeinsam eine Höhle. Sie sind wahre Überlebenskünstler und es gelingt ihnen auch, sich in mageren Jahren durchzuschlagen. Es stimmt nicht, dass sie Menschen attackieren. Sie respektieren menschliches Territorium und dringen nur in der höchsten Not ein.
Der Kojote spielt eine bedeutsame Rolle in der Mythologie der nordamerikanischen Indianer. Er stellt einen pfiffigen Schelm dar, der einerseits den anderen Wesen hilft, andererseits sie zu überlisten versucht, um das zu erreichen, was er will. Er verkörpert Unordnung, aber auch List, Leidenschaft und Klugheit. Indem er die Harmonie der Umgebung stört, zwingt er die Menschen aktiv zu werden, ihr Leben in die Hand zu nehmen. Jedoch nicht immer gelingen seine Pläne. Manche Stämme halten Großvater Kojote für den Schöpfer der Welt.

Sylva wendet ihren Blick vom Monitor ab und schaut sich um. Nichts ist passiert: Der Kojote liegt immer noch ganz leblos in der Ecke. Oder? Jetzt bemerkt sie doch eine kleine Veränderung. Der vorhin noch gestreckte Hals ist jetzt gebogen, sodass die Nase das

Vorderbein berührt. Die Haare auf der Pfote bewegen sich leicht in der Atemströmung. Seine Augen sind geschlossen. Sylva dreht sich zurück zum Laptop und klickt auf Fotogalerie. Der Monitor zeigt eine Reihe Bilder. Präriewölfe, festgehalten in verschiedenen Situationen und Bewegungen. Der Kojote erreicht eine Kopf-Rumpf-Länge von 70 bis 97 cm, eine Schwanzlänge von 30 bis 38 cm, eine Schulterhöhe von 45 bis 53 cm und ein Gewicht von 10 bis 20 kg, liest sie den Kommentar unter einem Bild. Nach einer Tragzeit von 60 bis 64 Tagen bringt das Weibchen 5 bis 7 blinde Junge, mit einem Gewicht von 350 g, zur Welt. Nach etwa 6 Wochen beginnen die Jungen mit der Erkundung ihrer Umgebung außerhalb ihres Baues. Mit 8 Wochen werden sie entwöhnt und lernen zu jagen. Wenn der Sommer sich dem Ende nähert, lösen sich die Jungen nach und nach von den Eltern und begeben sich auf Reviersuche ...
Ein Geräusch hinter ihrem Rücken zwingt Sylva sich umzudrehen. Das rechte Auge des Kojoten ist halb geöffnet, die goldgelbe Pupille starrt den Plastiknapf an, den Sylva etwas abseits hingestellt hatte. Seitdem sie zu Hause sind, hat er noch nicht getrunken. Die Wirkung der Betäubung lässt allmählich nach. Jetzt hat er sogar geniest. Das reißt ihn aus seinem Dämmerschlaf. Er öffnet auch das andere Auge, hebt den Kopf, dann die Brust. Langsam und vorsichtig fängt er an, die Wunde zu lecken.
»Was hat der Arzt gemacht?«, fragte die Mutter, als sie vom Büro kam und das verletzte Bein musterte, das keinen sichtbaren ärztlichen Eingriff vorwies.
»Er hat die Wunde gesäubert und ihm eine Spritze gegeben.«
»Warum hat er ihm das Bein nicht verbunden?«
»Es soll so besser sein«, antwortete Sylva und wich dem Blick ihrer Mutter aus. Trotz Hunderter ausgedachter Schulentschuldigungen hat sie sich die Fähigkeit zu lügen nie richtig angeeignet. »An der Luft kann es schneller trocknen, hat er gesagt.«
Die letzten Ereignisse – ihre Flucht aus dem Wartezimmer, der Dauerlauf mit dem Tier im Arm durch die staubtrockenen Stra-

ßen, Mutters Ankunft – das alles ging so schnell, dass sie keine Zeit hatte, sich eine Strategie zurechtzulegen. Das Einzige, was sie sicher wusste, war, sie konnte nicht die nackte Wahrheit sagen, zumindest vorläufig noch nicht. Sie musste sie irgendwie zurechtschneidern, um Mutter auf ihre Seite zu ziehen. Auf die Seite des Kojoten. Zum Glück fragte Mutter sie nicht weiter aus. »Zieh dich um, wir gehen essen«, gab sie bekannt. »Ich habe einen Tisch im Gorizia für uns und ein paar meiner Kollegen reserviert. Unser letztes Projekt wurde genehmigt, das wollen wir feiern.« Nur mit Mühe konnte Sylva dem Drängen ihrer Mutter widerstehen. Sie gähnte demonstrativ und täuschte Müdigkeit vor. Sie musste allein sein, um nachdenken zu können.
»Komm doch mit, es gibt dort tolle Lasagne«, versuchte ihre Mutter sie zu ködern. »Und Gnocchi mit dieser Käsesoße, die du so magst!«
»Ich hab keinen Hunger.« Sylva fügte dem vorgetäuschten Müdigkeitssyndrom auch noch Appetitlosigkeit hinzu. »Außerdem sollte er nicht allein bleiben. Er kommt jetzt langsam zu sich.«
Das letzte Argument überzeugte die Mutter.
»Der arme Hund«, sagte sie und blieb mit einem Blick voller Anteilnahme am Kojoten haften. »Wer weiß, was er schon alles durchgemacht hat. Hast du gefragt, welche Rasse das ist?«
»Wahrscheinlich ein Belgischer Schäferhund.«
»Und was ist mit deinem Vater? Nimmt er ihn?«
»Vielleicht. Ganz sicher hat er noch nicht zugesagt.«
»Ich rufe ihn an«, versprach sie. »Ich werde ihn selbst fragen.«
Sylva nickte schweigend. Die Eltern mochten plaudern, so lange sie wollten, es wurde ohnehin alles anders. Einen Hund würde sie dem Vater schon irgendwie andrehen können, aber nicht einen Kojoten. Seine Anwesenheit im tschechischen Dorf wäre verheerend. Sie würde nicht nur den sofortigen Tod des Chihuahuas, der dem Winzer gehört, bedeuten, sondern mit Sicherheit auch ein Blutbad in Hühnerställen und Kaninchenställen auf sämtlichen Höfen der näheren Umgebung mit sich bringen. Schließlich würde

er hinter Gittern landen, oder man würde ihn gleich erschießen. Aber hat er überhaupt eine andere Perspektive? Die Aussichten *des singenden Schöpfers* tief im Westen des europäischen Kontinents erschienen Sylva alles andere als gut. Genauso wie die Aussichten auf ein freies, ungebundenes Leben. Für wen auch immer. Sylva wurde bewusst, dass sie nicht nur Mitleid mit dem Kojoten hatte, sondern dass sie sich mit ihm, in gewissem Sinne, auch identifizierte. Während ihrer Wanderungen über das Mittelgebirge, in der Zeit bevor sie vom Gymnasium geflogen war, hatte sie oft über einen annehmbaren Platz zum Leben nachgedacht. Sie dachte immer noch darüber nach. Die globalisierte Welt kam ihr wie ein kleines beleuchtetes Schaufenster vor, völlig geheimnislos, jämmerlich überschaubar. Es weckte keine Sehnsucht. Trotzdem hatte Sylva in ihrem Atlas die von der Zivilisation am wenigsten heimgesuchten Gebiete – die für einen Höhlenmenschen geeigneten markiert. Als sie diese dann aufgelistet hatte, stellte sie fest, dass keines von ihnen in West- oder Mitteleuropa lag.

Der Kojote steht auf. Ob die verstrichene Zeit, Sylvas Jodbehandlung oder die heilende Wirkung seines Speichels der Grund dafür ist, jedenfalls schließt sich die Wunde am Bein langsam. Er hinkt auch nicht mehr so deutlich. Sylva beobachtet, wie er sich dem Napf mit Wasser nähert, seinen Kopf hineinsteckt, gierig trinkt. Er ist abgemagert, schmutzig, aber trotz seines erbärmlichen Zustandes irgendwie herrlich. Sie spürt die Souveränität des wilden Tiers, die den gezähmten Rassen längst abhanden gekommen ist. Er strahlt natürliche Würde aus, die keine unnützen Fragen stellt. Er kümmert sich nicht darum, was ihn erwartet. Er weiß nicht, dass ein Kojote in Kreuzberg zu sein, eine unglückliche Angelegenheit ist, ein Zusammenspiel seltsamer Zufälle, das keine Zukunft haben kann.

»Wir Menschen sind schlimmer dran«, würde Filip sagen, wenn er hier wäre. Sylva kann seine Worte deutlich hören. »Schau dir den Ablauf der letzten Jahrtausende an. Kannst du da was Befriedigendes ausmachen? Wohin der Mensch auch nur gekommen ist,

hat er einen Saustall hinterlassen. Wenn ihm ausnahmsweise einmal etwas gelungen ist, hat er es gleich missbraucht. Welche Zukunft kann auf uns wohl warten? Warum sollte sie besser sein, als die Vergangenheit? Nenne mir bitte einen einzigen Grund!«
Filips Überlegungen machten Sylva jedes Mal ein bisschen traurig. Egal über was sie sprachen, für ihn war es ein Geplänkel am Zaun, eine rhetorische Übung, ein intellektuelles Spiel. Er verließ die Diskussion genauso leicht, wie er sich in sie einschaltete. Sylva dagegen konnte keinen Abstand halten. Sie fing Streit mit ihm an, wurde wütend, legte Beweise vor, stürzte sich Kopf über in die Gespräche und tauchte jedes Mal erschöpft und außer Atem aus der Diskussion auf. Nicht selten waren ihre Argumente stärker, und trotzdem fühlte sie sich am Ende immer geschlagen. Es gelang ihm, Sylva mit seinem Zukunftspessimismus anzustecken. Sie ging meistens mit dem deprimierenden Gefühl davon, dass alles umsonst gewesen war.
Der Kojote trinkt zwar immer noch, aber ohne den anfänglich brennenden Durst, mit einer Ausdauer, die das Talent zum Überleben verrät. Er muss sich mit Flüssigkeit versorgen, das scheint im Moment das Wichtigste zu sein. Danach frisst er das Fischfilet, das sie für ihn bereitgestellt hat. Dann wird er überlegen, wie es weitergehen soll. Sylva schließt die Website *Reservation*, wo sie nichts Brauchbares gefunden hat, und sucht erneut unter dem Stichwort *Naturschutzgebiete*. Auf dem Bildschirm springt ihr die Küstenlandschaft von Ostfriesland entgegen. Robben, Dünen bei Sonnenuntergang, Kinder mit Sandeimerchen am Strand, Reiher im Schilf. Von September bis Mai überwintern in dieser Seenlandschaft Kolonien von Wildgänsen. Die Gesamtzahl der Vögel wird gegenwärtig auf 70.000 geschätzt. Außerdem beheimaten die Moore Tausende Frösche ...
Das Schmatzen hinter ihrem Rücken sagt Sylva, dass dem Kojoten das Filet schmeckt. Frösche und Gänse würden ihm ohne Zweifel auch schmecken. Er ist anpassungsfähig. Die felsigen mexikanischen Hochebenen sind zwar von der niedersächsischen

Moorlandschaft weit entfernt, aber er würde sich schon eingewöhnen. Dort oder anderswo.
Natürlich: Er hat getrunken, gefressen, jetzt uriniert er. Sylva steht auf, holt einen Eimer und einen Aufnehmer vom Balkon, gibt ein paar Tropfen Spülmittel ins Wasser. Sie will ihre Mutter nicht sinnlos ärgern – sie weiß, dass ihre Toleranz Grenzen hat. Außerdem ist sie auf ihre Hilfe angewiesen. Als sie sich niederhockt, um die Pfütze aufzuwischen, weicht der Kojote zurück und beobachtet sie. Er kriecht nicht mehr unter das Bett. Offensichtlich fängt er gerade an, das Zimmer für sein Territorium zu halten. Für was hält er mich wohl?, schießt es Sylva durch den Kopf. Für einen Fuchs oder einen Dachs, mit dem er gemeinsam jagen und eine Höhle bewohnen kann?
Sie bemerkt die beiden in dem Augenblick, als sie den Eimer mit dem ausgewrungenen Aufnehmer zurück auf den Balkon stellt. Sie steigen direkt vor dem Haus aus dem Wagen und schauen sich um. Der eine ist in Polizeiuniform, der andere nicht. Der Uniformierte sagt etwas und zeigt auf den Hauseingang. Sylva tritt zurück ins Zimmer, damit sie nicht gesehen wird. Ihr schlägt das Herz bis zum Hals. Um sich zu beruhigen, schluckt sie ein paarmal. Es kam unvermittelt, aber eigentlich hatte sie nichts anderes erwarten dürfen. Ihren Namen hatte sie dem Arzt zwar nicht gesagt, aber es war für ihn nur eine Frage weniger Minuten, die Daten von Muffins Karte im Computer zu finden. Was jetzt? Sie guckt noch mal vorsichtig hinaus. Der Mann in Zivil holt einen Gegenstand aus dem Kofferraum. Sylva ist nicht imstande zu erkennen, was es ist. Eine Tasche vielleicht. Wie ein Gewehr sieht es nicht aus, wie ein Käfig auch nicht. Darauf kommt es aber auch nicht an, früher oder später schließen sie den unbequemen Zeitgenossen sowieso in einen Käfig und machen ihn mit irgendeinem Gewehr unschädlich. Goodbye, Wildgänse, goodbye, europäische Prärie!
Sylva dreht sich um und starrt den Kojoten einige Sekunden regungslos an. Im Kopf explodiert ein Feuerwerk der Ideen, die aufflammen und gleich wieder erlöschen. Keine von ihnen bringt

etwas. Dann endlich erstrahlt ein Geistesblitz viel heller als die anderen und verblasst nicht. Sylva glaubt in seinem Licht Umrisse eines Weges zu sehen. Undeutliche, vielleicht illusorische. Aber selbst ein Irrweg scheint ihr ein Weg zu sein, wenn auch nur für kurze Zeit.

»Komm, lass es uns versuchen!«, flüstert sie. »Hab keine Angst, und bitte sing nicht! Es geht um Kopf und Kragen!«

◆◆◆

»Du bist erst ein paar Monate an unserer Schule, aber so wie es aussieht, hat die Klasse dich aufgenommen.«
»Keine Ahnung, vielleicht. Ist das wichtig?«
»Aber Robin! Was ist das für eine Einstellung?«
»Das ist keine Einstellung, mir ist es echt egal. Müssen wir uns denn alle miteinander verbrüdern?«
»Auf keinen Fall, aber gute Beziehungen schaden doch nicht.«
»Passt Ihnen etwas nicht?«
»Im Gegenteil. Ich wollte dir sagen, dass ich deine Arbeit in meinen Stunden schätze.«
»Meine Mutter ist Malerin. Kann sein, dass ich etwas von ihr geerbt habe.«
»Es geht nicht nur um dein Talent. Ich schätze auch deine Fähigkeit zur Analyse. Ich hoffe, du nimmst Bildende Kunst als Wahlfach.«
»Ich denke, ganz ehrlich, nicht daran.«
»Schade. Darf ich wissen, warum nicht?«
»Ich will kein Kunsthistoriker oder so was in der Art werden.«
»Selbst für den schöpferischen Prozess ist es wichtig, den Hintergrund zu kennen, die Entwicklungszusammenhänge, die Kunstrichtungen. Unwissenheit hat noch keinen Künstler besser gemacht.«
»Da haben Sie wahrscheinlich recht, nur dass ich kein Künstler werden will. Ich meine, kein professioneller. Wenn es möglich wäre, würde ich niemandem was zeigen. Es ist mir egal, ob meine Bilder den Leuten gefallen oder nicht. Ich stelle sie nicht aus. Ich mach sie bloß.«
»Ich verstehe, aber reicht dir das? Brauchst du kein Feedback?«
»Nein, ich brauche nichts, es reicht mir absolut.«

Außerdem fällt ihm nichts Besseres ein. Etwas, wo er sich selbst und seine Umgebung so vollkommen vergessen könnte, die Algo-

rithmen der eigenen Existenz. Warum sollte man die Ungleichungen der menschlichen Beziehungen lösen wollen? Warum sich mit etwas beschäftigen, was sowieso nicht zu ändern ist? Zumindest nicht in der Substanz, denn die Gesamtsumme aller Elemente ist festgelegt. Du kannst sie umgruppieren, aber du kannst kein Element loswerden. In einem Bild war alles von Anfang an anwesend, auch das kleinste Teilchen war schon fertig, noch bevor der Pinsel das Papier berührt. Jeder noch unsichtbare Punkt wartet auf seine Gelegenheit, in den Vordergrund zu treten, die Aufmerksamkeit auf sich zu ziehen, das Gleichgewicht des Ganzen zu beeinflussen. Ihn interessierte die Ausdruckskraft der Formen, wie sie sich verändert. Zum Beispiel dieser Feuerkoloss da, der Robin noch vor einigen Tagen so wichtig erschien, dass er sogar seinen eigenen Schweiß hineingemischt hat, verliert bereits an Farbe und Dominanz. Wer weiß, was er bedeutet hat? Vielleicht die alles verbrennende Sonne. Oder den Vater. Oder, wie Mutter behauptet, Robins Unzufriedenheit, Wut und Sehnsucht. Egal. Unter den energischen Zügen des Spachtels verschwindet ein Gedanke schneller, als dass er zu einem sinnvollen Schluss kommen kann.
»Darf ich noch eine?«
Robin hebt die Augen vom Bild, sein Blick huscht zu seinem Bruder. Er sitzt im Wohnzimmer vor dem Bildschirm und schaut sich »Stargate« auf DVD an. »Kinder der Götter« hat er bereits konsumiert, jetzt hat er Lust auf eine weitere Folge.
»Wie oft hast du's schon gesehen?«
»Diese Folge überhaupt noch nicht!«
Das war natürlich Quatsch, aber Robin widerspricht nicht. Ihm ist nicht danach, mit dem Bruder zu streiten. Er mag seinetwegen bis in den Morgen hinein glotzen – wen stört das schon? Der Vater ist immer noch im Krankenhaus und kommt wahrscheinlich nicht so schnell zurück. Er und die Mutter haben zu reden, über das gemeinsame Leben. Sie sezieren, zerteilen, zerschneiden es. Ab morgen wird alles anders sein. Die scheinbar unzertrennliche Zelle ihrer Familie wird untergehen. Sie zerfällt wie sein Feuerbild. Die

einzelnen Teile bekommen neue Plätze zugewiesen, neue Bedeutungen. Manche bleiben in Verbindung, andere werden inkompatibel. Jedes Grübeln darüber ist Zeitverschwendung. Dann lieber Stargate oder Temperafarben.
Robin greift nach einer Tube. Dodgerblue, das ist es! Er quetscht die Farbe direkt auf den Spachtel und unterdrückt nicht die Erregung, die er dabei fühlt. In den Fingerspitzen laufen Ameisen. Ein Bild kaputt zu machen, bringt fast genauso großes Vergnügen, wie es zu erschaffen. Aus der Destruktion entsteht unwillkürlich etwas Neues. Dieser Fluss zum Beispiel, den der Spachtel hinterlässt und in dem die alten Klumpen des Zinkgelbs ertrinken, verleiht der ganzen Komposition überraschende Ruhe. Er fließt von alleine, ohne von Robin geleitet zu werden – und hält das Bild in einem nahezu schmerzhaften Gleichgewicht.
»Rob, gehst du?« Emils Stimme dringt in seine Gedanken.
»Wohin?«
»Jemand hat unten geklingelt.«
Es ist kein Mangel an gutem Willen, der den Bruder daran hindert, vom Fernseher aufzustehen und ans Haustelefon zu gehen. Sonst ist das Türeöffnen eigentlich sein Hobby, aber für heute hat er genug. Er ist fertig. Nachdem Vater mehrmals gesimst und angerufen hatte, um mitzuteilen, dass er noch nicht nach Hause kam, kapselte Emil sich ab. Seine Anteilnahme verwandelte sich in Apathie. Er will nichts mehr wissen über die Probleme der Erwachsenen. Deswegen guckt er so hartnäckig auf den Bildschirm und versucht durch das Sternentor in andere Welten zu verschwinden, zumindest für ein paar Augenblicke. Robin steht auf und geht in die Diele.
»Ist da jemand?«, fragt er in die Sprechanlage. Es ist schon spät, bestimmt hat nur ein Nachbar seinen Schlüssel vergessen. Doch schon beim ersten Wort erkennt er, dass es kein Nachbar ist.
»Herr Trost? Hier ist die Polizei, Ermittlungsgruppe Tierschutz. Dürften wir kurz mit Ihnen sprechen?«
»Tierschutz? Weswegen?« Er begreift nicht.

»Es wurde uns gemeldet, dass sich in diesem Haus ein streunendes Tier aufhält. Könnten Sie uns bitte hereinlassen?«
»Einen Augenblick.«
Robin geht in die Küche und schaut vom Fenster auf die Straße. Vor dem Haus parkt tatsächlich ein Polizeiwagen. Ein Polizist steht auf dem Bürgersteig, der andere wird vom Eingangsdach verdeckt. Robin geht zur Sprechanlage zurück und drückt eine Taste.
»Wer ist das?«, ruft Emil aus dem Wohnzimmer.
»Bullen. Sie suchen ...« Da dämmert es ihm. Sie sind wegen Sylva und dem Fundtier hergekommen!
»Wen suchen sie?« Emil steht schon neben ihm. Polizei im Haus ist wohl doch interessanter als Jack O'Neill auf dem Bildschirm.
»Lauf mal schnell auf den Balkon und guck, ob du nebenan in der Wohnung Licht siehst«, sagt Robin.
»Wieso?«
»Ich will wissen, ob jemand zu Hause ist. Schnell, beweg dich!«
Emil läuft durch die Diele ans andere Ende der Wohnung. Muffin folgt ihm auf den Fersen, rennt wie immer um die Wette, versucht ihn zu überholen. Robin macht die Tür auf. Er würde gern bei Sylva klingeln, schafft es aber nicht mehr, denn von unten nähern sich rasche Schritte und männliche Stimmen. Sie hallen an den Wänden wider, man kann sie nicht verstehen.
»Kein Licht!«, berichtet Emil, der in Rekordzeit zurück ist. Seine vorherige Apathie ist verschwunden, seine Augen leuchten aufgeregt. »Worum geht's?«
Robin zuckt die Achseln. Er möchte selbst wissen, was hier abläuft. Er hat Sylva seit heute früh nicht gesehen.
»Guten Abend.« Der Polizist ist schon älter, der schnelle Aufstieg in den zweiten Stock macht ihm zu schaffen. Er wischt sich den Schweiß von der Stirn. »Ist das Ihr Hund?«
Er sieht Muffin an, der in diesem Moment wütend zu kläffen anfängt. Sein Ausdruck von Unmut ist nicht gegen den Polizisten gerichtet, sondern gegen seinen Begleiter in Zivil. Der war auf der letzten Treppenstufe stehen geblieben und hat eine vergitterte Box

vor sich abgestellt. Diesen Mann kann Muffin offensichtlich nicht riechen. Wild bellend stürmt er vorwärts, aber unmittelbar darauf kehrt er zur Tür zurück, gereizt von dem, was von dem Mann und seinem seltsamen Käfig ausgeht. Robin beugt sich nach unten, fasst dem entrüsteten Pudel unter den Bauch und nimmt ihn auf den Arm.

»Er bellt nur, beißt aber nicht«, sagt er. Angesichts der gefletschten Zähne von Muffin und der nach oben gezogenen Lefzen wirkt diese Mitteilung nicht gerade überzeugend. »Aber seinetwegen sind Sie doch nicht gekommen, oder?«

»Waren Sie das, der Ihrer Nachbarin die Adresse von Dr. Krassnig gegeben hat?«

Der Tonfall des Polizisten ärgert Robin. Ist das etwa ein Verhör?

»Ist das vielleicht verboten?«, fragt er barsch. Der Polizist ignoriert seine Gereiztheit.

»Würden Sie mir bitte sagen, wo die junge Dame wohnt?«

Robin deutet zur Nachbartür. Der Polizist liest das Namensschild, drückt die Klingel. Aus dem Inneren der Wohnung ertönt eine spanische Melodie, so wie sie beim Einzug der Toreros in die Arena gespielt wird. Muffins Gebell wird ruhiger, er kläfft rhythmisch im Takt. Der Polizist runzelt die Stirn, sein Blick wandert zu seinen Schuhen. Sie sind staubig. Regungslos wartet er eine Weile, dann drückt er den Knopf erneut. Diesmal ertönt eine Melodie aus der Oper »Der Barbier von Sevilla«. Danach käme, wenn Robin sich richtig erinnert, noch eine Melodie aus dem Barbier: »Figaro hier, Figaro da«. Aber der Polizist drückt nicht noch einmal auf die Klingel. Er dreht sich um.

»Wissen Sie nicht, wo sie ist?«

Robin schüttelt den Kopf.

»Wir sind Nachbarn, nichts weiter«, sagt er und spürt, wie ihm das Blut in die Wangen schießt, als würde er lügen.

»Tun Sie uns bitte einen Gefallen und geben Sie uns Bescheid, wenn sie zurückkommt.« Der Polizist holt aus der Hemdtasche eine Visitenkarte und reicht sie Robin. »Hier steht die Nummer.«

»Soll ich sie bespitzeln? Warum?«
»Der Tierarzt hat uns informiert, dass sie einen verletzten Kojoten in seine Praxis gebracht hat. Als wir eintrafen, war sie schon verschwunden. Wir möchten überprüfen, ob sie nicht mehrere wilde Tiere hält.«
»Sie hält gar keine Tiere. Sie hat einen Hund gefunden und hat ihn nach Hause gebracht. Das ist alles.«
»Wenn das alles ist, warum sollte sie dann weggelaufen sein?«
»Keine Ahnung, vielleicht ...« Robin verstummt. Eine Etage tiefer quietscht die Tür, man hört das Schlurfen von Pantoffeln auf den Fliesen. Herr Dorner. Ein Fußballspieler im Ruhestand. Seine Knie sind verschlissen, auf der Straße sieht man ihn selten, und wenn, dann nur am Gehstock. Im Haus schnüffelt er aber ständig herum. Bestimmt lauscht er auch jetzt. Gleich wird er sich bestimmt einmischen. Er war früher Stürmer.
»Vielleicht hatte sie Angst um das Tier«, sagt Robin, den Blick auf die vergitterte Box gerichtet. Sie ist aus Stahl, ein Transportgefängnis.
»Wir werden nach den gültigen Vorschriften verfahren«, entgegnet der Mann in Zivil. »Das Halten gefährlicher Tiere einer wild lebenden Art, das betrifft auch Kojoten, ist auf Grund von Paragraph 55 und 57 des Allgemeinen Sicherheitsgesetzes ...« Er zitiert gesetzliche Regelungen, Rechte und Pflichten, spricht über die Notwendigkeit, jedes gefundene Wildtier der Tierschutzbehörde zu melden, nicht nur zur Sicherheit der Bevölkerung, sondern auch zum Wohl des Kojoten und zum Schutz anderer Tiere. Er ist sachlich, bemüht sich jedoch um einen herzlichen Ton.
»Was wäre, wenn er Tollwut hätte oder eine andere Krankheit? Sie wollen sich doch nicht anstecken? Es ist auch für Ihr Pudelchen gefährlich.«
Das Pudelchen streckt den Hals und bellt ihn feucht an. Der Mann wischt sich mit dem Handrücken übers Gesicht und blickt den Polizisten an. Der liest vermutlich in den Augen des Kollegen die Anweisung zum Rückzug, denn er hat den Käfig wieder in der Hand.

»Ein Kojote in Berlin.« Mit einem Seufzer zuckt er die Schultern, und Robin kann erahnen, dass ihn die Anwesenheit des exotischen Raubtieres in der deutschen Hauptstadt persönlich beunruhigt. »Die Welt steht kopf.«
Langsam steigt er die Treppe hinunter. Der Polizist klappt sein Notizbuch zu, in das er vorher etwas gekritzelt hat, und lässt seinen Blick noch einmal auf der Nachbartür ruhen. Er sieht nachdenklich aus. Vielleicht rätselt er darüber, welche Melodie ertönt, wenn er ein drittes Mal klingelt.
»Figaro hier, Figaro da«, verrät Robin ihm. Der Polizist nimmt die Information auf, ohne mit der Wimper zu zucken.
»Auf Wiedersehen«, sagt er. »Und rufen Sie an. Nehmen Sie das nicht auf die leichte Schulter.«
»Alles klar«, antwortet Robin. Seine Gereiztheit hat inzwischen nachgelassen. »Wollen Sie mit dem Aufzug nach unten fahren?«
Der Polizist schüttelt den Kopf und läuft die Treppe hinab. Fast gleichzeitig ertönt die spöttische Stimme von Herrn Dorner.
»Jagt ihr Kojoten, Jungs? Da müsst ihr in den Wilden Westen!«
»Haben Sie etwas gesehen?« Die Stimme des Polizisten klingt sachlich. »Ein verdächtiges Tier im Haus?«
»Sie haben schmutzige Schuhe, Herr Wachtmeister«, antwortet der Fußballspieler. Robin geht zurück in die Wohnung, schließt die Tür und setzt Muffin auf den Boden. Aus der Küche kommt Emil, der die ganze Zeit über gelauscht hat.
»Ein Kojote!«, flüstert er mit weit aufgerissenen Augen. »Das ist fast ein Wolf, oder?«
»Etwas zwischen Hund und Wolf würde ich sagen.«
»Ich habe mal einen Film gesehen, in dem zwei Kojoten eine Antilope erjagt haben.«
»In Berlin leben keine Antilopen.«
»Kojoten auch nicht«, sagt Emil. »Meinst du, er hat sich hier irgendwo versteckt?«
Durch die offene Balkontür hört man das Zuschlagen der Autotür, die Polizisten fahren weg. Das Motorgeräusch verebbt lang-

sam in der Stille der nächtlichen Straße. Robin erinnert sich an den wilden Geruch, den er gestern auf dem Dach an Sylva wahrgenommen hat. *Ich habe jemanden gesucht ...* Plötzlich tut es ihm unheimlich leid, dass er ihr keine Frage gestellt hat, dass er auf die Berührung ihrer Hand nicht reagiert hat. Sie kam ihm entgegen und er hat sie einfach gehen lassen.
»Rob? Denkst du, sie werden ihn töten, wenn sie ihn finden?« Emils Stimme klingt gedrängt. »Wie den Bär in Bayern?«
Robin würde den Bruder gern beruhigen, aber es fällt ihm nichts Aufmunterndes ein. Wilde Tiere, die in den Lebensraum der Menschen eindringen, werden getötet. So war es schon immer. Nur dass der Lebensraum der Menschen immer größer wird. Bald wird es kaum noch etwas anderes geben.
»Vielleicht finden sie ihn nicht«, sagt er und hört, wie unwahr es klingt. Er geht durch das Wohnzimmer, in dem der Fernseher immer noch das Standbild von Doktor Jackson, mit einer Brille in der Hand, zeigt. Er geht auf den Balkon hinaus und beugt sich über das Geländer. Der Wind fährt durch den wilden Wein und spielt mit den handförmigen Blättern. Im Licht der Straßenlaterne kann er auf dem Nachbarbalkon die Umrisse eines Tisches und eines geschlossenen Sonnenschirms erkennen, die Fenster sind immer noch dunkel. Auf Robins Unterarm landet ein Tropfen. Der Himmel, gestern um diese Zeit noch voller Sterne, ist bedeckt. Hier und da leuchten hellere Lücken zwischen den Wolken hervor. Die Luft kratzt nicht mehr im Hals, sondern strömt angenehm über den Gaumen. Ein weiterer Tropfen streichelt Robin über die Wange, einige andere zerplatzen auf seiner Stirn. Er nimmt Mutters Blumentopf mit Kräutern und stellt ihn unter die Balkonbedachung, damit der Regen die Erde nicht wegspült.
Genau in dem Augenblick spürt er es. Das befremdliche Gefühl, dass er nicht allein ist. Er dreht sich unruhig um und schaut auf die Straße. Keiner da. Nur trockenes Laub wirbelt über den Bürgersteig. Robin hebt die Augen. Das Dach ist heute so dunkel, dass nicht einmal die Konturen der Zypressen zu sehen sind. Das Ein-

zige, was man erkennen kann, sind zwei Augen. Gelbe, wölfische Augen. Sie leuchten in der Dunkelheit wie zwei vom Wind abgepflückte Sterne.

»Wir müssen ihn von hier wegbringen«, ertönt Sylvas Stimme von oben. »Morgen kommen die bestimmt wieder.«

◆◆◆

ein kalter blues
wie eis am stiel
wie ein gruß an der wand
wie ein nacktes gefühl
ein blues am rand
ohne halt ohne licht
der beim aufprall
aus dem freien fall
deine knochen bricht

blutroter blues
wie ein fetzen vom kleid
wie ein biss in die haut
als abdruck der zeit
der blues in mir
verprügelt und stumm
sitzt da herum
vorläufig festgenommen
auf dem weg zu dir ...

Das Fenster hat ein Gitter, dahinter ist ein beleuchteter Parkplatz zu sehen, noch weiter dahinter der schiefe Turm der Maria-Himmelfahrts-Kirche. Das Auto, das ihn hierhergebracht hat, fährt wieder weg, zurück zur Demonstration oder zu einem anderen Einsatz.

»Ohne Zigarette verrecke ich gleich.«

Der Verkaufsleiter aus dem Baumarkt sucht sich schon wieder ab. Bestimmt zum zwanzigsten Mal erforscht er jede Falte seines ausgezogenen Sakkos, mit unruhigen Fingern stöbert er in den

Taschen. Seine Augen sind glasig, sein Gesicht zerknittert, er sieht aus wie nach einem verlorenen Boxkampf. Sogar Muhammad Ali und Mike Tyson, die unter seinen hochgekrempelten Ärmeln herausgucken, wirken geschlagen.

»Das dürfen die sich nicht erlauben, Gauner! Die haben doch kein Recht, uns hier ohne Grundversorgung einzusperren! Sie selber paffen um die Wette, und uns lassen sie ruhig abkratzen. Hey, kommt sofort hierher! Hört ihr? Komm, hau auf die Tür, Milchbubi!«

Filip reagiert nicht. In dem Augenblick, als sich der Schlüssel im Schloss hinter ihm umgedreht hatte und ihm bewusst wurde, dass er den Rest der Nacht mit dem tätowierten Muskelprotz auf fünfzehn Quadratmetern verbringen musste, entschied er sich dazu, so zu tun, als würde er schlafen, oder noch besser: so zu tun, als wäre er gar nicht da. Wenn er ein Chamäleon wäre, würde er die pistaziengrüne Farbe annehmen, mit der die Wände und die Decke der Zelle, in der er hockt, gestrichen sind. Eine Untersuchungshaftzelle. Wenn er ein Chamäleon wäre, würde er einfach verschwinden. Nur dass er ein Milchbubi ist.

Sein Mitgefangener richtet sich auf und beginnt, ganz außer sich gegen die Tür zu hämmern.

»Aufmachen!«, bemüht er sich zu schreien, aber er röchelt nur. Den größten Teil seiner Stimme hat er auf der Straße zurückgelassen. Er strengt die Stimmbänder an, doch die einzige Nachwirkung ist ein heftiger Hustenanfall und ein scharlachrotes Gesicht. Filip blickt zurück auf das Fenster. Es ist geschlossen und hat keinen Fenstergriff. Die Luft in der Zelle füllt sich langsam mit den Ausdünstungen und dem schweren Atem des Mannes. Bier, Fernet und Nikotin – eine explosive Mischung, die die friedliche Demonstration in eine wilde, außer Kontrolle geratene Party verwandelt hatte.

»Das werdet ihr mir büßen!« Der Mann hebt gleichzeitig seine Stimme und seine tätowierten Arme. Er haut auf die Tür wie auf einen Boxersack und brüllt heiser: »Ich bin ein unbescholtener

Bürger! Ich bezahle euch mit meinen Steuern! Ich habe das Recht auf freie Bewegung!«

Filip fällt auf, dass sie gerade jetzt aus genau diesem Grund hier hocken. Scheinbar absurd, wie die meisten Zusammenhänge des letzten Abends. Wenn der Verkaufsleiter und seine Kumpel nicht beschlossen hätten, mit ihrer Anwesenheit die Demonstration zu beehren, wäre alles anders verlaufen. Obwohl, ganz sicher ist das auch nicht. Es gibt Dinge, die passieren, egal wie die Reihenfolge des Geschehens ist. Man kann sich den kleinen Finger bei einem Zusammenstoß mit den Ordnungskräften genauso gut brechen wie beim Ausrutschen in der Dusche – das Ergebnis ist unverändert.

»Wow, du hast ganz schön was abgekriegt!«, sagt der Mann respektvoll, er hat aufgehört zu boxen. Er kommt näher und untersucht Filips rechte Hand. Der kleine Finger und die Handkante haben schon das Doppelte ihrer normalen Größe erreicht. Die Hand ist angeschwollen wie ein Luftballon. »Du musst den Fiesling anzeigen. Er hat sich strafbar gemacht! Unangemessene Gewaltanwendung und so weiter. Diktier denen das alles ins Protokoll!«

Filip nickt schweigend. Er hat seine Aussage inzwischen vorbereitet und für alle Fälle ein paarmal im Gedächtnis wiederholt. Es ist ihm aber klar, dass er nicht als ein ahnungsloses Opfer des Vorfalls davonkommt. Letztendlich hat er ja den Polizisten gebissen.

»Verdammt noch mal, das können die doch nicht ernst meinen! Ich überleb es nicht«, röchelt der Mann mit einer frischen Portion Hoffnungslosigkeit. »Wie spät ist es?«

Filip zuckt mit den Schultern. Die Uhren und die Handys wurden ihnen abgenommen. Die Zeit lässt sich nur ermessen an dem, was vorgefallen ist. Die einzelnen Momente kann Filip sich gut vergegenwärtigen, aber er kriegt sie nicht richtig hintereinander, alles kommt ihm ziemlich wirr und zusammenhanglos vor.

»Ist dir nicht kalt?«, fragte er Berenika, als der Wind heftig durch ihre Haare blies. Das war gegen zehn Uhr abends, vielleicht auch später. Sie saßen vor dem nördlichen Tor der Fabrik, tranken Kaffee und aßen belegte Brötchen, verteilt von einer älteren Frau, die sich für die Demo wie für eine Galavorstellung in der Oper gekleidet hatte.

»Ein bisschen«, gab Berenika zu. »Ich versuch irgendwo …«

Filip war schneller. Er wusste nicht, warum, aber er verspürte ein dringendes Bedürfnis, sich um sie zu kümmern. Vielleicht deshalb, weil die glühende Farbe ihres Kleides durch das kalte Licht der hohen Straßenlaternen so schmutzig wurde. Sie sah verletzlich aus, wie ein Mädchen auf den alten bräunlichen Fotos von früher. Mädchen, die sich nicht dagegen wehren, wenn jemand für sie sorgt, ihnen Blumen schenkt, für sie an einem kühl werdenden Abend Pullis und Decken holt. Filip fand eine Decke auf dem kleinen Handwagen mit Postern, und ohne zu überlegen, ob sie zur allgemeinen Verfügung dalag oder jemandem gehörte, nahm er sie und legte sie über Berenikas Schultern.

»Danke, du bist fabelhaft«, sagte sie, und Filip fühlte sich das erste Mal in seinem Leben männlich und effektiv. Er setzte sich neben sie auf die Isomatte und legte ungehemmt den Arm um ihre Taille. Sie hob den Kopf und lächelte ihn an. Die Welle der Zärtlichkeit, die ihn erfasste, war Schwindel erregend. Sie kam nicht ganz unerwartet, ein Vorzeichen hatte sich schon nachmittags eingestellt. Während der Vorbereitungen, der Unterschriftensammlung und des Verteilens von Flugblättern benahm sich Berenika, als wäre Filips Anwesenheit ganz normal. Als gehörten sie zueinander. Sie führte ihn zu anderen Aktivisten, stellte ihn ihren Freunden und Bekannten vor, und nach der Rede des Vorsitzenden der Initiative »Leben mit der Natur« nahm sie das Mikrofon und drückte es Filip in die Hand. Es erschreckte ihn. Vor zweihundert Menschen zu sprechen, erschien ihm vermessen, und die vorangegangene Rede hatte er ermüdend gefunden. Trotzdem stammelte er schließlich ein paar Bedenken über das sich ständig vergrößernde Missverhältnis zwischen der Überproduktion einer Wegwerfgesellschaft und ihren fortschrittlichen Errungenschaften. Er rede-

te über den Homo sapiens, den Verlust seiner Identität und seine Zivilisationskrise. Dass der Mensch sein Herrschaftsrecht über diesen Planeten verspielte. Er sprach darüber, was ihn in letzter Zeit beschäftigte und was er so ähnlich in seinen erdachten Briefen an Sylva geschrieben hatte: über die Suche nach einem Ausweg. Keine pathetischen Ausrufe, keine geflügelten Worte, er zitierte bloß seine Gedanken. Umso mehr war er überrascht, wie stürmisch die Zuschauer ihm applaudierten. Eine ganze Menge Leute kamen, um ihm die Hand zu schütteln, unter ihnen auch der vor zwei Jahren pensionierte Schulleiter.
»Gut formuliert!« Er klopfte Filip auf die Schulter. »Kurz und klar. Ich gebe dir eine Eins.«
»Für dein Alter hast du aber schon recht klare Vorstellungen in deinem Kopf«, sagte der Vorsitzende der Initiative »Leben mit der Natur« anerkennend. Auch Olin drückte Filip seinen Respekt aus.
»Cool! Wirklich gut, Mann! Ich gebe dir absolut recht!«
»Sie sollten in die Politik gehen«, empfahl ihm die Reporterin eines lokalen Rundfunksenders. »Sie haben besser gesprochen als die Mehrheit der Leute, deren Job es ist, Reden zu halten!«
Berenika sagte nichts, aber das Dach ihrer Augenbrauen war in die Höhe gezogen und in ihren Pupillen funkten schon wieder Elektroden. Filip konnte seinen Blick nicht von ihr abwenden. Ihm war immer stärker bewusst, dass ihre Nähe ihn auflud, unter Strom setzte ... Bei keinem Mädchen zuvor hatte er je etwas Ähnliches gespürt. Es war nicht nur außergewöhnlich erregend, sondern es grenzte auch an ein Glücksgefühl, dessen komplizierte Definition er zwar unlängst in einem Buch über Psychologie gelesen, aber zu seinem Leidwesen nicht verstanden hatte. Jetzt begann er zu ahnen, worum es ging.

»Macht auf, ihr Gangster!« Die Pause im Boxring ist zu Ende, der Verkaufsleiter drischt wieder auf die Tür ein. »Ich werd mich beschweren, das ist unerlaubter Freiheitsentzug!«
Filip beobachtet ihn mit einer Mischung aus Besorgnis, Mitleid

und Verachtung. Bei der Arbeit, im Firmenmantel mit dem Namensschild des Abteilungsleiters, schien er wesentlich älter zu sein. Jetzt kommt er ihm so vor, als wäre er kaum dreißig. Sein blasses Gesicht über dem eingerissenen Hemd und der schmutzigen Hose bilden einen krassen Kontrast zu dem selbstbewussten Eindruck, den er noch vor einigen Stunden im Kreis seiner Kumpel erweckt hat. Sie waren zu acht und trafen gegen Mitternacht auf dem Fabrikgelände ein, alle ordentlich besoffen. Als sie auf den Platz mit den geparkten Polizeiwagen kamen, blieben sie stehen.
»Sind wir hier richtig auf der Kundgebung?«, schrie einer von ihnen.
»Demonstration«, korrigierte ihn ein anderer.
»Weg mit dem gefährlichen Abfall!«, brüllte der Dritte.
»Weg mit der Polizei! Recyclingverbot!«, johlte ein Weiterer und trat in den Lichtkreis. In dem Augenblick erkannte Filip ihn. Ihm lief ein leichter Schauer der Vorahnung über den Rücken.
»Das riecht nach einem Problem«, bemerkte Olin, der wohl ähnlich empfand. Die übrigen Demonstranten wurden auch nervös. Zur vorgerückten Stunde waren ihre Reihen schon ziemlich dünn, an beiden Toren blieben höchstens vierzig Leute postiert. Auch die Zahl der Polizisten wurde kleiner, sie hatten im Laufe des Abends entschieden, dass hier kein besonderes Aufgebot erforderlich war.
»Haut ab, das hier ist eine friedliche Aktion«, rief eine Aktivistin in Filips Nähe. »Wir lassen nicht zu, dass sie diskreditiert wird!«
Als Antwort flog eine Plastikflasche über den Platz. Sie landete auf dem Dach eines Einsatzwagens.
»Hey, macht euch wieder auf den Weg!«, rief jetzt einer der Polizisten. Etwas sauste erneut durch die Luft, diesmal sah es nach einem Knüppel aus. Er prallte an der Umzäunung ab.
»Wieso wartet ihr vor dem Tor? Wir gehen rein! Lasst uns den Schweinestall selbst ausmisten. Lasst uns den Mist dem Bürgermeister auf den Hof schmeißen!«
»Haut ab«, wiederholte die strenge Stimme hinter Filip. Wahrscheinlich gehörte sie der Frau in der Opernkleidung. »Geht heim.

Wir wollen hier keine Randalierer! Das ist eine friedliche Veranstaltung, klar?«
»Friede mit dir! Wir kämpfen für unsere Kinder! Für saubere Luft und saubere Sandkästen!«
Ihre Ausrufe wurden immer lauter. Einige Fenster in der Umgebung öffneten sich.
»Ab ins Bett mit euch Säufern! Hier schlafen Leute, die morgen arbeiten müssen!«
»Wir sind auch Leute, die arbeiten müssen!«
»Ihr stört die Nachtruhe!«
»Ihr stört dafür überhaupt keine Ruhe. Nicht mal die des Bürgermeisters!«
»Verpisst euch, hier habt ihr nichts zu suchen!«
»Wer hat hier nichts zu suchen? Der Gestank hat hier nichts zu suchen! Weg mit dem Gestank!«
»Was hast du gesagt?«, erwiderte ein Polizist, der die Bemerkung über den Gestank, wer weiß warum, persönlich nahm. »Den Ausweis bitte ...«
»Aufs Tor!«, unterbrach ihn der Befehl zum Angriff. Die acht liefen vorwärts. Einer fiel gleich zu Boden, und die Glorreichen Sieben stürmten brüllend die Umzäunung. Die kurze Abzweigung von der Hauptstraße, die bis zu diesem Moment leer geblieben war, belebte sich ganz schnell. Die aufgewachten Polizisten kamen gerannt, die Demonstranten erhoben sich von den Isomatten, alle flatterten wie Nachtfalter in dem engen Raum zwischen den beiden Toren. Filip sah, wie der Vorsitzende der Initiative »Leben mit der Natur« mit einer Thermosflasche Kaffee in der Hand auf die Ordnungskräfte zueilte, etwas rief und dabei heftig gestikulierte. Offenbar bemühte er sich, die Situation zu beruhigen, aber dazu war es schon zu spät. *Tyche* hat das Ruder übernommen.
In der Zelle tritt plötzlich eine tiefe Stille ein. Filip dreht sich um. Sein Mitgefangener steht mit geschlossenen Augen und krampfhaft zusammengezogenen Gesichtsmuskeln an der Tür. Jetzt, nachdem er mit dem Schlagen und den Drohungen aufgehört hat, sieht

er erbärmlich aus. Der Rausch ist größtenteils verflogen, er befindet sich im schmerzhaften Prozess der Ernüchterung.
»Ist es sehr schlimm?«, fragt Filip. Er weiß nicht, warum er sein bisher beharrliches Schweigen jetzt bricht. Noch dazu hört er die Anteilnahme in seiner eigenen Stimme. Das Gemisch der Gefühle gegenüber diesem Mann reduziert sich jetzt auf einziges: Mitgefühl. Er kann nichts dagegen tun. Auf einmal sieht er die Halle des Baumarkts ganz genau vor sich: den Wald aus Regalen, den anhaltenden Fluss von Kunden, tonnenweise Waren, die totalitäre Macht des Zahlenkodes. Rigipsplatten und Parkett MERBAU und BARMER NUSS, die Aussicht auf drei Wochen Urlaub im Jahr, die grinsenden Fressen der Aushilfskräfte hinter seinem Rücken.
»Du hast Null Ahnung, Milchbubi ...« Der Mann verbirgt sein Gesicht mit den Händen und rutscht mit dem Rücken an der Tür hinunter, bis er auf den Fersen sitzt.
»Mein kleines Krötchen«, murmelt er heiser. Filip erinnert sich, ihn etwas Ähnliches sagen gehört zu haben, als ihn die Polizisten in den Wagen zwängten. »Lasst mich zu meinem kleinen Krötchen!«, schrie er über die ganze Straße. »Ich werd es selbst großpäppeln, lasst mich los ...!«
Auf der Straße, in Handschellen und im zerrissenen Hemd, wirkte er hilflos, ja schutzbedürftig. Filip machte automatisch einen Schritt auf ihn zu, aber im selben Moment geriet er in ein Menschenknäuel hinein. Das wilde Durcheinander artete schnell in eine Prügelei aus. Der Vorsitzende der Initiative »Leben mit der Natur« zog einen der Betrunkenen, der die Umzäunung erklomm, an der Hose, einen anderen trugen Polizisten wie einen Teppich weg, weil er sich weigerte, oder eher unfähig war, auf eigenen Füßen zu stehen. Die Frau im Opernkleid fuchtelte leidenschaftlich mit dem Tablett belegter Brötchen herum, und aus den Häusern in der Umgebung wurde das ganze Spektakel von lautem Pfeifen begleitet. Einige Demonstranten liefen davon. Filip sah sich nach Berenika um. Er erblickte sie nicht weit entfernt von ihm. Sie stand

einem Mitglied des Einsatzkommandos, dessen Uniform mit Kaffee bekleckert war, gegenüber und erklärte ihm etwas. Sie hielt sich an den Torgittern fest, und die steife Haltung ihres Nackens ließ erahnen, dass sie den Platz freiwillig nicht verlassen würde. Filip eilte zu ihr.

Bis zu diesem Augenblick hatte er sich immer und in jeder heiklen Situation auf Wörter verlassen können. Das waren seine Waffen. So weit sein Gedächtnis reichte, hatte er der Kraft seiner klar formulierten und überzeugenden Argumente vertraut. Jetzt hatte er weder Lust noch Zeit zu diskutieren. Er wusste, dass kein Argument Berenika aus der Umklammerung der Hände, die sie im Rahmen der Dienstausübung festhielten, befreien konnte. Wenn sie ihre Position am Tor nicht aufgeben wollte, konnte sie sich nicht anders als mit wütenden Fußtritten wehren. Aber auch das wurde ihr schon bald unmöglich gemacht, denn der Polizist packte sie am Knöchel. Sie schwankte auf einem Fuß, immer noch aufrecht, aber sie saß praktisch schon in der Falle. Filip machte noch einen Schritt und holte kräftig aus. Es war keine überlegte und geschickt ausgeführte Geste, denn er war noch zu weit weg. Seine Hand rutschte über das besudelte Polizeihemd und der schlappe Schlag landete unter dem Schulterblatt des Mannes, der dies kaum wahrnahm.

»Mach, dass du verschwindest!«, knurrte er, ohne sich umzudrehen. Er hatte keine Ahnung, dass Filips Akkus durch Berenikas Blick voll aufgeladen waren. Er sprang vor und biss dem Polizisten mit aller Kraft, knapp unterhalb des kurzen Ärmels, in den braun gebrannten Arm. *Die Tat ist die klarste Antwort.* Zuerst roch er den Kaffee aber direkt danach hatte er einen metallischen Blutgeschmack im Mund. Der Polizist schrie auf, ließ Berenika los und versuchte Filip abzuschütteln, dieser aber hing an ihm wie ein Hund, seine Kiefer in einem wilden, wonnigen Krampf zusammengepresst. Er hielt fest und war glücklich. Er empfand eine tiefe Freude, die nicht mal nachließ, als er einen Knüppelschlag abbekommen hatte. Erst ein scharfer Schmerz zwang ihn, den Mund aufzumachen.

Von der Zellentür ist gedämpftes Schluchzen zu hören. Der Ver-

kaufsleiter sitzt auf dem Boden und über seine Wangen laufen Tränen. Er wischt sie nicht ab, sie tropfen ihm vom Kinn auf das zerrissene Hemd.
»Sie ist schrecklich klein«, flüstert er, den Blick auf das vergitterte Fenster gerichtet. »Wie eine Puppe.«
»Wer?«
»Meine Tochter.«
»Du hast eine Tochter?« Filip schafft es nicht mehr, den Mann zu ignorieren. Seine Anwesenheit ist nicht zu übersehen. »Wie alt ist sie?«
»Wie soll ich's wissen, wenn sie mir meine Uhr weggenommen haben! Ein frisches Baby, gestern geboren ... klitzeklein!«
»Meinen Glückwunsch.« Filip beugt sich vor und streckt ihm die Hand hin. Der Verkäufer drückt sie und hält sie fest.
»Ich weiß, wir haben euch die Demo kaputt gemacht«, sagt er. »Denk ja nicht, dass ich das nicht wüsste, nur ...«
Aus seinen Augen flossen erneut die Tränen. Er hebt den linken Arm, wischt sie mit Mike Tyson ab.
»Sie ist auf der Intensivstation«, murmelt er. »Sie ist zu früh geboren. Sehr unreif ...«
Filip schüttelt den Kopf. Er weiß darauf nichts zu sagen. Was sagt man schon einem tätowierten Riesen, der auf dem Boden sitzt und weint? Er versucht, sich von seinem festen Händedruck zu befreien, aber erfolglos. Schließlich setzt er sich neben ihn.
»Sie wird schon heranreifen«, sagt er.
»Glaubst du?« Der tränenfeuchte Blick bleibt auf Filip haften.
»Ganz sicher.«
»Sie ist extrem klein.«
»Du hast sie gestern extrem begossen, sie reift schon heran, du wirst sehen«, wiederholt Filip mit vorgespielter Sicherheit. Er wagt nicht, den Mann anzuschauen. Es kommt ihm verlogen vor, ihm etwas über das Heranreifen zu erzählen. Zwei Kirschen im Gefrierfach sind ein sichtbarer Beweis für seine eigene Unreife. *Ich hab's vermasselt, stimmt's?*

»Wir werden sie aufpäppeln«, sagt der Mann. »Wir ziehen irgendwohin, wo die Luft sauber ist und es keine giftigen Müllkippen gibt.«
Filip nickt schweigend. Er schaut zum Fenster und überlegt, ob ein solcher Platz noch irgendwo existiert. Am Fenstergitter ist ein zerknitterter Fahrschein hängen geblieben, eine Weile schwingt er hin und her wie ein Turner am Reck, dann nimmt der Wind ihn wieder mit. Man kann hören, dass es in den Bergen donnert: Das Gewitter kommt näher. Zu spät. Selbst ein gründlicher Regen kann den Sommer nicht mehr aufhalten. Der Hang am Sichelfels ist gelb geworden, die Äste des Kirschbaums sind fast entblättert, auf dem Zaun sitzt niemand. Noch gestern tat diese Leere weh. Heute hat sie sich in ein Gefühl der Vergänglichkeit verwandelt. Kein unangenehmes Gefühl. Ein Bluesgefühl.

heute singt kaum
jemand den blues
den blues auf dem zaun
allein
unter der spannung deiner blicke
geladene augenblicke
füllen die lücke
in mir
wir
geben die nacht
geben den lauf auf
solo seit je her
umringt von nichts
und nichts tut weh …

◆◆◆

»Mama!«
»Warum schläfst du noch nicht, mein Spatz?«
»Ich hab Angst.«
»Wovor?«
»Vor der Dunkelheit.«
»Warte, ich mache die kleine Lampe an. Ist das besser?«
»Schlimmer.«
»Aber geh, es brennt doch Licht! Wovor solltest du noch Angst haben?«
»Vor Dunkelheit.«
»Ach du Dummerchen, hier ist keine Dunkelheit.«
»Doch! Sie hat sich nur versteckt! Sie wartet, bis ich alleine bin, und dann kriecht sie wieder heraus!«
»Sie kriecht heraus? Woher denn, Evitchen? Sag mir, wo sie jetzt ist, und ich stöbere sie auf.«
»Du kannst sie nicht aufstöbern.«
»Doch, ich versprech's dir.«
»Keiner kann sie aufstöbern.«
»Wieso nicht?«
»Weil sie in mir ist!«

Der Regen ist noch nicht sehr stark, außerdem schützt sie ein Balkon. Sie duckt sich darunter und beobachtet Züge. Strahlende Fenster, zusammengeschweißt in einen einzigen Lichtstreifen, nach ein paar Sekunden dann die Schlusslichter. Sie entfernen sich in Richtung Norden. Rostock, Stettin, oder vielleicht über das Meer bis nach Schweden. Evita versucht, sich eine Weile lang Schweden vorzustellen. Rote Häuser, weiße Zäune, Bergkämme, verhüllt vom Nebel, Stille. Vielleicht noch Pippi Langstrumpf und König

Carl Gustaf, der weiß Gott wievielte. Mehr fällt ihr nicht ein. Schweden war nie das Land ihrer Träume. Existiert ein solches Land überhaupt? Kann die Sehnsucht nach Ferne eine konkrete Form und einen Namen haben?
Sie rückt näher an die Wand. Der Wind, der im engen Korridor zwischen der Hinterfront der Häuser und der Bahnstrecke keinen Anlauf nehmen kann, bläst tückisch von der Seite und der Regen prasselt auf Evitas Rücken. Das Wasser sickert ihr durch das T-Shirt und fühlt sich unangenehm kalt an auf der Haut. Sie hätte sich in dem Laden doch eine Jacke aussuchen sollen. Eine grüne hatte ihr gefallen – sie war sehr weit, mit Kapuze und vielen Taschen, in denen sie ihr ganzes Vermögen hätte verstecken können. Doch als sie sie angezogen hatte und sich im Spiegel betrachtete, bekam sie plötzlich einen Schwächeanfall, sie musste sich auf den Hocker in der Kabine setzen und die Augen schließen.
»Passt sie gut?«, hörte sie eine freundliche, ein wenig kurzatmige Stimme durch die Tür. Die Verkäuferin, zu der die Stimme gehörte, hatte zwar glänzendes Kastanienhaar, aber ihre Hände und ihr Gesicht waren voller Falten. Vermutlich arbeitete sie hier nur einige Stunden pro Woche, um die Rente ein bisschen aufzubessern. Evita wollte ihr antworten, aber es ging nicht. Sie konnte kein einziges Wort herausbringen. Sie starrte auf den Spiegel, aber nicht ihr Spiegelbild, sondern die Dunkelheit gaffte zurück. Also doch, dachte Evita. Sie war doch in mir versteckt! Trotz der Müdigkeit empfand sie Genugtuung darüber, dass sie recht gehabt hatte. Damals im Kinderzimmer. Sie war in mir und blieb in mir und keiner wird sie je aufstöbern, Mama!
»Ist sie nicht zu groß für Sie?«, setzte die kurzatmige Stimme vor der Tür die Kommunikation fort. »Ich kann Ihnen eine kleinere bringen. Sie sind sehr schlank, für diese Jacke würden Sie einen Mitbewohner brauchen.«
Evita streckte ihre Hand aus und drückte sie an die Tür. Auf einmal fand sie die Enge der Kabine unerträglich. Sie musste jemandem ins Gesicht schauen. Jemand anderem als sich selbst.

Sie wusste, falls sie sich die Jacke wirklich wünschte, hätte sie sie aus dem Laden geschmuggelt. Aber eine solche Tat erforderte Konzentration und ein großes Selbstbewusstsein. Es mangelte ihr im Moment an beidem. Hauptsächlich aber vermisste sie Niklas. Wenn er hier wäre, würden sie die Jacke zusammen anprobieren. Sie würden sich darin wie in einem gemeinsamen Haus einrichten. Ohne ihn war das nur ein sinnloser Fetzen.
»Ich bin okay«, sagte sie und stand auf. Der raschelnde Stoff rutschte ihr von den Schultern. »Nur ist mir gerade klar geworden, dass ich keine Jacke brauche.«
Der Regen hört nicht auf, sondern wird immer stärker. Es gießt wie in den Tropen. Das Versteck unter dem Balkon, bis eben noch ausreichend, wird unbrauchbar. Evita schaut sich um. Ein Stück weiter erblickt sie eine Bahnbrücke. Darunter führt eine schmale Straße durch, die zu dieser Stunde leer ist. Die ganze Zeit ist hier kein Auto mehr vorbeigefahren. Es könnte gehen. Vielleicht zwischen den Brückenpfeilern. Die Nische ist bestimmt trocken und man kann nicht hineinsehen.
Evita läuft los. Der Regen, heftig und überraschend kalt, greift sie sofort an. Er bildet die Nachhut eines Gewitters, das ostwärts zieht. Während das Donnern nur vereinzelt zu hören ist, verdichtet sich der Regen stetig. Das Wasser füllt schnell den seichten Graben am Fuß des Bahndamms und fließt in einen Gully, der anfängt überzulaufen. Evita wird langsamer. Es hat keinen Sinn mehr zu rennen, sie ist pitschnass.
»Du kannst hierbleiben«, bot ihr gestern der Herr der Ringe an. »So ein nettes Kätzchen läuft einem nicht jeden Tag über den Weg.« Es gefiel ihr nicht, wie er mit ihr sprach. Weder seine Kuschelstimme noch der süße Geruch seines Pfeifentabaks noch seine Berührungen waren ihr angenehm. Sie ertrug das alles mit geschlossenen Augen, in der Hoffnung auf eine Belohnung. Ein hässliches Plattenbauzimmer mit Aussicht auf ein Einkaufszentrum hatte vergilbte Tapeten und einen so speckigen Teppich, dass es Evita anwiderte, mit nackten Füßen draufzutreten. Aus dem Kunstledersofa

strömte die Erinnerung an Dutzende von Körpern, die hier vor ihr geruht hatten. Der allgegenwärtige Schweißgeruch.
»Ich wohne hier noch nicht lange«, erklärte er, als er ihren musternden Blick sah. »Ich hab mich noch nicht recht eingerichtet.«
Sie wusste, dass er log. Er würde sich nie einrichten. Nicht in dieser Wohnung. Das war eine Wohnung zum Dealen, nicht zum Leben.
»Ich bin nicht wegen einer Übernachtung gekommen«, erinnerte sie ihn. Er schloss seinen Sekretär auf.
»Warte, du wirst wie ein Satellit schweben«, sagte er, während er das Nötige vorbereitete. »Dies bringt dich in ein paar Sekunden in die Umlaufbahn, Kätzchen. Bereite dich auf den Start vor ...«
Sie war vorbereitet, trotzdem überraschte es sie. Noch nie zuvor war sie so rasch *dorthin* gekommen. Die Kiesel auf dem geweißelten Weg empfingen sie wie eine alte Freundin, Bäume mit ihren flaschengrünen Kronen schaukelten zur Begrüßung, das hohe Gras öffnete seine Arme. Der Turm am Horizont erschien so nah wie noch nie.
»Was sagst du dazu?«, vernahm sie noch die Frage des Herrn der Ringe. Sie drehte ihm den Rücken zu und lief mit schnellen Schritten davon. Sie wusste, dass sie keine Sekunde verlieren durfte. Wenn sie sich beeilte, konnte sie den Turm erreichen. Hier, wo Einheit herrschte und die Zeit keine Bedeutung hatte, blieb alles unverändert. Hier ist sie noch stark. Weder die Flamme des Brenners noch der Kolben der Spritze konnten ihr den eigenen Willen nehmen. Auch wenn Niklas das dachte.
»Ich habe Angst, was aus uns wird«, flüsterte er ihr zu – sie hat schon vergessen, wo und wann. »Wir verlieren die Kontrolle.«
Er sprach über sie beide, aber meinte vor allem Evita. In der letzten Zeit schaute er sie anders an als früher. Seine Augen zeigten Enttäuschung, Misstrauen. Gewiss fühlte er sich betrogen. Er glaubte, eine Königin getroffen zu haben, aber stattdessen wurde er immer ärmer, immer erbärmlicher neben ihr. Sie machte ihn

zum Bettler. Es war nicht nur das Geld, das sie weggenommen hat, sie hatte ihn um alles gebracht, was ihm wichtig war. Wann hatte er das letzte Mal irgendetwas von sich erwähnt? Er sprach gar nicht mehr übers Filmemachen. Es fiel dem Pfandleiher, zusammen mit seiner Kamera, zum Opfer. Und was bekam er dafür? Womit belohnte Evita ihn? Hatte sie vielleicht etwas geopfert? Selbst wenn sie gründlich darüber nachdachte, fiel ihr nichts ein. »Befreit euren Geist, erst dann könnt ihr empfangen«, behauptete der Pfarrer in der Lerchenfelder Kapelle, und Schwester Callista stellte seine Worte bildlich dar: »Wenn ein Zimmer überfüllt ist, kann man darin nicht leben und es passt auch nichts Neues mehr hinein.«
Manchmal hatte Evita das Gefühl zu verstehen, dann aber wieder nicht. Als ob es zwei Arten von Leere gab: eine gute und eine böse. Was würde wohl passieren, wenn jemand die tief in Evita versteckte Dunkelheit vertreiben würde? Womit würde sich der entstandene leere Raum füllen? Würde er überhaupt etwas aufnehmen können?

Endlich ist sie unter der Bahnbrücke. So gemütlich wie es schien, ist es hier doch nicht. Der Bürgersteig ist schmal, aus den Ecken stinkt es nach Urin. Evita lehnt sich am Pfeiler an, geht in die Hocke und schnappt mit geschlossenen Augen nach Luft. Obwohl sie nur ein paar Meter gelaufen ist, bebt sie vor Erschöpfung. Eine tief anhaltende Müdigkeit lähmt sie äußerlich und auch innerlich. Morgens, als sie ihre Augen öffnete und die befleckten Wände und den fettigen Teppich sah, musste sie weinen. Sie kam nicht dagegen an. Die Tour zum Turm war wiederum gescheitert. Am Anfang verlief alles vielversprechend und schneller als gewöhnlich, aber nur bis zu einem bestimmten Punkt. Dann plötzlich stieß Evita auf ein neues Element. Quer über dem Weg erhob sich eine Grenze, sie war unsichtbar, bestehend aus einer dichten Luftmasse, in die sie mit den Fingern hineingreifen konnte. Durchdringen ließ sie sich jedoch nicht. Evita versuchte es wieder und wieder, immer

verzweifelter und machtloser, bis ihre Zeit um war. Sie wurde vom Morgen umschlossen und alles roch nach Elend. Egal in welche Richtung sie blickte, überall sah sie Ekel und Schmutz. Auch ihre eigenen Füße waren schmutzig und auf dem Vorderarm hatte sie trockenes Blut. Sie schluchzte, das Gesicht im Sofa vergraben, und ihre von Tränen benetzte Haut klebte am Kunstleder. Das Zimmer hatte eine tiefe Decke, sodass die Schluchzer in dem engen Raum eingesperrt blieben. Kein Echo. Erst nach einer Weile signalisierten ihre Sinne, dass sie allein war. Der Herr der Ringe war verschwunden. Er hatte einen süßlichen Geruch in der Luft und einen Zettel auf dem Tisch hinterlassen. *Warte auf mich, Kätzchen!*
»Au!« Sie deckt mit der Hand ihre schmerzenden Augen zu. Es ist zum Kotzen, eine ganze Ewigkeit lang fuhr hier kein einziges Auto durch, aber seit sie sich zwischen den Pfeilern eingenistet hat, wird die Straße lebendig. Zuerst zwei Taxis, jetzt ein Motorrad. Evita drückt sich an die Wand. Wenn sie wenigstens etwas Dunkles anhätte, aber ihr T-Shirt, obwohl es ganz schmuddelig ist, strahlt in die Nacht wie eine Apfelsine. Jeder muss es bemerken.
»Wenn du was waschen möchtest, im Badezimmer ist ein Shampoo und eine Seife«, bot ihr der Herr der Ringe an, als sie ihm anvertraute, dass alle ihre Sachen bei Till geblieben sind. »Ich habe keine Waschmaschine.«
Sie wusch ihre Klamotten nicht, sie wusch nicht einmal sich selbst. Sie wollte in der bedrückenden Wohnung keine Minute länger als nötig bleiben. Sobald der Weinanfall nachließ, stand sie vom Sofa auf und ging in die Küche. In einer Schublade fand sie zwei Messer. Sie probierte beide aus – das kurze mit der starken Klinge war besser. Es war ein Kinderspiel, mit dessen Hilfe die kleine Tür vom Sekretär aufzubrechen. Viel fand sie darin nicht, aber für die nächsten paar Tage konnte es reichen. Sie warf alles, was sie zu gebrauchen glaubte, in eine Plastiktüte. Vor lauter Hektik zitterten ihre Hände. Sie hatte Angst, dass der Herr der Ringe zurückkam und sie erwischte. Bisher benahm er sich, als sei sie ein kleines niedliches Spielzeug, aber Evita wusste, dass die Gewalttätigkeit in jedem

Menschen schlummerte. Die Frage war nur, wodurch sie geweckt wurde.
Ein alarmierender Schreck fährt Evita durch den Körper. Das Scheinwerferlicht, das sie streifte, kam von einem Polizeiwagen. Sie nimmt es mit Verzögerung wahr. Sie erstarrt in kalter Panik, hat keine Ahnung, was sie tun soll. Das Besteck hat sie schon vorbereitet, die Spritze ausgepackt, nun verfolgt sie mit ihrem Blick den sich langsam entfernenden Wagen und denkt fieberhaft nach. Haben sie sie bemerkt? Falls ja, drehen sie an der ersten Kreuzung um. Dort, bei der Garage. Schon sind sie da. Sie fahren immer langsamer. Oder erscheint es ihr nur so? Nein, sie bremsen!
Zittrig schmeißt sie alles zurück in die Tüte, stellt sich auf die geschwächten Beine, schwankt einen Moment lang, findet ihr Gleichgewicht wieder und steuert wackelig aufs andere Ende der Unterführung zu. Auch wenn sie versucht, sich selbst anzuspornen, ist sie nicht imstande zu rennen. Sie hat keinen Tropfen Treibstoff übrig, den sie für etwas anderes als fürs Aufpumpen der Lungen mit Luft und für automatisches Ein-Bein-vors-andere-Setzen benutzen könnte. Einatmen, das linke Bein, ausatmen, das rechte, einatmen … Sie sieht sich um. Der Streifenwagen kommt tatsächlich zurück. Glücklicherweise ist das Ende der Unterführung schon in greifbarer Nähe. Dahinter knickt die Straße nach rechts ab und führt an der Bahn entlang. Sträucher, geparkte Autos, Abfallcontainer. Evita duckt sich irgendwo dazwischen. Auf der einen Seite ist sie vom Bahndamm verdeckt, auf der anderen von einem Haufen Bananenkartons. Sie lauscht auf das Motorengeräusch des zurückkehrenden Wagens. Das heftige Klopfen der Regentropfen auf ihrem Kopf tut weh. Oder ist es etwas anderes, was ihr wehtut? Gibt es überhaupt etwas, was ihr nicht wehtut? Trübsinnig gedenkt sie *ihres* Kellers. Ihre gemeinsame, durch die Kohlenluke und den Kellergang abgegrenzte Privatzone, die tröstende Umschlingung von Niklas' Armen. Warum ist sie ständig davongelaufen? Woher diese ständige Unruhe, die sie wegtrieb, die ihr einflüsterte, dass sie schon viel zu lange auf der Stelle tritt, dass

sie die Zeit vergeudet, dass sie zu spät ist, zu spät kommt ... Wohin eigentlich? Auf dem weißen Weg zum Turm wusste sie immer, warum und wohin sie ging. Sobald sie aber zurückkam, war alles vergessen. Nach jeder Rückkehr fühlte sie sich verwirrter, suchte vergeblich nach Zusammenhängen, konnte sich nicht orientieren. Bestimmt waren ihre Augen mit schuld daran. Sie ließen sie immer mehr im Stich, als ob sich die in Evita versteckte Dunkelheit durch die Augenhöhlen hinausdrängte und die Konturen von Gegenständen, Menschen, Beziehungen verschleierte. Besser nichts anschauen. Die Augenlider geschlossen halten.

Sie hört, dass der Wagen die Unterführung verlassen hat und näher kommt. Die Reifen rollen über den nassen Asphalt, in das Schnurren des Motors hat sich ein lauernder Unterton eingeschlichen. Evita hat Angst nachzusehen, sie wagt es lediglich, durch die Spalte zwischen den Kartons auf die Straße zu blinzeln. Der Streifenwagen fährt im Schritttempo an ihr vorbei, im Inneren sind zwei Köpfe zu sehen. Sie suchen die Umgebung ab. Es muss ihnen klar sein, dass sie sich in der Nähe versteckt hält, sie haben aber keine Lust im Regen herumzulaufen. Kein Junkie ist ihnen die Mühe wert. Was kann man schon mit ihr anfangen? Sie macht ihnen nur sinnlose Arbeit mitten in der Nacht. Soll sie sich doch in Dreck und Nässe herumwälzen, wenn sie es will, sagen sie sich. Genauso wie der Taxifahrer gestern Abend.

»Meinetwegen bleib, wo du bist, wenn's dir gefällt!«, schrie er Evita nach, als sie sein Angebot ignorierte. Sie hatte ihm nicht gewinkt, er selbst wollte sie mitnehmen. Warum? Wohin? Sie saß auf einem Bierkasten in der Nähe des Osthafens, geschwächt durch die eigene Unentschlossenheit. Ursprünglich wollte sie auf den Hafenkran hinaufklettern, wo sie schon einmal eine schöne Nacht verbracht hatte. Auf der Plattform hoch über dem Fluss schienen alle Probleme nichtig zu sein. Sie schaute in den Himmel, den die Berliner Lichter des Sternenglanzes beraubten, dachte an nichts, hielt ruhig im Sog der vergehenden Stunden inne. Es ging ihr wie einst im kleinen Zimmer hinter der Küche, als Mut-

ter sie allein sitzen und still existieren ließ. Einfach verweilen. Der Hafenkran ist fürs Verweilen gut geeignet, aber diesmal war leider jemand da. Schon aus der Ferne sah Evita eine hinaufkletternde Figur, daher wandte sie sich enttäuscht ab und verließ den Hafen. Selbst in einer so großen Stadt wie Berlin gab es nur eine beschränkte Anzahl Möglichkeiten, wohin man gehen konnte, und auch diese wurden immer weniger. Welche blieb zum Schluss?
Der Streifenwagen entfernt sich. Evita schaut ihm nach, bis er hinter der Kurve verschwindet. Eigentlich sollte sie Erleichterung empfinden, aber dazu ist sie nicht fähig. Sie zittert am ganzen Leib, ihre Zähne klappern. Unter der nassen Kleidung ist sie vor Kälte erstarrt. Sie hat keine Lust, unter die Brücke zurückzukehren, hier hocken bleiben kann sie aber auch nicht. Ihr Blick gleitet ratlos über die Straße. Keine einzige offene Tür, kein einziger trockener, dunkler Durchgang, nichts, wo sich der Rest der verregneten Nacht überstehen ließe. Nichts für Evita. In ihre Augen drängen wieder Tränen, sie kann nicht gegen sie ankämpfen.
»Wenn wir uns mal zerstreiten oder einander verlieren sollten, versprichst du mir, dass du hierher zurückkommst?«, fragte Niklas einmal, als sie im weichen Licht des Kellers auf der Matratze lagen und seine Hände auf die vertraute Art über ihre Haut wanderten.
»Und du?«, fragte sie zurück.
»Ich versprech's«, sagte er sofort und hob sogar seine Finger zum Schwur. »Immer werde ich hier auf dich warten, Königin.«
»Auch wenn du mich nicht mehr sehen wolltest?«
»Spinnst du? Wenn ich dich nicht mehr sehen wollte, dann ... keine Ahnung, wie die Story weitergehen würde.«
Evita zieht die Nase hoch und wischt sie sich am Ärmel ab. Sie tastet nach der Tüte, die sie vorher sicherheitshalber unter dem Haufen Kartons versteckt hat, stützt sich an einem Container ab und richtet sich langsam auf. Die Tränen brennen in ihren Augen. Sie hat nicht einmal die Kraft zu weinen. Vielleicht aber gelingt es ihr, zu gehen. Es ist die einzige Möglichkeit, sich ein bisschen zu erwärmen. Langsam und vorsichtig lässt sie den Container los und

versucht einen Schritt zu machen, dann einen weiteren. Es klappt, auch wenn sie sich unheimlich anstrengen muss. Die Plastiktüte schlägt ihr gegen das Bein, als würde sie Evita zum schnelleren Tempo antreiben. Vergeblich. Sie ist froh, dass sie sich auf den wackeligen Beinen überhaupt halten kann, dass sie sich leidlich fortbewegt. Sie ist froh, dass sie endlich weiß, wohin sie geht.

◆◆◆

»Hast du eine Vorstellung, wohin?«
»Irgendwohin in Sicherheit.«
»Ich bezweifle, dass sich ein solcher Platz finden wird.«
»Dann wenigstens irgendwohin, wo nicht so viele Leute sind.«
»Weißt du, wie hoch die Bevölkerungsdichte in Deutschland ist? Etwa zweihundertdreißig pro Quadratkilometer.«
»In Polen ist sie nicht so groß.«
»Glaubst du wirklich, die lassen ihn nach Polen? Ohne Pass, ohne Chip und mit dieser Wolfsvisage?«
»Ich kann mit ihm im Zug bis an die Grenze fahren, dort steigen wir aus und ich führe ihn hinüber. Am besten irgendwo an der Neiße.«
»Was, wenn er nicht nach Polen will?«
»Er kann auch nach Tschechien laufen. Dort in den Bergen hat er die Auswahl.«
»Sylva, das ist ...«
»Abgefahren?«
»Ich fürchte, dass er nicht lange überlebt.«
»Schon möglich, aber er landet wenigstens nicht hinter Gittern. Robin! Tu nicht so, als ob du den Unterschied nicht verstehst! Er bleibt frei! Er kann machen, was er will!«
»Eine Woche Freiheit? Zwei Wochen?«
»Meinst du, es lohnt sich nicht? Als ich klein war, waren zwei Wochen für mich eine Ewigkeit.«
»Und wenn es nur zwei Tage sind? Ein paar Stunden?«
»Man kann das Maß der Freiheit doch nicht in Zahlen ausdrücken.«
»Wie kann man es deiner Meinung nach denn ausdrücken?«
»Unterschiedlich. Jeder hat seine eigene Art.«
»Und der Kojote? Welche Art hat der?«
»Ich glaube, er hat das Singen.«

Sie fahren langsam. Weiter im Osten erhellen Blitze den nächtlichen Himmel, hier regnet es nur noch. Der Regen schlägt gegen die Windschutzscheibe. Die Scheibenwischer laufen hin und her und befreien das Glas vom Wasserfilm. Die Uhr am Armaturenbrett zeigt Viertel nach drei, der Benzinanzeiger steht schon längst im dunkelroten Bereich und geht unversöhnlich gen Null.
»Weißt du, wo wir sind?«, fragt Robin. Den Navigator haben sie schon vor einer Weile ausgeschaltet, denn auf den Feldstraßen war er verlorener als sie.
»Ein Stück vor der Grenze.«
Sylva hält den geöffneten Autoatlas auf dem Schoß, verlässt sich jedoch viel mehr auf ihren Instinkt. Die Straßen, auf denen sie fahren, werden immer enger und verlaufen meist zickzackförmig. Seitdem sie Zittau verlassen haben, sind sie keinem einzigen Auto begegnet. Es ist nicht nur aufgrund der späten oder eher frühen Stunde, sondern auch wegen des starken Regens, der nach langen Wochen der Trockenheit manche Straßen in reißende Bäche verwandelt hat. Wer nicht unbedingt muss, sitzt zu dieser Zeit nicht am Steuer. Robin fährt vorsichtig und aufmerksam. Seine Hände machen exakt die erforderlichen Bewegungen, die Anspannung in seinem Gesicht lockert sich allmählich. Sylva beobachtet von der Seite den klaren Umriss seiner Stirn und seine Lippenlinie. Ab und zu bewegt er leicht den Unterkiefer, als wollte er etwas sagen, aber wahrscheinlich diskutiert er nur lautlos. Es ist nicht schwer, zu erraten, mit wem und warum. Er wird genug zu erklären haben – danach. Er hat sein Handy absichtlich ausgeschaltet, um die Vorwürfe in sicherer Entfernung zu halten, aber sie beide wissen, dass es bloß eine Frage der Zeit ist, bis er sich ihnen stellen muss.
»Ist das dein Ernst?«, fragte sie, als er im Aufzug die Autoschlüssel aus der Tasche fischte.
»Keine Panik, ich hab eine Menge Fahrstunden hinter mir«, versicherte er ihr. »Der einzige Haken dabei ist, dass ich noch keine achtzehn bin.«

Sie verstand. »Du darfst nur in Begleitung von Dr. Trost fahren. Wenn sie uns anhalten ...«

»Sie werden uns nicht anhalten«, unterbrach er sie und drückte den Türöffner der Garage. Von diesem Augenblick an handelten sie fast wortlos und ganz konzentriert. Sie bemühten sich, die Gefahr auf ein Minimum zu reduzieren, vor allem nicht aufzufallen. Ganz entscheidend war es, die Garage rechtzeitig zu verlassen, bevor Sylvas Mutter oder Robins Vater zurückkamen. Den Kojoten deponierten sie auf dem Boden vor der Rückbank in einer Golftasche mit Lüftungsöffnungen. Er protestierte nur mäßig, die Wirkung des Betäubungsmittels hatte sich noch immer nicht ganz verflüchtigt. Eine Weile winselte er und wand sich um sich selbst, dann verbreitete sich im Wagen ein beißender Geruch.

»Er hat sein neues Territorium markiert«, erklärte Sylva. In der Enge des Wagens konnte man kaum atmen, aber der starke Regen erlaubte es nicht, die Fenster länger zu öffnen. Robin schaltete den Ventilator auf Maximum, und nach einer Weile vergaßen sie den Gestank. Teils ging er weg, teils hörten sie auf, ihn wahrzunehmen. Sie mussten sich auf wichtigere Sachen konzentrieren. Solange sie noch in Berlin waren, sahen sie einige Polizeiwagen, aber zum Glück erregten sie von keinem die Aufmerksamkeit. Die hell beleuchteten Straßen wirkten trotzdem bedrohlich. Auf Robins Stirn bildeten sich kleine Schweißperlen und Sylva merkte, dass ihre Hände zitterten. Als sie die Hände zwischen ihre Knie quetschte, übertrug sich die Vibration auch auf die Beine. Im Wagen war es still, beide schwiegen, nur hie und da machten sie eine knappe Bemerkung bezüglich der Richtung ihrer Fahrt. Nachdem sie die Metropole hinter sich gelassen hatten, entspannten sie sich ein wenig. Die Dunkelheit, die von Zeit zu Zeit von den Scheinwerfern der überholenden Autos zerschnitten wurde, gab ihnen ein Gefühl der Sicherheit. Sie passierten einige Tankstellen, bogen jedoch zu keiner ab. Robin fuhr möglichst sparsam. Die ersten Sorgen kamen in Dresden, als der Benzinanzeiger die Grenze des roten Bereichs überschritt.

»Sollten wir nicht tanken?«, fragte Sylva.
»Das könnte das Ende unseres Ausflugs bedeuten.«
Sie verloren kein weiteres Wort darüber. Sylva dachte an die kurze Mitteilung, die sie auf dem Anrufbeantworter für ihre Mutter hinterlassen hatte. Sie hatte nicht alles gesagt, die besonders beunruhigenden Fakten ließ sie aus, damit sich ihre Mutter nicht mehr als nötig erschrak. Sylva wusste, dass sie sich zumindest in den nächsten paar Stunden Mutters Loyalität sicher sein konnte. Sie würde keine Panik machen und Sylva den Freiraum lassen, den sie brauchte. So wie sie es immer getan hatte. Worüber Robin nachdachte, konnte man nicht erraten. Die letzten Kilometer fuhren sie in absolutem Schweigen, nur ihre aufs leuchtende Armaturenbrett gerichteten Blicke wurden immer zahlreicher und bedrückter. Der Zeiger näherte sich gnadenlos der Null. Erst hinter dem letzten Dorf beruhigte sich Sylva. Sie war sich darüber im Klaren, dass sie ab hier eventuell zu Fuß weitergehen müssten, um ihr Ziel zu erreichen.
»Sollten wir nicht lieber abbiegen?« Robin bremst ab und mustert prüfend den schmalen, in den Wald führenden Weg. »Vielleicht gibt es keinen anderen bis zur Grenze.«
Sylva nickt. Der Weg ist auf der Karte nicht markiert, aber den ausgefahrenen Spuren nach zu urteilen, ist er passierbar. Die tiefsten Löcher sind mit Kies eingeschottert. Das Auto wackelt auf der unebenen Fahrbahn wie eine Ente, die Steine knirschen unter den Rädern. Je tiefer sie in den Wald eintauchen, desto schwächer wird der Regen. Sylva öffnet das Fenster. Der betörende Duft der feuchten Rinde schlägt ihr entgegen und löst ein angenehmes Prickeln in ihrer Nase aus. Eine Welle des Behagens erfasst sie, durchströmt den Magen und sammelt sich unterhalb des Bauchnabels – einem für Sylva längst vertrauten Punkt. Er ist ihr Empfänger für aufregende Wahrnehmungen. Seit jeher konzentrieren sich dort sämtliche wichtigen Signale. Sie streckt die Hand hinter den Sitz und öffnet den Reißverschluss ein bisschen mehr, damit die Luft besser in die Tasche strömen kann. Sie will, dass auch der Kojote seinen

Teil vom Waldduft kriegt. Er ist schon hellwach, zappelt drinnen gewaltig, beansprucht seine Freiheit. Die Eindringlichkeit seiner Proteste steigert sich mit jedem Kilometer.

»Warte ab, gleich sind wir da«, beruhigt ihn Sylva. Die Nacht macht sich auf die Socken, das Scheinwerferlicht verblasst langsam in der Morgendämmerung. Eine Wegweisersäule mit mehreren Richtungspfeilen taucht im Lichtkegel auf. Robin hält an, lässt den Motor laufen und will aussteigen, aber Sylva kommt ihm zuvor. Sie kann es nicht mehr aushalten, sie muss den Wald mit allen Sinnen erfassen, unverzüglich, sofort. Sie meidet den Kiesweg, sie will die Geschmeidigkeit des Mooses und der Nadeln unter ihren Füßen fühlen, eins werden mir der Natur. Am liebsten würde sie ihre Schuhe ausziehen, aber dazu ist im Moment weder Zeit noch die passende Gelegenheit. Möglichst schnell sollten sie das, weswegen sie hierhergekommen sind, hinter sich bringen. Ob es nun Sinn macht oder nicht. Kurz zuvor, in Berlin, war sie noch ziemlich sicher, dass sie für den Kojoten eine Lösung gefunden hatte, jetzt beginnt sie daran zu zweifeln. Die Gegend hier ist keine unberührte Wildnis. Auf jedem Quadratmeter, in jedem Winkel der Landschaft ist die menschliche Hand zu spüren. Auch die Wegweisersäule ist sorgfältig gepflegt, der zur Grenze zeigende Richtungspfeil erstrahlt in einem frischem Anstrich. Anderthalb Kilometer über den gelben Pfad … und weiter? Was geschieht, nachdem sie am imaginären Schnittpunkt dreier Staatsgrenzen stehen geblieben sind und die Golftasche geöffnet haben? Ist diese Geste von Bedeutung? Hilft sie dem Kojoten zu überleben? Was wird er machen? Wo wird sein Instinkt ihn hinführen? Wird er es schaffen, im bergigen und für ihn unbekannten Terrain am Leben zu bleiben und wenigstens eine Zeit lang seine Freiheit zu genießen?

»Ich glaube, die Freiheit existiert nicht. Und wenn doch, dann ist sie sehr subjektiv. Ähnlich wie das Sehvermögen«, unterbrach Robin plötzlich das Schweigen, als sie die Lichter des Dresdner Flughafens hinter sich gelassen hatten und dem Zittauer Gebirge

entgegenfuhren. »Jeder sieht doch anders. Für mich ist dieses Auto beigefarben, für dich vielleicht braun. Einer kann ein Flugzeug klar erkennen, auch wenn es wahnsinnig hoch ist, ein anderer bestreitet, dass oben etwas fliegt …«
»Er kann es hören.«
»Auch hören tut jeder auf eine ganz andere Art. Und genauso ist es mit der Freiheit. Sobald du über sie wirklich nachdenkst, stellst du fest, dass du eigentlich nicht weißt, was sie ist.«
»Aber du weißt, was sie *nicht* ist.«
»Was die Freiheit für dich nicht ist, kann sie ja für mich sein. Jeder von uns hat in sich irgendein Erlebnis versteckt, das die persönlichen Wünsche und Vorstellungen beeinflusst, auch die Vorstellung von Freiheit. Nur ist die Vorstellung nicht auf andere übertragbar.«
Sylva spürte, wie sich die angelehnte Tür in ihm vorsichtig öffnete.
»Warum nicht übertragbar?«, wagte sie zu fragen.
»Nicht in Worten. Worte sind Scheiße«, antwortete er mit Bestimmtheit. »Sie machen alles bloß kaputt.«
Sie verstand, was er meinte. Auch sie fühlte sich öfters durch Wortmauern von der Wahrheit getrennt, vom Wesentlichen. Früher versuchte sie es sowohl der Mutter als auch der Psychologin zu erklären, aber weder ihre Zeichnungen noch die gesprochenen Zeichen vermittelten ihnen, was sie meinte. Zuerst war sie wütend darüber, aber nach und nach fand sie sich damit ab. Sie begriff, dass es komplett egal war. Jeder mochte das aus ihr herausholen, was er vermochte, der Rest gehörte ihr. Worte sind nur Verbindungsglieder. Sie sagen nichts darüber aus, *was* sie verbinden, sie berühren nur die Oberfläche. Aber auch das ist nicht wenig. Wenn man richtig mit ihnen umgeht, erfüllen sie ihre Funktion.
»Wenn wir nicht miteinander geredet hätten, wären wir jetzt nicht hier. Zwei Menschen, die sich noch vor ein paar Tagen nicht kannten, fahren spät in der Nacht durch eine fremde Gegend …«
»Hast du Angst?«, fragte Robin.

»Du fährst gut«, antwortete Sylva. Sie kapierte aber sofort, dass er etwas anderes gemeint hatte.
»Warum sollte ich Angst haben?«
»Keine Ahnung!« Sein Lachen erstirbt, die Tür schlägt schnell zu. »Ist das nicht die Morgendämmerung, da vorne?«
Er lenkt ihre Aufmerksamkeit auf den grauen Streifen am östlichen Horizont, der tatsächlich die Grenze zwischen Nacht und Tag markierte. Auf das Gespräch von vorhin kommen sie nicht mehr zurück. Sylva weiß nicht, warum er über Angst spricht, aber ihr fällt ein (und das nicht zum ersten Mal), dass er sich selbst vor etwas fürchtet. Aber wovor? Vor ihr? Oder vielleicht hat er Angst vor dem, was passieren könnte, wenn er seine innere Tür plötzlich sperrangelweit öffnete?
Von den Ästen reißen sich Tropfen los und fallen ins Gras. Akkorde des ausklingenden Regens. Unter den Bäumen ist es noch immer Nacht, aber über dem Weg wird der Himmel schon hell. Man kann die ersten Vogelstimmen hören. Sylva erinnert das an ihren Vater. Er ist ein Frühaufsteher, zu dieser Zeit sitzt er bereits am Computer. Wie viel wird er heute schreiben? Sylva kommt es so vor, als würde ihn jede geschriebene Zeile eine enorme Anstrengung kosten. Er bemüht sich, seinem Körper das Buch abzutrotzen. Wenn er es endlich schafft, das ganze in den Händen zu halten, wird es ihm wahrscheinlich besser gehen. Vielleicht bringt er es dann fertig, die Gegend seiner Vorväter und die Ruine am Fluss zu verlassen, aus der die Familientradition schon eh längst durch das löchrige Dach verschwunden ist. Möglicherweise kehrt er sogar zu ihnen und der Arbeit im Architektenbüro nach Berlin zurück. Es kann ja sein, dass er seine Stadtphobie überwindet und wieder an der Umformung dieses Planeten, den der Mensch restlos für sich beansprucht, teilnimmt.
»Es scheint, als säßen wir auf dem Trockenen«, ertönt Robins sachliche Information aus dem Wagen. Erst jetzt nimmt Sylva wahr, dass der Motor verstummt ist. »Ende der Reise.«
Er dreht den Schlüssel mehrere Male, aber ohne Erfolg. Die ein-

zige Reaktion kommt aus dem hinteren Teil des Wagens. Der Kojote, durch die Klänge und Gerüche der vom Regen gebadeten Landschaft vollkommen wach, kämpft sich kompromisslos hinaus. Man kann sein zorniges Knurren und das Kratzen seiner Pfoten am Stoff der Tasche hören. Sylva zieht sie aus dem Auto heraus. Aus der Öffnung blitzt eine Reihe von Zähnen hervor, der vorstehende Reißzahn versucht, sich im Reißverschluss festzuhaken.
»Bleib locker«, spricht Sylva ihm zu. »Zur Grenze ist es nur noch ein kleines Stückchen!«
Selbstverständlich wird sie sich der Absurdität ihrer Worte bewusst. Was bedeutet denn schon irgendeine von Menschen ausgedachte Grenze für ein Raubtier? Für einen Präriewolf erstreckt sich die Fläche eines natürlichen Territoriums je nach der Ausbeute an Nahrung von mehreren Dutzend bis zu Hunderten von Kilometern – so hatte es Sylva zumindest im Internet gelesen. Die Entfernung zur Grenze ist im Verhältnis dazu unwichtig. Trotzdem muss die Strecke zurückgelegt werden. Sylva kann nicht genau erklären, warum. Sie versteht es als ein Ritual, das man bis zum Schluss durchführen muss, sonst stellt sich der Erfolg nicht ein.
Robin findet sich damit ab, dass seine Versuche nichts bringen. Er hört auf, den Anlasser zu quälen, steigt aus dem Auto, lehnt sich an die nasse Haube und beobachtet die heftigen Bewegungen der Golftasche auf dem Boden. Sein Gesicht ist von Schlaflosigkeit und auch noch von etwas anderem gekennzeichnet, was Sylva nicht entziffern kann. Bereut er etwa inzwischen, was er getan hat? Hat er Angst vor seinem Vater? Würde er am liebsten die Uhr zurückdrehen und das Auto zurückstellen, damit er keine Rechenschaft für seine voreilige Handlung ablegen muss? Oder steht er für seine Tat ein? Sylva hat keine Ahnung. Sie weiß nichts über ihn – fast nichts. Jeder Mensch ist eine Summe aus Bruchzahlen, die sich nicht auf einen gemeinsamen Nenner bringen lassen.
»Entschuldige«, sagt sie. Höchstwahrscheinlich hat sie einen Fehler gemacht. Sie hätte ihn nicht in diese Angelegenheit hineinziehen sollen. Im Verlauf dieser Nacht haben sich ihre Bruchzahlen

berührt. In einigen kurzen Momenten hatte sie sogar das Gefühl, dass etwas Neues entstanden war, was sie beide betraf. Doch jetzt war diese Übereinstimmung wie weggeblasen.

»Entschuldige«, wiederholt sie. Sie würde Robin gerne anfassen. Ihre Hand sehnt sich nach einer Berührung. Aber nach dem gestrigen Versuch auf dem Dach, als ihre Hand auf seiner Schulter wie ein ungebetener Gast links liegen gelassen wurde, traut sie sich nicht mehr. Es hat keinen Sinn. Alle Knoten aus ihren gemeinsamen Augenblicken werden sich letztendlich lösen und am Schluss bleiben nur einsame Fäden zurück. Was blieb ihr von der Zeit mit Niklas oder mit Filip? Das Niemandsland. Eine empfindliche Stelle, die brannte und zwickte, aber allmählich vernarbte sie. Falls Vater recht hat, ist dies nur ein Übergangszustand. Wenn er vorbei ist, wird alles stumpfer, geregelter, ist nicht mehr so direkt. Schon bald. Schon in ein paar Jahren ... Was wird sie dann empfinden?

»Wir müssen uns beeilen.« Robins Stimme unterbricht ihren Gedankenfluss. »Bevor es ganz hell wird. Komm, nimm den anderen Henkel.«

Wörter. Zweckmäßige Verbindungsglieder. Bei richtigem Gebrauch erfüllen sie ihre Funktion. Robin hebt die Tasche, reicht Sylva einen Henkel und macht sich an ihrer Seite auf den Weg in Richtung des gelben Pfeils. Der leer geregnete Himmel über ihren Köpfen klart schnell auf.

◆◆◆

»Den ersten Preis? Und das sagst du mir so, als wenn in China ein Sack Reis umgefallen wär?«
»Mama! Das war nur ein Schulwettbewerb.«
»Nur? Weißt du, Niklas, was es für deinen Vater bedeutet hätte, wenn er noch am Leben wäre?«
»Wahrscheinlich wäre er froh, oder?«
»Du kannst dir nicht vorstellen, wie froh. Das Filmemachen war sein alter Traum, leider konnte er ihn sich nie erfüllen. Die Zeit damals war für Träume nicht gerade günstig. Er würde überall damit angeben, dass du mit sechzehn ganz allein einen preisgekrönten Film gedreht hast.«
»Glaubst du, er würde ihn mögen?«
»Das ist kein netter Film. Aber er hat starke, eindrucksvolle Stellen. Zum Beispiel die mit der verletzten Maus, du weißt schon ... wie sie auf dem Kornhäufchen liegt, die anderen futtern und nehmen keine Notitz von ihr, erst als sie ihretwegen nicht an weiteres Futter kommen können, dann ... Ich musste weinen. Plötzlich erinnerte ich mich daran, dass dein Vater dir ein Fahrrad kaufen wollte, aber immer gezögert hatte, weil er arbeitslos war. Als sich dann endlich das Blatt wendete, war es zu spät. Er hat es nicht mehr geschafft.«
»Ich hab mir nie ein Fahrrad gewünscht.«
»Ich rede ja nicht vom Fahrrad. Ich spreche darüber, wie schnell du heranwächst und wie ähnlich du ihm bist.«
»Ach ja?«
»In einer Sache auf jeden Fall – er konnte Freude schenken. Das hast du von ihm.«
»Freude? Du machst Witze! Gerade hast du gesagt, dass dich meine ›Mäuschen‹ zum Weinen gebracht haben!«
»Du kennst mich doch, meistens weine ich vor Glück. Wenn ich traurig bin, bring ich es nicht fertig. Nicht mehr.«

»Weißt du was, Mama? Ich werde dafür sorgen, dass du öfters einen Grund zum Weinen haben wirst, das versprech ich dir.«

Als ich schon fast an unserem Haus bin, weiß ich es plötzlich. Auf einmal bin ich mir hundertprozentig sicher: Evita wartet dort auf mich. Ich habe sie wie ein Trottel in ganz Berlin gesucht, und sie wartet inzwischen hier! Ich fange an zu rennen. Wieso bin ich nicht viel früher darauf gekommen? Habe ich unsere Abmachung vergessen? Die war doch klar! *Wenn wir uns mal zerstreiten oder einander verlieren …*

Das Tor steht offen. Als ich in die dunkle Einfahrt hineintrete, raschelt etwas unter meinen Füßen. Ich erschrecke, aber es ist nur eine leere Popcorntüte, die jemand weggeworfen hat. Ich kicke sie zur Seite und laufe weiter. Das Haus schläft noch, nur ein entferntes Brummen durchdringt die Stille. Jemand mahlt frischen Kaffee zum Frühstück. Als ich in den Hof komme, sehe ich sie. Sie sitzt unter der alten Teppichstange, ihr Kinn auf die Knie gestützt, den Rücken bogenartig gekrümmt, als ob sie sich einpuppen wollte. Noch hat sie mich nicht registriert.

»Evita!«, rufe ich halblaut, um nicht sämtliche Bewohner zu wecken. Sie hebt den Kopf. Ich kann nicht in ihre Augen sehen, sie sind von einer Sonnenbrille verdeckt. Ihr Mund aber ist nackt und lächelt mich an. Sie stellt ihre Füße auf den Boden und kommt mir entgegen. Als sie an der Kastanie vorbeigeht, bückt sie sich ein wenig. Dennoch fährt ihr ein Zweig durch die Haare. Ich schaudere.

»Das stimmt nicht!«, schreie ich auf. Da der Baum nicht mehr im Hof steht. Da er gefällt wurde. Da ich nur träume. Trotzdem laufe ich zu ihr, möglicherweise schaffe ich es noch. »Bin gleich bei dir, warte …«

Sie wartet nicht. Ich bin hoffnungslos wach. Auf dem Krangeländer vor mir sitzt eine Möwe und schaut mich an. Als ich mich rühre, fliegt sie gen Himmel. Überall ist Himmel. Ich liege auf dem

Dach des Führerhauses, zwölf Meter über der Erde, wahrscheinlich noch mehr. Ich richte mich auf. Das Dach ist ziemlich groß, aber trotzdem schaukelt mein Magen warnend bei jeder meiner Bewegungen. Verdammt, wie bin ich hier gelandet? Ich wuchte mich auf die Knie, krieche auf allen vieren zum Geländer und traue mich, vorsichtig nach unten zu gucken. Ohnmacht! Absoluter Wahnsinn! Der Kai flimmert in bodenloser Tiefe, das eiserne Tanzpaar auf der Spree ist nicht größer als eine kleine Spielfigur. Mit rasendem Herzen krieche ich rückwärts zur Mitte des Dachs, schließe die Augen und bedecke sie sicherheitshalber noch mit den Händen. Am liebsten würde ich mich am Kran festschrauben. Ich wage gar nicht daran zu denken, dass ich wieder nach unten klettern soll. Jemand wird mich hier irgendwie runterholen müssen. Null Ahnung, wer und wie. Die Feuerwehr vermutlich. Mit einem Hubschrauber. Sie landen hier oben und nehmen mich mit –

»Was treibst du denn da?«

Eine männliche Stimme. Sie kommt von der Baustelle. Ich drehe den Kopf, die Hände immer noch vor den Augen, und ziehe meine Finger ein kleines bisschen auseinander. Die Baustelle, sowie der ganze Kai, sehen verlassen aus, nur auf der Verschalung der Terrasse steht jemand, ein Kerl.

»Wie bist du da hochgekommen?«

Gute Frage. Ich würde nur zu gern die Antwort kennen. An die Motivation kann ich mich natürlich erinnern: Ich bin zu Evita geklettert. Am Ende der ersten Leiter guckte ich irrtümlicherweise nach unten, und mir wurde sofort klar, dass ich nicht mehr zurück auf den Boden konnte. Der einzige Weg für mich führte hinauf. Auf dem Bauch kroch ich quer über die Drehscheibe und kraxelte weiter nach oben. Anfangs zählte ich die Sprossen, irgendwann bei der zwanzigsten hörte ich damit auf. Langsam wurde mir alles schnuppe. Ich geriet in den Zustand einer seltsamen Unzurechnungsfähigkeit, die mich immer höher trieb.

»Marsch nach unten!«, kommandiert die Stimme von der Terasse.

»Ich kann nicht«, antworte ich mit den Händen vor dem Gesicht. Nie wieder nehme ich sie runter.
»Du wirst schon mit den Scherzchen aufhören, wenn die Polizei antanzt!«
Seine Worte ergeben keinen Sinn. Er spricht über Scherzchen, und dabei geht es mir beschissen, echt elend. Noch viel schlimmer als gestern. Auch wenn ich gestern überzeugt davon war, dass es gar nicht schlechter werden konnte. Nachdem ich endlich die letzte Sprosse bezwungen und mich aufs Dach des Führerhauses fallen gelassen hatte, lag ich eine Weile nur da und schnappte nach Luft. Dann hob ich meinen Kopf. In dem Augenblick, oder eher noch eine Sekunde früher, wusste ich es. Die Fata Morgana hatte sich aufgelöst, Evitas Silhouette war verschwunden, ihr orangefarbenes T-Shirt verduftet, die Plattform leer. Gar nichts war hier. Nur ich, ein trotteliges Naturtalent, und die ersten Tropfen, die auf das Eisen klatschten. Bei dem Gedanken, dass alles, was ich unternommen hatte, meine ganze Mühe umsonst gewesen war, kriegte ich Schüttelfrost. Ich konnte nichts dagegen tun, das Zittern war viel zu tief in mir, an einer Stelle, wo ich es nicht packen konnte.
»Hast du ein Problem?«, dringt es von unten zu mir hoch, nicht mehr so angriffslustig wie vorher.
»Man kann es so nennen«, antworte ich.
»Das ist aber keine Lösung, komm runter.«
»Ich kann nicht.«
»Sie sind gleich hier.«
»Wer?«
»Die Schupo, Himmelherrgott! Jeden Morgen fahren die Polizisten hier durch.«
»Na und? Die sind mir egal!«
Die sind mir nicht egal.
»Halt dir die Bullen vom Hals, sie finden immer etwas über dich heraus«, versicherte mir Evita. »Auch wenn du sauber bist wie das Gewissen von Schwester Callista.«
Das bin ich sicher nicht. Seitdem ich die Wohnung ausgeplündert

und das Familiengold ins Pfandleihhaus gebracht habe, habe ich einen triftigen Grund, die Ordnungshüter zu meiden.
»Ich bin nicht das Gewissen von Schwester Callista«, sage ich dem Kerl auf der Terrasse.
»Was bist du nicht?« Ich weiß nicht, warum er sich mit mir unterhält. Wahrscheinlich ist es ein Wärter, der den Kran bewachen soll, und jetzt hat er Angst, dass sein Gehalt gekürzt wird.
»Komm herunter«, fordert er mich wieder auf. »Das Leben ist schön!«
Jetzt kapiere ich endlich. Er fürchtet, dass ich runterspringen will. Seine folgenden Worte bestätigen es.
»Ich lade dich zum Früstück ein! Komm, die meisten Probleme lassen sich bei Kaffee und Kuchen lösen!«
Die Bemerkung kneift meinen ohnehin schon verklemmten Magen nur noch mehr zusammen.
»Ich bin kein Selbstmörder«, sage ich, um seinen Verdacht auszuräumen. »Ich würde gerne runterkommen, aber es geht nicht. Ich leide unter Schwindelanfällen.«
»Und als du nach oben geklettert bist, hast du noch nicht gelitten?«
Ich schweige. Ich werde ihm doch nichts darüber erzählen, was mich nach oben getrieben hat! Er würde es sowieso nicht begreifen. Obwohl, sicher bin ich mir auch nicht. Leute begreifen erstaunlich oft unbegreifliche Dinge. Dinge, die sich dem gesunden Menschenverstand entziehen. Gegenüber dem gesunden Menschenverstand haben viele Leute eine ähnliche Haltung wie gegenüber den Bullen.
»Die sind gleich da«, seine Stimme kommt aus einer anderen Richtung. Er ist näher gekommen, wahrscheinlich steht er direkt unter dem Kran. »Wenn du glaubst, dass die mit dir diskutieren werden, dann irrst du dich.«
Der Himmel ist perlgrau, voller Vögel. Ich kann sie zwischen meinen Fingern hindurch sehen, sie manövrieren nach dem Regen wie Jäger bei einer Flugschau. Das Eisen, auf dem ich sitze, ist immer

noch nicht trocken, meine Hose und das T-Shirt sind feucht. Kein Wunder, nach so einem Guss. Der Opa aus Heinersdorf jammert bestimmt nicht mehr, wie schrecklich sein unschuldiger Aprikosenbaum leidet. Kann sein, dass er keinen Aprikosenbaum mehr hat. Vielleicht wurde er von einem der Blitze getroffen, die nachts über Berlin zuckten und überall einschlugen. Wenn ich so darüber nachdenke, ist es eigentlich merkwürdig, dass mich keiner von ihnen getroffen hat.

»Haben Kräne Blitzableiter?«, frage ich den Kerl unten.

»Hör zu«, sagt er, »wenn ich dir helfe, kommst du dann runter?«

»Wie können Sie mir denn helfen?«

»Ich werde dich halten.«

»Sie meinen, Sie klettern nach oben?«

»Genau das meine ich.«

»Bis zu mir?«

»Siehst du eine andere Lösung?«

»Haben Sie keine Angst?«

»Schon, aber vor anderen Sachen. Ich bin es gewöhnt, in viel größeren Höhen zu arbeiten.«

»Sind Sie denn kein Nachtwärter?«

»Willst du, dass ich dich herunterhole oder nicht?«, keift er gereizt.

Wenn ich spüren würde, dass er mich von hinten festhielte, dass er mich mit seinem Körper vor der Tiefe unter mir schützte, könnte ich es vielleicht schaffen. Wie damals mit Sylva. Auch wenn es wahnsinnig lange dauerte, bis wir von dem verdammten Leuchtturm runtergestiegen waren. Diese Nummer hier wird unendlich sein.

Ich verzögere die Entscheidung. »Was für ein Tag ist heute?«

»Leck mich!«, antwortet er. Es ist klar, dass ich seine Geduld überstrapaziere. Er lässt mich hier sitzen.

»Moment!«, rufe ich hastig. »Also gut ... dann kommen Sie.«

Auch ohne ihn weiß ich, dass heute Samstag ist. Mutters Urlaub ist gestern zu Ende gegangen. Bestimmt hat sie mich den ganzen Tag über telefonisch zu erreichen versucht und Dutzende von

Nachrichten hinterlassen. Dann gab sie der Schwägerin einen Kuss, setzte sich in den Zug und fuhr nach Berlin. Unterwegs bemüht sie sich, sich keine Katastrophen vorzustellen. Vielleicht gelingt es ihr sogar, sich einzureden, dass ich zum Bahnhof komme, um ihr mit dem Koffer zu helfen. Als sie dann nach Hause kommt, wartet etwas anderes auf sie.

»Mach dich bereit, ich bin ruckzuck bei dir«, informiert mich mein Retter. Ich höre das Knarren der Leiter unter seinen Füßen. Er klettert wie ein Affe. Ich muss *mich bereit machen*, er wird *ruckzuck* hier sein. Langsam lasse ich meine Hände vom Gesicht herunter und fixiere den Blick aufs Geländer. Es befindet sich in meiner Augenhöhe. Einige Sekunden lang starre ich es an, um festzustellen, ob es schaukelt. Es scheint festzustehen. Sitzend fange ich an, mich langsam vorwärtszuschieben.

»Hab keine Angst«, ermutigt mich die Stimme von unten. Sie ist schon viel näher, wahrscheinlich über der Drehscheibe auf der oberen Leiter. »Es ist alles in Butter.«

»Alles in Butter«, wiederhole ich und lege ein weiteres Stückchen meiner Strecke zum Geländer zurück. Unter den Rippen habe ich einen Presslufthammer.

»Ganz langsam, ruhig atmen«, empfiehlt er mir. »Nur keinen Stress!«

Mit Mühe zähme ich meinen rasenden Atem und gleite wieder ein paar Zentimeter nach vorne, den Blick stets am Geländer eingehakt.

Mutter räumt wahrscheinlich inzwischen die herumliegende Wäsche und die Handtaschen auf, macht die Schubladen und den durchwühlten Schrank zu, bringt die Wohnung in die übliche Ordnung. Sie hat die Waschmaschine eingeschaltet, sitzt jetzt in der Küche und schaut auf den Hof hinaus. Sie heult nicht. Jeder von uns hat vermutlich einen beschränkten Vorrat an Tränen fürs ganze Leben. Mutter hatte ihren nach Vaters Tod verbraucht. Seitdem weint sie trocken.

»Hier bin ich, mein Lieber!« Über der Plattform taucht ein ergrauter, lockiger Kopf auf, darunter ein Brustkorb im Overall. Er ist ein wenig außer Atem, macht aber eine ermutigende, fast heitere Miene. »Bist du soweit?«

Ich nicke. Sprechen kann ich nicht, meine ganze Energie investiere ich darin, nicht zu zittern.

»Bleib locker, dies ist doch keine Höhe.« Er lacht. »In ein paar Minuten sind wir unten.«

Ich nicke wieder – habe keine andere Wahl. Der Kerl ist ein Geschenk des Himmels. Ein solches Geschenk lehnt man nicht ab.

»Du siehst aus, als hättest du hier die ganze Nacht verbracht!« Er mustert meine nassen Klamotten. »Hast du da während des Unwetters gehockt?«

»Ich habe keine Angst vor Sturm«, bringe ich aus mir heraus.

»Du bist ein Spinner!« Er schüttelt den Kopf, wobei er nach meinem Knöchel schnappt. Auch wenn er nicht besonders stämmig ist, hat er den Griff eines gesunden Orang-Utans. Ich bin langsam überzeugt davon, dass wir gemeinsam und ohne Kratzer den festen Boden erreichen werden, dass er mich nicht hinunterfallen lässt.

»Lass es uns anpacken!«, befiehlt er. »Ich heiße Herbert.«

»Niklas.«

»Es gibt nur eines, worauf es ankommt. Weißt du, was das ist, Niklas?«

Ich schüttele den Kopf.

»Vergiss nicht, dass du auf der Leiter nicht alleine bist. Ich bleibe immer dicht bei dir.«

»Danke, Herbert«, sage ich. »Du bist klasse.«

»Ganz dicht, verstanden?«, wiederholt er nachdrücklich. »Aber nicht, dass du mich vor Angst bepisst!«

◆◆◆

Liebe Sylva!
Ich hätte nie gedacht, dass es eine solche Schufterei ist, einen Brief zu schreiben. Ich arbeite seit deiner Abfahrt daran, aber ein Ende ist immer noch nicht in Sicht. Der Anfang war leicht, aber je mehr Zeit vergeht, desto schwieriger ist es, zu wissen, worüber ich schreiben soll, und die passenden Worte zu finden. Die Verbindung wurde gekappt. Ich spreche zu dir, aber ich fühle keine Resonanz. Es ist sinnloser, als in den Wind zu sprechen, weil der Wind einem wenigstens ein Zeichen seiner Anwesenheit gibt, während deine Abwesenheit absolut ist. Sogar für Werther war das Schreiben einfacher. Lotte war zwar unerreichbar, doch ihre Existenz konnte man nicht in Frage stellen. Du hast dich aus meinem Leben so vollkommen entfernt, dass ich nicht weiß, ob du je dessen Bestandteil warst. Die Lücke, die du hinterlassen hast, wird langsam mit Ereignissen und Menschen gefüllt, von denen du nichts weißt. Mit Menschen, von denen auch ich bis vor Kurzem keine Ahnung hatte. Eine davon ist Berenika ...

... und vor fünfzehn Minuten hielt ich sie in meinen Armen. Wir standen an einer Bushaltestelle, umarmten und küssten uns, und es war uns egal, dass uns alle angeglotzt haben. Vielleicht glotzten sie auch nicht, was weiß ich. Ich vergaß die Außenwelt einfach. Zum ersten Mal in meinem Leben ...
»Fahrkartenkontrolle. Ihre Fahrausweise bitte!«
Ein unauffälliger Mann im kurzärmligen Hemd bleibt vor Filip stehen und weist sich aus.
Es dauert einen Moment, bis Filip begreift, dass es ein Kontrolleur ist.
»Ihre Fahrkarte, bitte!«
Filip greift in die Tasche, wo er normalerweise seine Monatskarte trägt, zu seiner Überraschung stellt er jedoch fest, dass sie

nicht da ist. Er probiert die andere Tasche, dann fängt er an, seine Taschen gründlich zu durchstöbern. Dabei beobachtet er das Gesicht des Kontrolleurs. Je länger Filips erfolgloses Absuchen sämtlicher Taschen dauert, desto siegessicherer werden die Gesichtszüge des Kontolleurs.

»Also?«, fragt er nach einer Weile. »Haben Sie einen gültigen Fahrschein, oder nicht?«

»Ich habe eine Monatskarte«, antwortet Filip. »Kann sie aber nicht finden.«

Er fährt nur mit seiner linken Hand in die Tasche, die rechte liegt vorsichtig gestützt auf der Sitzlehne vor ihm. Er hat sich an den Gipsverband, der seine Hand fast bis zum Ellbogen einzwängt, noch nicht gewöhnt. Das Röntgenbild zeigte, dass der Knüppel, abgesehen vom kleinen Finger, auch noch den Mittelhand- und den Hakenknochen gebrochen hatte.

»Eine schöne Bescherung! Das wird erst in sechs Wochen verheilt sein, frühestens«, schätzte die Ärztin im Aussiger Krankenhaus, in das zwei Polizisten ihn früh am Morgen gebracht hatten. Keiner der beiden war der, den Filip gebissen hatte, aber beide verhielten sich so. Sie verlangten von der Chirurgin eine Kopie des Arztberichtes und fügten diese dem Vernehmungsprotokoll hinzu.

»Ich war im Krankenhaus«, erklärt Filip dem Kontrolleur, weil sich die Suchprozedur peinlich in die Länge zog. »Wahrscheinlich hab ich sie dort verloren.«

»Wahrscheinlich«, erwidert der Kontrolleur. Er ist sich seiner Beute langsam sicher, aber er gibt Filip großzügig noch eine Chance.

»Im Rucksack vielleicht?«

»Ich trage sie immer in der hinteren Hosentasche.«

Trotzdem, um den Kontrolleur von der Ehrlichkeit seiner Suche zu überzeugen, macht er den Rucksack auf. Er erblickt die Karte sofort. Sie steckt in einer kleinen durchsichtigen Hülle.

»Komisch, hier ist sie ja«, sagt er verblüfft und reicht sie dem Kontrolleur. Es geht ihm nicht in den Kopf, wie sie da hingekommen ist. Er geht den Ablauf der letzten Geschehnisse durch. Sie

sind in seinem Gedächtnis, wie die Teile eines Farbenmosaiks, gespeichert. Am deutlichsten drängt sich leuchtendes, alles überstrahlendes Rot in den Vordergrund. Als das Verhör und das schleppende Protokollieren endlich beendet war, fühlte sich Filip wie ausgequetscht, total entsaftet. Er hatte den fahlen Nachgeschmack einer durchwachten Nacht im Mund und seine Zunge war trocken vor Durst. Er bat die Polizistin, die ihm seine beschlagnahmten Sachen ausgehändigt hatte, um ein Glas Wasser. Er erwartete nicht mehr als ein Glas Leitungswasser, stattdessen bekam er eine Flasche Mineralwasser, die sogar aus dem Kühlschrank kam. Er quittierte ihre Aufmerksamkeit mit einem matten Lächeln, mehr brachte er nicht zustande. Die rechte Hand, zuvor durch eine lokale Anästhesie betäubt, kam langsam zu sich und sandte Schmerzsignale aus. Auch seine Beine taten, aus ihm unbekannten Gründen, weh. Er stand angelehnt an die grüne Wand des Büros, und am liebsten hätte er sich gleich wieder auf den Stuhl fallen gelassen.
»Sie sollten gehen«, forderte ihn die Polizistin auf. »Man wartet auf Sie.«
Sie irrte sich, aber er widersprach ihr nicht. Er stellte das leere Glas auf den Tisch, bedankte sich und verließ den Raum. Müde grübelte er darüber nach, was er mit dem Rest des Samstags anfangen sollte. Zuerst würde er nach Hause fahren, sich waschen und ausschlafen. Dann würde er weitersehen. Er hatte Berenikas Nummer im Handy gespeichert, war sich jedoch nicht sicher, ob er den Mumm hatte, sie anzurufen. Wozu auch? Die Demo, die beide für eine kurze Zeit zusammengebracht hatte, war vorbei und die dadurch hervorgerufene Stimmung verflogen. Man brauchte sich keine falschen Hoffnungen zu machen. Warum sollte Berenika Interesse an ihm haben? Weswegen sollte sie auf seinen Anruf warten? Er öffnete die Tür und erstarrte. Vor ihm stand ein Haufen von etwa zehn Menschen. Sie umringten den Eingang der Polizeiwache und schauten erwartungsvoll zur Tür. Sobald Filip erschien, ertönten Jubel, Applaus und Pfiffe. Sekundenlang stand er da und

schaute sich verblüfft die bunt gemischte Versammlung an. Er konnte nicht glauben, dass all diese Leute, angefangen mit der älteren Frau in Operngarderobe bis hin zum Vorsitzenden der Initiative »Leben mit der Natur«, auf *ihn* warteten. Sie waren nicht gekommen, um für eine gesunde Natur zu demonstrieren, sondern sie waren einzig und allein seinetwegen da. Er fühlte ein scharfes Beißen in der Nase und in seine Augen schossen Tränen. Das entsetzte ihn. Es war ihm höchst peinlich, aber bevor er etwas dagegen unternehmen konnte – zum Beispiel die Tränen mit Gewalt zu unterdrücken, sie unauffällig wegzuwischen oder wenigstens über die eigene Gemütsbewegung zu grinsen – hatte sich aus dem Menschenhaufen ein flackernder roter Fleck gelöst und kam auf ihn zugerannt. Filip öffnete ganz instinktiv seine Arme.
»In Ordnung, danke schön.« Der Kontrolleur gibt ihm, ohne einen seiner Gesichtsmuskeln zu bewegen, die Fahrkarte zurück. Er ist bestimmt ganz enttäuscht. Die Prämie fürs Erwischen eines Schwarzfahrers bleibt diesmal aus. Er wendet sich dem nächsten Fahrgast zu: »Fahrscheinkontrolle, bitte …«
Der Bus hat schon das Elbtal verlassen und fährt bergauf. Filip blickt zum Fenster hinaus. Die trostlose Szenerie, an die seine Augen sich auf der täglichen Heimfahrt vom Baumarkt gewöhnt hatten, veränderte sich. Die verdorrte Landschaft hat wieder zu atmen begonnen. Ihre Farbtöne sind zwar gedämpft und zurückhaltend geblieben, aber nach dem nächtlichen Regen vermittelt sie Hoffnung. Filips Blick sucht die Stellen, die ihm vertraut sind: den Hang mit dem Kirschbaum, den Bogen des Sichelfels, den Weinberg. Es kommt ihm vor, als hießen sie ihn willkommen. Als käme er nach einer langen Haftzeit endlich nach Hause. Durch eine Öffnung im Dach strömt frische Luft in den Bus hinein. Filip atmet tief und genüsslich den Geruch der feuchten Erde ein.

Sylva, ich konnte dein Bedürfnis nach direkter Berührung nie wirklich nachvollziehen. Du bist barfuß im Schlamm gewatet und ich bin vorsichtig an deiner Seite gegangen und den Pfützen in wei-

tem Bogen ausgewichen. Du hast mir auf deiner Handfläche einen Salamander gebracht und ich habe es abgelehnt, ihn zu berühren. Du hast mir einen Rosendorn mit deinen Zähnen aus der Wade rausgezogen und ... ich? Ich wollte meine Finger in deine Haare eintauchen, aber schaffte nicht einmal das ...

»Hey, bist du eingeschlafen?« Die Stimme des Fahrers rüttelt ihn wach. Komisch, hat er wirklich geschlafen? Es sieht so aus. Der Bus ist leer, die Türen stehen offen, anstelle des Motorbrummens hört man den Wald rauschen.
»So ist sie, die Jugend von heute! Nachts Korken knallen lassen, tagsüber pennen ... ja ja, das kennen wir nur zu gut!«
Filip lässt die Worte des Fahrers ohne Kommenar stehen, steigt aus und schaut sich um. Er ist bis zur Endstation gefahren, jetzt muss er zurück. Normalerweise hätte er sich über einen zwei Kilometer langen Fußmarsch geärgert, heute stört er sich nicht daran. Der Himmel ist bedeckt, die tiefen Wolken deuten darauf hin, dass der Regen jeden Augenblick wieder losgehen kann.
»Ich hatte Angst, dass die Bullen dich beim Verhör alle machen!« Berenikas Arme um seinen Hals geschlungen, ihre mit Elektrizität aufgeladenen Augen nah an seinen. Drum herum die morgendliche Straße. Keiner der beiden nahm sie wahr.
»Das hätten sie sich mal trauen sollen.«
»Das sagst du – so wie du an ihrem Kumpel herumgenagt hast!«
»Das wurde mir schon heimgezahlt«, erwiderte Filip und zeigte seinen Gipsverband her. Berenika musterte ihn schweigend.
»Noch nie«, sagte sie nach einer Weile, und ihre Stimme nahm ihn genauso vorbehaltlos in Besitz wie ihre Umarmung, »hat sich jemand so direkt für mich eingesetzt.«
»Ich, äh ...« Er wollte deutlich machen, dass auch er sich noch nie so benommen hatte, dass es nicht seine Art sei. Doch ihre Nähe war zu provozierend. Anstatt irgendetwas in der Art zu erklären, küsste er sie lieber.

In der offenen Landschaft holt ihn der Regen früher ein als erwartet. Ohne das übliche Vorgeplänkel fällt er aus dem niedrigen Himmel, unvermittelt und heftig, der ausgetrocknete Asphalt wird im Nu schwarz, kleine Wasserströme nehmen erst in den ausgespülten Rinnen Anlauf, dann bedecken sie nach und nach die ganze Fahrbahn. In Kürze entsteht ein Wildbach. Filip beschleunigt seinen Schritt, bald aber wird ihm klar, dass er keine Chance gegen die Naturelemente hat, und wird wieder langsamer. Noch gestern hätte ihm diese Situation die Laune verdorben. Er wäre in den Wald gelaufen und hätte ein trockenes Versteck gesucht, wo man den heftigen Guss hätte überstehen können. Heute zieht er nur seine Schuhe aus und geht weiter, immer aufgeregter, mit jedem Schritt faszinierter. Es ist ein echtes Aha-Erlebnis für ihn. Laufen mitten im Unwetter macht ihn frei, löst alle die ineinander verschlungenen Fäden seiner Emotionen.
»Ein Sommerblues!«, schreit er begeistert ins Wassergetöse. »Blues für die Wolken! Für den Regen, der mich erwischt hat!«
Er hebt einen Fuß und stampft in die größte Pfütze, sodass das Wasser nach allen Seiten spritzt. Schlammtropfen landen auf dem weißen Gips, in Filips Gesicht, an seinem Hals. Es macht ihm Spaß.
»Ich trample in die Pfützen!«, jubelt er. »Es regnet mir auf den Kopf! Das hier ist My Private Blues!«
Er hört hinter ihm den von der Endhaltestelle zurückkommenden Bus. Der Fahrer bremst, macht die Tür auf.
»Spring rein!«, ruft er.
Filip lehnt sein freundliches Angebot ab. »Ich kann nicht! Ich bin noch nicht nass genug!«
Der Fahrer macht große Augen. Dann tippt er sich an die Stirn, schließt die Tür und fährt langsam bergab. Die Reifen lassen hohe Wasserfontänen aufspritzen. Nach einer Weile verschwindet der Bus hinter dem Hügel. Der Motor wird bald vom Regen übertönt, der mit jeder Sekunde gewaltiger wird. Filip spürt, wie die Wassermassen seine inneren Barrieren wegreißen und sich neue Wege

suchen. Er wehrt sich nicht dagegen, im Gegenteil, er breitet seine Arme aus. Keinen trockenen Fetzen hat er mehr am Leib, das Wasser dringt inzwischen auch in den Gipsverband ein. Es gibt nichts mehr, was ihn aufhalten kann. Er berührt alles, er ist alles.
Sylva, ich verstehe jetzt …
Unten im Tal ist ein Café und darin ein Mädchen mit Augen wie Elektroden. Sie wirken sogar über die Entfernung. Über das rote Kleid hat sie eine Schürze gebunden, sie trägt Espresso aus, bedient die Kundschaft und denkt dabei an Filip. In sieben Stunden wird er sie sehen. Was sind schon sieben Stunden? Ein paarmal tief einatmen und die Luft wieder rauslassen. Sieben Stunden reichen höchstens dazu, den Sommerblues zu singen. *Sylva, ich …*
»In sieben Stunden!«, brüllt er und zieht sich mit der gesunden Hand das vollgesogene T-Shirt über den Kopf. Seine entblößte Brust atmet erleichtert auf. Auch die Shorts kleben ihm unangenehm am Körper. Er reißt sie herrunter und läuft weiter. Das Wasser fließt über seinen nackten Körper, kühlt, streichelt, spült alles Überflüssige weg. Das ist Katharsis, kommt ihm in den Sinn. Eine Reinigung der Seele, wie sie im antiken Drama … Er lässt den Gedanken schnell wieder im Regen verschwinden. Er kann ihn nicht gebrauchen, weil er keine Verbindung zu dieser Straße, diesen strömenden Massen und seinen Gefühlen hat.
»Sei mir nicht böse, Sylva«, ruft er glücklich in die Wolken. »Ich werde dir den Brief nicht schreiben …«

◆◆◆

»Sie galt als die Verkörperung der weiblichen Schönheit. Ihr Name heißt so viel wie: Die Schöne ist gekommen.«
»Wo ist sie hergekommen?«
»Das weiß man nicht. Ebenso weiß niemand, wohin sie ging. Eines Tages war sie spurlos verschwunden.«
»Vielleicht war sie überhaupt nicht schön.«
»Hier hast du ein Foto ihrer Büste, guck mal!«
»Ein Foto beweist noch gar nichts. Heute kannst du jedes Bild bis zur Unkenntlichkeit verändern.«
»Wir können sie uns im Museum anschauen. Sie befindet sich in Charlottenburg.«
»Hör mal zu, vor einigen tausend Jahren lebte in Ägypten ein Bildhauer mit einer reichen Fantasie, die er in Stein haute. Das ist alles, was du im Museum sehen wirst. Ob das die Königin Nofretete war und wie sie wirklich war, das kannst du nicht erfahren.«
»Was ist so schlimm daran, zu glauben, dass von ihr eine seltsame Magie ausging? Kann sein, dass sie ein Wesen aus einer anderen Welt war, das einfach gekommen ist, um sich mal anzugucken, was hier abgeht, um uns eine geheimnisvolle Formel zu übergeben und dann wieder zu verduften. Seitdem versuchen wir die Formel zu entziffern, und es gefällt uns eben, dass sie nicht zu knacken ist.«
»Weißt du was mir an dir gefällt, Niklas?«
»Was?«
»Dass du spinnen kannst.«
»Wie spinnen?«
»Total kreativ herumspinnen. Nur habe ich Angst, dass ich eine deiner Spinnereien bin. Wenn du merkst, dass an mir nichts Rätselhaftes ist, es gar nichts zu entziffern gibt, lässt du mich fallen.«

Diesmal überlässt sie nichts dem Zufall. Warum war sie immer so doof gewesen und hatte sich jedes Mal auf irgendjemanden verlassen? Immerfort wurde sie betrogen. Sie versuchten sie aufzuhalten, sie in ihrer Nähe zu halten. Zuerst ihre Mutter.
»Da darfst du nicht hin, du bist noch viel zu klein, du würdest es nicht mehr zurückschaffen.«
Dann Schwester Callista.
»Komm rechtzeitig zurück. Du musst dich den Regeln anpassen.«
Letztendlich auch Till.
»Wohin so eilig, mein Trugbild? Mach langsam, ich würde dich ungern verlieren.«
Und selbstverständlich Niklas.
»Lass dich nicht versklaven, Königin, du gehst zu weit.«
Zu weit? Es sind schon zehn Monate vergangen, seit sie den Weg zum Turm entdeckt hat, und seitdem tritt sie auf der Stelle. *Patsch, patsch, patsch* – wie eine Ente mit gestutzten Flügeln. Sie hasst sich selbst für diesen vorsichtigen Gang. Gestern, unter der Bahnbrücke, wurde ihr auf einmal klar, dass sie Angst hatte. Nie zuvor hatte sie eine solche Art von Angst empfunden. Sie packte Evita zwar nur für ein paar Sekunden, löste aber Panik in ihr aus. War der weiße Weg wirklich ihr Weg? Hatte sie sich nicht verirrt? War ihr irgendwo ein Fehler unterlaufen? Wo? Wann? Sie sucht ihr Gedächtnis ab. Möglicherweise schon damals, als ihr Vater wegging. Warum kann sie sich nicht an ihn erinnern? Sie hatte ihn verdrängt. Sie wollte ihn, genau wie das Muttermal in ihrem Augenwinkel, wegkratzen.
»Wo ist Vater, Mama?«
»Keine Ahnung. Frag nicht. Wir kommen auch ohne ihn zurecht.«
Evita fragte nicht. Sie kamen zurecht. Auch ohne Mutter kam sie zurecht. Aber es fehlte schon etwas. Etwas Elementares, schwer Ersetzbares. Evita konnte tun, was sie wollte, es war nicht zu finden – nicht im Heim, nicht anderswo.
»Du bist schon wieder zu spät, Evita. Kannst du nicht ein einziges Mal wie alle anderen pünktlich zurückkommen?«

Sie konnte nicht, sie war auf der Suche. Zuerst am Lerchenfelder Bahnhof, später hier. Berlin ... die Strömungen, die Vielfalt an Möglichkeiten, der Wirrwarr aus Gesichtern, das Gewusel der Worte, der unaufhaltsame Fluss der Sommertage. Zum Leben genügt ein geklautes Brötchen und ein Karussell der sich drehenden Zeit. Es reicht, aufzuspringen und mitzufahren!
»Willst du?« Der erste Joint. Nichts Besonderes. Der zweite bringt sie in die Höhe. Der Garten hinter dem Fenster der Heinersdorfer Hütte beginnt zu schwanken, zu tosen, bläulich zu schimmern.
»Wow, habt ihr die See hier?«
Sie lachen. Es ist immer lustig, jemanden, der sich nicht auskennt, high zu machen. Jemanden, der fünfzehn ist.
»Wie alt bist du?«
»Hundertzwanzig.«
Sie wiehern. Eine tolle Clique. Eine super tolerante. Jedem ist egal, wie alt du bist, wo du herkommst, wo du hingehst, wer du bist. Ob du bist.
»Live and let live«, sagen sie. Sie teilen mit ihr, wenn es was zu teilen gibt. »Hast du schon das ausprobiert? The more experiments you make, the better.«
Sie mopsen, was sich ihnen in den Weg stellt, manchmal kochen sie sogar gemeinsam. Sie lassen Evita auf der verglasten Veranda schlafen. Nur, dass die Nächte immer kühler werden und die Wellen hinter dem Fenster sich höher und höher erheben. In schlaflosen Nächten denkt sie darüber nach, was man tut, wenn man seekrank ist. Wahrscheinlich sollte man die Fahrt unterbrechen, das Schiff verlassen. Aber worauf sollte man zusteuern, wenn in der Nähe kein Festland, kein Hafen ist?
Überall Schmutzstreifen. Nichts anderes ist zu sehen. Draußen muss schon längst heller Tag sein, aber hier ist es immer dunkel. Die Kohlenluke hat jemand verschlossen, bestimmt wegen des Nachtregens. Die Wand hinter Evitas Rücken fühlt sich feuchtkalt an. Auch die Matratze. Noch vor Kurzem war der Keller gastfreundlich, nun riecht er scharf nach Kohlenstaub und Schimmel.

Aber wenigstens ist es still hier. Die Außengeräusche klingen gedämpft, ohne Nachdruck. Von der Straße her hört Evita die Straßenbahn, in der Einfahrt zieht die Blumenverkäuferin das Rollo hoch, aus einem Fenster zum Hof ertönt Musik. Ein ruhiger Samstagmorgen. Eine Zeit, sich im Bett auf die andere Seite zu drehen und sich an jemanden zu schmiegen. Am Frühstückstisch die Familie anzulächeln. Eine Zeit des Aufbruchs. Evita schlägt den Ärmel hoch. Diesmal überlässt sie nichts dem Zufall.
»Wir haben uns im besten, eigentlich im einzig möglichen Moment getroffen«, betonte Niklas von Zeit zu Zeit (ans Schicksal glaubend). »Denkst du auch so?«
Sie bejahte. Sie wusste, dass er sich irrte. Sie hätten sich früher treffen sollen. Bevor sie aufs Karussell aufsprang, bevor sie mit dem Experimentieren anfing, bevor sie Till traf. Till zerbrach sich über das Schicksal nicht den Kopf. Seine Fragen waren sachlich, genauso wie seine Erklärungen.
»Warum tust du das?«, wollte er wissen.
»Und du?«
»Jeder muss irgendwie über die Runden kommen. Wenn ich dir das Zeug nicht verkaufe, kaufst du's anderswo und in schlechterer Qualität.«
»Hast du nie Gewissensbisse?«
»Was ist das?«
»Das unterdrückte Wissen, dass man ein Fiesling ist. Dass man das Unglück anderer ausnutzt.«
»Wieso ausnutzt? Ich bin für sie da, wenn sie mich brauchen.«
Sie hörte ihm fasziniert zu. Er bot an und riet gleichzeitig ab. An ihm war etwas Unwiderstehliches.
»Satan ist unwiderstehlich«, pflegte Schwester Callista zu versichern. »Und allgegenwärtig. Wir alle tragen die Koordinaten der Hölle in uns.«
Evita beugt sich vor und versucht, die Dunkelheit des Kellergangs mit ihrem Blick zu durchbohren. Es schien ihr, als hätte sie das Knarren der Tür gehört. Sie lauscht, ob auf der Treppe Schritte

ertönen, aber stattdessen hört sie die Klingel des Rollers. Wieder dieser Junge. Er verbringt seine Ferien im Hof. Er langweilt sich, spioniert, kriegt einiges mit. Einmal fragte er Evita, ob sie ein bisschen Gras hätte. Sie tat so, als hätte sie nicht verstanden. Neben dem Baumstumpf rupfte sie ein paar Grashalme aus und reichte sie ihm. Es brachte ihn aus dem Konzept, aber nicht für lange. Immer lungert er um den Keller herum, als ob er auf etwas wartet. Alle Kinder warten ewig auf etwas. Evita kann sich nicht erinnern, dass sie jemals *nicht* auf etwas gewartet hätte. Das, was geschehen sollte, lag stets *vor* ihr. Zuerst musste man lange darauf warten und dann kam es nicht. Oder aber sie erkannte es nicht.

»Erkennst du die Traubenkirsche?«, hatte Niklas einmal gefragt. Sie suchten sie in Klosterfelde und auf den Wandlitzer Wiesen. Sie ließen sich sogar mit der Fähre auf die Insel mitten im Liepnitzsee bringen. Der Mai war warm, Blüten regneten von allen Seiten auf sie herab.

»Muss es unbedingt die Traubenkirsche sein?«

»Ein blühender Traubenkirschzweig schützt dich das ganze Jahr über.«

»Wovor?«

»Vor allen dunklen Mächten.«

Er sagte nicht, woher der Aberglaube kam, und Evita fragte nicht. Möglicherweise hätte sie erfahren, dass er ihn von seiner Mutter hatte. Sie wollte nicht über seine Mutter sprechen, und auch nicht über ihre eigene. Wenn sie zusammen waren, wollte sie von keinem anderen reden. Sie schlenderten über die Insel und suchten nach der Traubenkirsche. Eine leichte Brise wehte vom Wasser her, Evita trug keine Sonnenbrille, ihre Augen brannten und sie hatte Kopfweh. In der vergangenen Nacht hatte sie auf einer Fete in Tempelhof auf Ecstasy in den Mai getanzt und jetzt war ihr Gehirn voller hämmernder Zwerge. Durch den schwankenden Dopaminspiegel im Blut nahm sie alles unkonzentriert und gereizt wahr. Es war nicht nötig, sich vor den bösen Mächten, die von außen

angreifen könnten, zu schützen. Schwester Callista hatte recht, Evita trug die Koordinaten seit jeher in sich.
»Da!« Sie zeigte auf einen Baum mit feinen weißen Blüten.
»Bist du sicher, dass es die Traubenkirsche ist?«
Traubenkirsche oder etwas anderes, es schien ihr unwichtig. Wesentlich war die Freude, mit der Niklas einen kleinen Zweig abbrach und ihn vorsichtig in seinem Pulli einpackte. Als sie mit dem Zug zurückfuhren, schob er den Pulli unter Evitas Kopf und später im Keller legte er den Zweig unter die Matratze.
»Ich vertreibe böse Geister«, sagte er und seine Hände zeichneten rituelle Kreise in die Luft. Evita dachte, dass er den Zauber selbst erlebte und dabei gleichzeitig Regie führte. »Schon treten sie zurück, spürst du es? Die Magie beginnt zu wirken, die Traubenkirsche transformiert die negativen Schwingungen …«
»Sie werden in positive Energie umgewandelt, die uns erfüllt …« Sie nahm eine Rolle in seinem Film an. »Kein Dämon kann uns gefährden, wir sind abgeschirmt …«
»… gegen jede böse Macht«, fuhr er fort. »Kein Mutant und kein verblödeter Obermutant kann uns kriegen.«
»Und kein Arschloch.«
»Dann lach mal!«
Sie lachte. Umarmte ihn. Drehte einen Joint.
Das Läuten der Klingel entfernt sich in eine andere Ecke des Hinterhofs. Evita kann sich nicht dagegen wehren und fährt mit den Fingern unter die Matraze. Der Zweig ist dort, getrocknet, mit abgefallenen Blüten, längst ohne Duft, geschwärzt, wie alles in diesem Keller. Als Evita nachts am Rande der völligen Erschöpfung hier eintraf, war das umliegende Schwarz so kompakt, dass nicht mal der Umriss des Ganges zwischen den Verschlägen zu erkennen war. Sie hatte Angst, den Schalter umzudrehen, sie tastete sich Schritt für Schritt voran, die Augen auf den hintersten Punkt gerichtet – der Verschlag, hinter dem sich ihr Versteck befand.
»Ich bin's«, rief sie gedämpft in die Dunkelheit. Niemand antwortete, aber sie glaubte trotzdem fest, dass Niklas dort auf sie war-

tete. Wahrscheinlich schlief er. Ganz bestimmt. Er hatte auf sie gewartet und war dabei eingepennt. Sie beschloss, ihn nicht zu wecken. Sie würde sich neben ihn legen, und er würde sie im Schlaf umarmen, so wie er das schon unzählige Male getan hatte. Sie tastete sich bis zur Matratze vor und ließ sich darauf nieder. Von der kalten Oberfläche schlug ihr eine gähnende Leere entgegen.

Wieder eine Straßenbahn. Auch Autos fahren jetzt häufiger vorbei. Der Samstagsverkehr auf der Warschauer Straße kommt langsam auf Touren. Evita betastet mit den Fingerkuppen ihren Unterarm und findet eine geeignete Stelle. Ihre Venen sind in einem ramponierten Zustand, die Haut ebenfalls: zerstochen, wund, entzündet. Ganz bestimmt kommt es davon, dass sie noch nie einen richtigen Schuss bekommen hat. Alle betrogen sie, gaben ihr zu wenig von dem Stoff. Deshalb musste sie die mühsame Reise immer wieder von Neuem antreten. Heute ist es aber zum letzten Mal, denn heute dosiert sie die Menge selbst. Sie will sich auf keinen mehr verlassen, nichts mehr dem Zufall überlassen, sie will endlich ans Ziel gelangen. Würde sie den Schnittpunkt der Welten nur ein Mal erblicken, bräuchte sie nie wieder dorthin. Wenn man weiß, was hinter dem Horizont ist, hat man keinen Grund, noch einmal dorthin zu schauen. Man kann in seiner abgegrenzten Welt zufrieden leben, vielleicht auch glücklich.

Ihr Bein berührt die Plastiktüte am Boden. Sie hebt sie auf und versteckt sie in der Ecke hinter der Matratze. Wenn sie zurückkommt, wird sie sie wegschmeißen. Sie wird sie nicht mehr brauchen. Es wird nicht mehr nötig sein, vor Niklas etwas zu verstecken, etwas zu verheimlichen. Sie werden wieder alles zusammen machen. Zu Till geht sie nicht mehr. Sie lässt einfach ihre Sachen bei ihm, auch Mutters vergilbtes Bild. So wie sie ihre Mutter in Erinnerung hat, ist das Bild sowieso am treffendsten.

Eine unerwartete Stille tritt ein. Alles verstummt für eine Weile. Man hört keine Autos, keine Straßenbahn, nicht mal die Klingel des Rollers. Die Zeit ist gut, ein einladender Augenblick. Sie muss ihn ausnutzen.

»Aua!«, zischt sie. Sie hat in einen Schorf gestochen, aber was soll's, es ist zum letzten Mal. In zwei, höchstens drei Wochen werden ihre Arme verheilt sein. Jetzt darf sie nicht an Schmerz denken. Sie lässt ihn im Netz der Zeit hinter sich und bricht auf. Schnell, möglichst schnell ...

Ist sie *dort*? Sie schaut sich um, sieht aber weder den Weg noch den Turm am Horizont. Wohin sind sie verschwunden? Wo sind die weißen Kieselsteine, die Bäume mit ihren flaschengrünen Kronen, das zarte Gras? Wo ist *alles*?

»Mama?«

Niemand meldet sich, niemand kommt.

»Mama!«

Warum ist sie so ganz und gar allein? Und warum ist es hier überall dunkel?

»Mama, mach das Licht an!«

◆◆◆

»Ich bins.«
»Rob! Wo bist du?«
»Ich weiß es nicht genau. Irgendwo im Wald.«
»Und der Kojote?«
»Wir haben ihn freigelassen, gerade eben. Ich wollte, dass du Bescheid weißt.«
»Geil! Glaubst du, die finden ihn?«
»Keine Angst, der ist abgezischt wie eine Rakete. Den wird keiner finden. Ist Vater zu Hause?«
»Er schläft. Er ist gestern ganz spät gekommen.«
»Hat er gefragt, wo ich bin?«
»Ich hab ihm deinen Brief gegeben.«
»Und?«
»Er hat versucht, dich anzurufen, aber dein Handy war aus.«
»War er wütend?«
»Er hat sich vor die Glotze gesetzt.«
»Du machst Witze!«
»Wir haben zusammen Stargate angeschaut. Er ist dabei eingedöst. Willst du ihn sprechen?«
»Lass ihn ausschlafen. Hat er was über Mutter gesagt?«
»Nö. Er hat wie E.T. ausgesehen. Ich glaub, er hat vorher geheult. Ist das möglich?«
»Ich schätze, bei Leuten, die sich scheiden lassen, ist alles möglich.«
»Rob, weißt du was? Ich hab mich schon entschieden. Ich bleibe bei ihm.«
»Wieso? Hast du ihn lieber als Mutter?«
»Genau umgekehrt. Aber ich will nicht, dass er das weiß.«
»Emil, das ist ...«
»Blöd?«
»Intergalaktisch.«

Der nächtliche Regen kehrt in Form eines Strahlennebels zurück in den Himmel. Er steigt langsam und unwillig hoch und entblößt die Umrisse der Landschaft. Auch über der Wasseroberfläche bildet sich Dampf. Robin spürt, wie ihn das Wasser bei jedem Zug sanft streichelt. Sylva schwimmt ein Stück vor ihm. Er sieht ihren Kopf, der wie eine Boje schaukelt.
»Bist du schon mal in einem Steinbruch geschwommen?«, fragte sie ihn, als sie den See entdeckten.
»Eiskaltes Wasser.« Robin erinnerte sich an einen tiefen Steinbruchsee in Furth, die Klasse hatte einen Schulausflug dorthin gemacht. »Und ein Krampf in der Wade.«
Sylva setzte sich auf einen Stein und tauchte beide Fußspitzen ins Wasser.
»Es hat die richtige Temperatur«, sagte sie. In ihren Augen schon wieder dieser erwartungsvolle Ausdruck, den er an ihr schon ein paarmal bemerkt hat. Er las darin elementare Leidenschaft. »Baden wir? Oder hast du es eilig?«
Er hielt seine Hand ins Wasser und strich sich damit übers Gesicht. Der Duft von Sand und Wacholder.
»Wo sollte ich denn so eilig hin?«
Nicht nur, dass er es nicht eilig hatte, er bemühte sich, die Magie des Augenblicks so weit es nur ging in die Länge zu ziehen.
Seit sie mit ihrem Gepäckstück an die Grenze kamen, war alles klipp und klar. Die Mission war beendet. Sie öffneten den Reißverschluss, der Kojote stürzte heraus, verfing sich in den Henkeln, schleppte die Golftasche einige Meter hinter sich mit, bis es ihm gelang, sie loszuwerden, er duckte sich und verschwand im dichten Gebüsch. Bald zeugten nur noch die sich leicht bewegenden Farne von seiner Anwesenheit. Robin beobachtete sie, und erst in diesem Moment wurde ihm voll bewusst, was sie getan hatten. Es war verrückt und fabelhaft zugleich. Er kannte niemanden sonst, mit dem er so etwas hätte verwirklichen können. Seit diesem Morgen und der vergangenen Nacht war die Beziehung zwischen ihnen nicht mehr dieselbe wie früher. Etwas, ein wichtiges Atom von

Robins Wesen, gehörte auf einmal ganz natürlich zu Sylva. Aber wie konnte er das zum Ausdruck bringen? Mit welchen Mitteln? Vor allen Dingen nicht mit Worten. Er starrte regungslos den Punkt an, wo der Rücken des Kojoten das letzte Mal vorbeigehuscht war. Auch sie schaute in die gleiche Richtung, auch sie schwieg. Die Stille dehnte sich aus und forderte ihn dazu auf, den Arm um Sylvas Schulter zu legen und sie an sich zu ziehen. Schon hob er seine Hand, da stockte er plötzlich.
Vielleicht täuschte er sich. Vielleicht nahm sie das ganz anders wahr. Ihr Gesichtsausdruck verriet nichts und Robin schoss es durch den Kopf, dass er die Stille vielleicht falsch interpretierte. Er maß ihr eine Bedeutung zu, die sie nicht hatte. Er mutete Sylva etwas zu, das sie nicht spürte. Vom Kopf gesteuert, zog er die Hand zurück.
Ein Vogelruf bricht durch den Nebel. Robin hebt den Kopf. Er erblickt die Silhouette eines Schwanenhalses, die geschweifte Klammer der Flügel, unmittelbar darauf versinkt alles wieder im Nebel. Nur das Geschrei der unsichtbaren Kehle hallt noch nach. Der Nebel ist ein Zauberkünstler. Er besitzt die Fähigkeit, verschwinden zu lassen, umzuwandeln, Zusammenhänge spielfreudig zu ändern. Auch die Entfernung zwischen Robin und Sylva scheint kürzer zu sein. Es würde reichen, nur ein wenig schneller zu schwimmen, um sie einzuholen. Soll er es versuchen? Nein, lieber nicht. Wenn sie ihm näher sein wollte, würde sie ja das Tempo verlangsamen. Und das hat sie offensichtlich nicht vor. Ihre Schultern tauchen auf und ab, gleichmäßig und unaufhörlich, mit der Beharrlichkeit einer Dauerschwimmerin. Robin beobachtet sie und denkt darüber nach, wie viel Kraft man braucht, um den eigenen Schutzmantel zu durchbrechen und hinauszutreten, wenn man erst mal fest drinsteckt. Und wie es wäre, jemanden hineinzulassen. Als ihm Sylva in der Nacht auf dem Dach ihre Hand auf die Schulter gelegt hatte (»Ich habe jemanden gesucht …«), gelang es ihr fast. Sie war ganz nah, und er hätte ihre Berührung fast erwidert. Aber er zögerte zu lange. Sie verschwand und der richtige Moment

auch. Kaum einer möchte draußen stehen und betteln, um gefälligst reingelassen zu werden.
Plötzlich, wie ein Gespenst aus dem Nebel, erscheint Robin die Gestalt seines Vaters mit Tränenspuren im Gesicht. Ein unfassbares Bild! Ein total realitätsfremdes! Nie hätte Robin geglaubt, dass sein Vater fähig ist, sein würdiges Auftreten und die Maske der Selbstbeherrschung, die er immer trägt, abzulegen. Seinem Schmerz freien Lauf zu lassen. Das wäre so überraschend, als ob man bei einem massiven Steinklotz, den man für durch und durch grau hält, Risse entdeckt, durch die tieferliegende andersfarbige Schichten schimmern.
Er hört für eine Weile auf zu schwimmen und lässt sich nur treiben. Trotz seiner Müdigkeit ist er spannungsgeladen und empfindet ein unangenehmes Prickeln in den Fingern. Wenn er wüsste, dass es hilft, würde er mit der Faust ins Wasser schlagen. Aber die Wut gegen sich selbst würde dadurch ganz sicher nicht weichen. *Es hat keinen Sinn zu schreiben, wohin ich fahre und warum ... du würdest mir sowieso nicht glauben ... ich muss lernen, Entscheidungen zu treffen und Verantwortung zu übernehmen, hast du gesagt ... die Art, wie ich das getan habe, gefällt dir bestimmt nicht, aber darauf pfeife ich, Vater ...* Was stand noch in dem Brief? Er hatte ihn in Eile und ohne nachzudenken gekritzelt, in einem trotzigen Ton. So manche Ausdrücke würde er jetzt gern zurücknehmen, doch es ist zu spät. Wie kann man ein Wort, das geschrieben oder ausgesprochen wurde, wieder zurücknehmen? Es blieb ja immer etwas hängen – ein Schatten, ein Echo, ein Nachgeschmack. Sogar ein gewöhnliches *warte*: bloße fünf Buchstaben, und dennoch lassen sie sich nicht ohne Konsequenzen sagen.
»Warte!« Er übt es mit dem Mund dicht über der Wasseroberfläche. Nachdrücklich, aber so leise, dass nur er allein es hören kann. Was wäre, wenn er es Sylva aus voller Kraft zurufen würde? Würde sie warten, sich umdrehen? Sicher. Vielleicht würde sie sogar zurückschwimmen. Aber was dann, sie dicht neben ihm, mit diesem erwartungsvollen Blick? Wie würde er auf diese Erwartung

reagieren? Würde er sie fragen, ob sie in seinen Schutzmantel hineinwill? Würde er den Mut aufbringen? Falls nicht, was würde aus den fünf Buchstaben werden? Sie blieben irgendwo zwischen ihnen hängen ...

»Was glaubst du, wohin wird er laufen?«, unterbrach sie das Schweigen, als die schaukelnden Farne wieder ruhig wurden und der Wald wieder wie vorher aussah. Nichts deutete darauf hin, dass gerade ein neuer Prädator die Landschaft betreten hatte.

»Du hast ihm die Wahl gelassen, das ist das Wichtigste. Jetzt liegt es an ihm.«

»Du bist mir nicht böse, dass ich dich in die Sache mit reingezogen habe, oder?«

»Du hast mich in gar nichts reingezogen. Ich kann nein sagen, wenn ich will.«

»Gut, dass du's nicht getan hast. Ohne deine Hilfe hätte ich das bestimmt nicht geschafft.«

Irreführendes Gerede. Wörter. Ein garantierter Weg zum Missverständnis. Ein Weg zum großen Knall.

»Du wärst schon klargekommen«, sagte er und gab ihr dadurch zu verstehen, dass er auf ihr Dankeschön und andere verbal ausgedrückte Emotionen verzichtet.

Der See, noch vor einem Moment vollkommen glatt, wird von einer Windbö gekräuselt. Sylva hat sich inzwischen aufgelöst. Der Nebel vereinnahmte sie zunächst nur häppchenweise, um sie schließlich ganz zu schlucken. Robin kann sich umschauen, so viel er will, das Einzige, was er sieht, ist die leere, leicht wellige Wasseroberfläche.

»Hey!«, ruft er. Der Milchbrei absorbiert nicht nur den Raum, sondern auch die Geräusche. Robins Stimme dringt hohl, ohne Echo, hinein. Er strapaziert seine Stimmbänder: »Sylva?«

Nichts. Weiße Stille. Wohin kann sie verschwunden sein? Möglicherweise ist sie zum Ufer geschwommen, hat ihr Kleid genommen und ist einfach weggegangen. Ohne Abschied, ohne Erklärung.

Ohne verbal ausgedrückte Emotionen – genauso, wie er sich das gewünscht hatte. Schon bald wird sie eine Straße erreichen, am Nachmittag wird sie in Berlin ankommen, morgen in Meißen. Willkommensreden, erste Begegnungen, Grüße, Händedrücke, das Bekanntmachen mit neuen Mitschülern, *Erwartung*.
»Hi, ich bin Sylva! Wo kann man hier am besten schwimmen? Darf ich mitkommen? So, dass nicht zu viele Menschen da sind ...«
»Den Menschen weicht man kaum aus«, hatte er ihr beim ersten Treffen gesagt. Die leere Wasserfläche ringsherum widerspricht seiner Behauptung. Menschen kannst du locker ausweichen. Wenn du willst und systematisch daran arbeitest.
»Sylva? Sag was!«
Er schaut sich nach allen Seiten um, am Körper einen Mantel aus Gänsehaut. Ins Gehirn drängt sich langsam eine andere Version der Geschichte. Jedes Mal existieren mehrere Versionen. Etwas ist passiert. Auch gute Schwimmer können ertrinken. Sie verfangen sich in Wurzeln, ihre Kräfte versagen, sie schwimmen, wohin sie nicht sollten ...
»Sylvaaaa!«, brüllt er so laut es geht. Er macht immer schnellere Züge, aber ziellos, ohne klare Richtung. Der See ist größer, als Robin anfangs gedacht hat. Noch dazu hat er eine unregelmäßige Form. Ein Sandsteinfelsen ragt hinein, dessen unterer Teil mit Gebüsch bewachsen ist. Auch ohne Nebel könnte man nicht in alle Buchten sehen. »Sylvaaa!«
In Robins Kopf prallen schmerzhaft die Gedanken aufeinander. Sie war müde, unausgeschlafen, hat sich überschätzt! Und er selbst war fast auffällig langsam! Er ließ die Entfernung zwischen ihnen idiotisch anwachsen, um nicht zu zeigen, dass ...
Er stockt, lauscht gespannt. Eine Halluzination? Ein Vogelschrei? Nein, er ist sicher, dass es ihre Stimme war. Ziemlich weit entfernt, undeutlich, vom Felsen abgeblockt. Er bricht sofort in diese Richtung auf. Das Entsetzen, das ihn für einige Sekunden fest gepackt hatte, lässt nach. Einmal, als er klein war und alleine zu Hause, hatte er im Fernsehen einen Film gesehen, den er eigentlich nicht

hätte anschauen dürfen. Ein schwarzes Mädchen mit großem Bauch – damals dachte er, sie ist dick, aber später, als er darüber nachdachte, kam er zu dem Schluss, dass sie ein Kind im Bauch getragen hatte – stritt sich im Wald mit ihrem Mann oder Freund. Sie lief davon und versteckte sich im Dickicht. Der Mann suchte sie, zuerst in der Nähe, dann weiter weg. In dem Augenblick, als er sich von ihrem Versteck genügend weit entfernt hatte, machte sie einen Schritt rückwärts und versank im Moor. Der dicke Schlamm hatte sich so schnell über ihrem Kopf geschlossen, dass Robin vor dem Bildschirm einige Zeit brauchte, um die Tragödie zu begreifen. Seitdem erinnerte er sich öfters an die bizarre Szene, und sogar nach Jahren ließ ihn der verhängnisvolle Schritt in den Sumpf frösteln. Erklären konnte er es zwar nicht, aber es kam ihm so vor, als wäre dieser total sinnlose und fatale Schritt der wahrscheinlichste Schritt im Leben. Es war klar, dass ihn täglich Tausende Menschen tun.

»Sylva!«, schreit er noch mal. »Wo bist du?«

Die feuchte Luft drückt im Hals und reizt zum Husten. Das anfangs angenehme Wasser fängt an, ihm zuzusetzen. Nicht nur von außen, sondern auch von innen. Es fühlt sich an, als sei eine kalte Metallplatte in Robins Bauch. Wie lange schwimmt er eigentlich schon? In dem allgegenwärtigen Nebel hat er jede Zeit- und Raumorientierung verloren. Wenn er sich umdreht, kann er das Ufer nicht sehen und vor ihm ist auch keins. Er befindet sich mitten in einem großen leeren Kreis.

Endlich! Sylvas Stimme ist weniger weit entfernt, als Robin erwartet hat. Er erkennt schon die Boje ihres Kopfes, die hinter dem Felsen auftaucht und rasch auf ihn zuschwimmt.

»Ist was?«

Ihre Züge sind schnell und flüssig, vollkommen rhythmisiert, ohne sichtbare Anstrengung durchgeführt. Sie schwimmt wie ein Otter. Es würde ihn nicht überraschen, wenn sie im Mund einen Fisch hätte. Wie konnte er nur Angst um sie haben? Oder – um wen hatte er eigentlich Angst?

»Robin?« Die scharfe Endung ihrer Frage verrät, dass auch sie beunruhigt ist. »Hast du einen Krampf gekriegt? Warte …«
Warte … Robin begreift die fünf Buchstaben als ein Zeichen. Eine klare Weisung, dass er nicht mehr schweigen darf. Er muss Wörter riskieren. Die mit Echo, die mit Nachgeschmack und auch die mit einem Schatten. Worte, die man nicht zurücknehmen kann, die ausgesprochen werden müssen, ohne Verzug. Bevor es zu spät ist. Bevor sich der Schutzmantel endgültig verschließt und es kein Entkommen aus ihm gibt.
»Ich will, dass du etwas weißt.« Während sie immer dichter nebeneinander schwimmen, fasst er Mut. »Dass ich im Halbjahr die Schule gewechselt habe, hatte nichts mit dem Unterricht zu tun, sondern mit Melinda.«
»Eine Mitschülerin?« Sylva hebt ihre Hand und streicht sich die Haare aus der Stirn. Sie ist schon ganz nah, hört auf zu schwimmen, tritt Wasser. »Was habt ihr euch getan?«
»Wir haben miteinander geschlafen.«
Er erwartet, dass sie seinem Blick ausweicht, doch sie zwinkert nur mit den Wimpern, um das Wasser abzuschütteln.
»Soll das ein Grund für einen Schulwechsel sein?«, fragt sie.
»Jeder von uns hat es anders verstanden. Solange wir geschwiegen haben, war das kein Problem, aber dann hat es geknallt …« Auch er hört auf zu schwimmen, dann schlägt er so heftig auf die Wasseroberfläche, dass er alle beide bespritzt. Die Spannung entlädt sich dadurch nicht, sie bleibt in ihm. »Ich hab dir gesagt, dass Worte alles kaputt machen! Ich kann einfach nicht über meine Gefühle reden!«
»Dann rede nicht über sie.«
»Alle reden über sie!«, schreit er auf. »Jedes Mädel erwartet, dass jemand ihr eine romantische Liebeserklärung macht! Kannst du mir sagen, warum? Nenn mir einen einzigen vernünftigen Grund!«
Er geht in Deckung, weil ihre Hand blitzschnell emporschießt. Es sieht so aus, als ob sie ihm eine Ohrfeige geben will, aber stattdessen verscheucht sie eine Bremse, die ihn umkreist.

»Einen vernünftigen Grund für Romantik?«, wiederholt sie nachdenklich. »Vielleicht … keine Ahnung. Wahrscheinlich damit sich Frauen nicht wie Höhlenmenschen vorkommen.«
»Wie Höhlenmenschen?« Es ist ihm unklar, was sich hinter dieser Erklärung verbergen könnte. »Ist es erniedrigend … sich so vorzukommen?«
»Es kommt drauf an, unter welchen Umständen. Und für wen.«
»Für dich«, sagt er. »Zum Beispiel.«
»Ich bin kein gutes Beispiel.«
»Wieso nicht?«
»Meiner Psychologin nach *bin ich* ein Höhlenmensch. Unter sämtlichen Umständen.«
»Auch jetzt?«
Sofort als er die Frage stellt, wird ihm bewusst, wie komisch, ja doof, sie klingt. Er rechnet damit, dass Sylva anfängt zu lachen. Sie bleibt aber ernst. Unter Wasser greift sie nach seiner Hand und legt sie auf ihre Taille. Für ein paar Sekunden ist er wie gelähmt. Von seinen Fingerspitzen aus laufen Ameisen aufgeregt in den ganzen Körper. Er tastet die Vertiefung über ihrer Hüfte ab. Die Stelle fühlt sich weich, beinahe unfertig an, als wäre die Natur da noch nicht mit Bauen fertig. Trotz des Wassers zwischen ihnen lässt die Glätte ihrer Haut Robin erzittern. Er presst seine Hinterkiefer zusammen, um das Zähneklappern zu stoppen, und schmiegt seine Handfläche enger an ihre Hüfte. Die Metallplatte, die er eben im Bauch hatte, ist weg. Sie ist zerflossen, und nur die schmelzende Wärme ist zurückgeblieben. Er nimmt das Herzklopfen und die heiße Strömung seines Blutes wahr. Sein Mund berührt Sylvas Schulter. Es überrascht ihn, dass sie nicht salzig ist. Er kostet ihren Nacken und taucht seine Nase in ihr feuchtes Haar. Ihr Duft verdreht ihm den Kopf. Sie duftet … wonach duftet sie überhaupt? Was es auch sein mag, es ist einzigartig. Es hat keine Ähnlichkeit mit irgendetwas.
In der Ferne klingelt ein Handy. Es hört sich unwirklich an, wie ein Signal vom Mars. Sie schauen einander an, die Gesichter

unscharf durch ihre Nähe. Ihre Mutter, fällt Robin ein. Oder mein Vater. Oder meine Mutter. Oder ihr Vater. Egal wer es ist, er gehört nicht in diesen Moment. Er muss warten.

◆◆◆

»Noch ein Brezele?«
»Ich kann nicht mehr.«
»Ach komm schon, eins kannst du noch auffuttern! Schmeckt's?«
»Toll.«
»Dank dem Brezele bin ich in Berlin geblieben. Bevor ich auf diese Bäckerei gestoßen bin, habe ich mich hier irgendwie falsch am Platz gefühlt. Es juckte mich in allen Eingeweiden, mein Bündele zu schnüren und abzuhauen. Dabei, so arbeiten wie hier könnt ich nirgends. Wir haben eine schöne Wohnung gefunden, die Familie hat sich hier ganz gut eingelebt, aber mir hat dauernd was gefehlt.«
»Das Brezele.«
»Ich stamme aus Reichenau. Das Brot von dort ist unvergleichlich. Ich wünschte, du könntest es mal probieren! Jedes Mal, wenn ich bei meinen Eltern zu Besuch bin, kaufe ich einen Laib Brot, setze mich auf eine Bank vor dem PLK, dort ist ein Garten mit einer Voliere, ich reiße kleine Stückle vom Brot ab, und nur so, ohne was drauf, lasse ich es mir schmecken. Was ich nicht aufesse, werfe ich den Vögeln hin. Jetzt denkst du wohl, dass ich auch in die Klapse gehöre, gelle?«
»Jeder von uns ist irgendwie abgedreht.«
»Ich sag dir, Niklas: Das mit dem Brot auf der Bank an der Voliere ist eine tolle Sache. Mich macht es echt glücklich. Monate vorher freue ich mich auf diesen Moment und jedes Mal, wenn ich mich in meiner Haut nicht wohl fühle, erinnere ich mich dran. Es hilft mir, mit den Tücken des Lebens klarzukommen.«
»Find ich cool.«
»Jeder sollte etwas in der Art haben. Es vertreibt dumme Gedanken.«
»Aber ich wollte wirklich nicht runterspringen.«
»Ich behaupte nicht, dass du es gewollt hättest. Trotzdem ... finde etwas für dich.«
»Sie meinen etwas wie das Brot aus Reichenau?«

»Oder wie dieses Brezele. Nimm noch.«
»Ich kann nicht mehr.«
»Noch eine ... die letzte!«
»Danke. Kann ich sie mitnehmen? Ich bring sie meiner Freundin.«

Falls ich sie finde. Es gibt einige Plätze, da ist die Wahrscheinlichkeit größer als an anderen, aber ich habe schon alle abgesucht – vergeblich. Ich weiß nicht, wohin ich noch gehen könnte. Auf dem Bahnhof hab ich fast zwei Stunden verbracht. Dauernd hatte ich das Gefühl, dass ich sie irgendwo sehe, dass sie nur eine Ecke von mir entfernt ist. Hinter einer Säule, in der Schlange an der Kasse, unter der Treppe, auf dem Bahnsteig gegenüber. Aber nie habe ich es geschafft, rechtzeitig dort zu sein. Jedes Mal verschwand sie oder verwandelte sich in jemand anderen. Einmal erblickte ich sie sogar in einem abfahrbereiten Zug. Ich wäre fast hineingesprungen, aber dann merkte ich, dass er nach Plauen fuhr. Das kam nicht in Frage.
Plauen hätte für Evita keinen Sinn gemacht.
»Haben Sie sie nicht gesehen?« Ich probierte es sogar am Kiosk, wo sie neulich das Päckchen Tabak geklaut hatte. Der Händler musterte mich über den Brillenrand hinweg und erinnerte sich. An mich und auch an Evita.
»Diese Junkiebraut? Die würde ich hinausjagen, sollte sie sich noch mal hier blicken lassen. Und du bewegst deinen Arsch auch besser hier weg!«
Sie ist nicht mal an *unserer* U-Bahn-Haltestelle. Abgesehen von einem Obdachlosen, der so tut, als ob er Mundharmonika spielen könne, ist die Wartehalle leer gefegt. Ich lasse einige Züge kommen, aus jedem steigt eine Handvoll Leute aus, die Königin ist nicht unter ihnen. Auch ihr Lachen erklingt aus keinem Waggon. Wer weiß, wo sie jetzt lacht. Ich beginne langsam Verdacht zu schöpfen, dass sie nicht mehr in Berlin ist. Sie hat mich hier zurückgelassen und ist abgezischt.

»Sitzt du hier schon lange?«, frage ich den Obdachlosen.
»Seit Jahren«, antwortet er. Bullshit! Ich hatte ihn noch nie hier gesehen. Er muss woanders seinen Stammplatz haben. Oder er verwechselt die Haltestellen genauso wie die Töne. Aber um so größer ist die Chance, dass er bei seinen Ortswechseln Evita irgendwo gesehen hat.
»Das schönste Mädchen in Friedrichshain, vielleicht in ganz Berlin.« Ich bemühe mich um eine präzise Beschreibung. »Sie hat eine schwarze Träne im Augenwinkel. Hast du sie gesehen?«
»Klaro hab ich die gesehn.«
Mir stockt der Atem.
»Wo?«
Er blinzelt und kramt in seinem Gedächtnis, während er die Mundharmonika von einem Mundwinkel zum anderen wandern lässt. Es sieht aus, als würde er seine Zähne schleifen. Genauso klingt es auch. »Auf 'ner Bank in Neukölln, schätze ich.«
»Wann denn?«
»Gestern. Quatsch, vorgestern. Sie hat neben 'nem Macker gesessen. Ihr war übel. Haste mal 'ne Ziggi für mich?«
»Ich rauche nicht. Was für ein Macker?«
»So'n schräger Typ. Finger voll mit Ringen. Er hat ihr die Birne vollgelabert. Was haben wir denn in der Tüte?«
»Eine Brezel.«
Er streckt seine Hand aus. Ich gebe ihm die Brezel und frage nicht weiter. Er verarscht mich, logisch. Niemanden hat er gesehen, nirgendwo, er schnorrt nur. Ich gehe zu den Gleisen zurück und warte, bis der nächste Zug kommt. Evita ist nicht darin. Ich schaue mir die aussteigenden Fahrgäste an, und dabei nehme ich eine Überwachungskamera an der Decke wahr. Ich stelle mir vor, wie ich wohl durch den objektiven Kamerablick betrachtet aussehe: Ein begossener Pudel im schmutzigen T-Shirt und feuchten Jeans irrt auf dem Bahnsteig herum und steckt seine Schnauze in jeden Waggon hinein. Ein abgeschabter Armleuchter mit dem Blick eines Kiffers, der schon fünf Tage abstinent ist. Die Leute glotzen ihn

zwar nicht auffällig an, aber sie kommen auch nicht zu nah an ihn heran. Vielleicht stinkt er ein bisschen. Er wendet sich schließlich von den Gleisen ab und lenkt seine Schritte zum Ausgang, mit hängenden Schultern. Er besteigt die Rolltreppe, wo ihn eine weitere Kamera übernimmt, und fährt hinauf – glatt, ohne Störung. Oben, unter der Bewachung einer dritten Kamera, schaut er sich noch einmal mit einer plötzlichen Bewegung um, als ob er jemanden ertappen wollte. Wenn er sich davon überzeugt hat, dass der Raum hinter ihm tatsächlich leer ist, wird er nach rechts aus dem Bild verschwinden.

Ich komme aus der U-Bahn-Station heraus und der Wind peitscht mir ins Gesicht. Er hat die Straße vollkommen in Besitz genommen. Zwar hat er es nicht drauf, die Wolken auseinanderzutreiben, aber er fegt über den Bürgersteig, prallt gegen Passanten, rempelt sich den Weg frei.

»Ich werde mir eine Jacke auftreiben«, hatte Evita beschlossen, als wir an einem Sportladen vorbeigingen. Es ist noch nicht lange her. »Sie muss eine Menge Taschen und eine Kapuze haben. Wenn der Sommer vorbei ist, packe ich mich in der Jacke ein, und erst im Frühjahr krieche ich wieder heraus. Bis dahin sieht mich keiner.«

»Und ich?«, fragte ich.

»Du kannst auch mit rein«, erklärte sie. »Es wird eine Jacke für zwei sein.«

Ein Blick ins Schaufenster eines Wettbüros sagt mir, dass heute der letzte Samstag im August ist. Mit dem Sommer geht es bergab. Die Bäume in der Warschauer Straße sind schon längst gelb und der Rasen an den Straßenbahngleisen ist ausgedörrt. Höchste Zeit, sich nach einer Jacke umzuschauen. Aber wie denn? Eine Jacke für zwei kann man nicht alleine anprobieren. Es ist undurchführbar, genauso wie andere Sachen. Mir erscheint es absolut ausgeschlossen zu sein, dass ich funktionieren soll wie früher. Ich kann mich nicht nur so auf den Straßen herumtreiben, Leute treffen, mit ihnen plaudern, mir Aufnahmen und Filmsequenzen ausdenken, ich kann nicht mehr im Schullabor Fotos entwickeln und mit dem Deutschlehrer über Fassbinder diskutieren, ich kann nicht in die Ära von vor Evita zurück. Ich bin weit weg von dem damaligen Niklas. Evita hat mir Perspektiven gezeigt, die ich vorher nicht kannte. Jeder Ort, an dem wir zusammen waren, ist inzwischen ihr Ort, und ich habe Angst, ihn ohne sie zu betreten. Ich fürchte, dass das, was wir gemeinsam als etwas Außergewöhnliches erlebt haben, ohne sie verfällt, ganz banal wird. Zum Beispiel dieser Obstladen. Einmal hatte Evita hier wegen einer Melone so einen Aufstand gemacht, dass Menschen aus allen Richtungen zusammenliefen. Es ging um eine richtig reife Wassermelone, die einem kleinen Mädchen aus den Händen gefallen und auf dem Bürgersteig zerplatzt war. Das Mädchen war in Tränen aufgelöst.

»Ist doch klar, dass sie eine neue als Ersatz kriegen muss!«, schrie Evita die Verkäuferin an. »Eine Melone, die direkt vor dem Laden auf die Erde fällt, ist einen Dreck wert, und Dreck darf man reklamieren!«

Sei es wegen ihrer Zudringlichkeit oder ihrer verrückten Logik, gegen die man sich nicht wehren konnte, sie erreichte ihr Ziel. Das kleine Mädchen ging glücklich mit Melone Nummer zwei davon, die Gruppe der Gaffer löste sich auf, und an den süßen Überresten auf dem Bürgersteig versammelten sich die ersten Interessenten, Tauben, Hunde, Wespen. Am nächsten Tag war von ihr keine Spur mehr zu sehen. Das Problem war, dass für mich die Melone immer noch da liegt. Jedes Mal, wenn ich am Laden vorbeigehe, sehe ich sie ganz deutlich. Wie lange noch? Wie lange wird das Bild noch präsent sein? Ich weiß, dass die Melone eines Tages nicht mehr auf dem Bürgersteig sein wird. Dann wird diese Stadt hundert anderen Städten gleichen. Jede Stunde, jede Minute hier ist zum Verrücktwerden. Jeden Morgen öffne ich die Augen mit dem Wissen, dass alles, was mir an dem Tag begegnen kann, im besten Fall ein Bild von schlechterer Qualität sein wird, ein B-Picture.

»Finde etwas für dich«, hat Herbert mir heute früh beim Kaffee

geraten. Jetzt, auf der Straße, wo Evita und ich so oft lang gelaufen sind und Händchen gehalten haben, über die ich sie getragen habe, wenn sie weggetreten war, auf der wir uns geküsst haben oder einfach nur so gebummelt sind und uns umgeschaut haben, kommt mir Herberts Rat, ohne Zweifel gut gemeint, wie ein blöder Witz vor. Kurz nachdem die Königin Nofretete verschwunden ist, brach Echnatons Reich auseinander. Wissenschaftler rätseln wie und warum, einige sprechen sogar von einem Mysterium, aber meiner Meinung nach ist dieser Untergang ganz natürlich. Es wäre seltsam gewesen, wenn es nicht dazu gekommen wäre. Wozu dienen Tempel ohne Götter? Welchen Sinn macht es, in einer Stadt zu leben, wenn der Strom abgeschaltet wurde? Plötzlich merkst du, dass nichts läuft. Eine Weile kannst du vielleicht improvisieren, wenige Kleinigkeiten ersetzen, auf etwas verzichten, aber was ist mit dem wesentlichen Rest? Woher die Energie holen, die verschwunden ist?
Im Presto steht ein neuer Junge hinter der Theke. Herr Butzke erklärt ihm gerade, wie man mit der Kasse umgeht. Er sieht mich durch das Schaufenster, und ich weiß, dass ich weggucken sollte, um nicht alles noch peinlicher zu machen, aber ich kann nicht. Ich starre wie verhext hinein, weil ich gerade dort, in diesem CD-Paradies, Evita zum letzten Mal berührt habe. Bevor sie aus meinem Leben heraustrat. Mich verließ. Ich gehe, den Kopf zur Seite gedreht, damit ich noch ein paar Sekunden die Stelle sehen kann, wo sie stand und ein Eis leckte. Meine Augen brennen. Falls ich ihr die vierhundertfünfzig Euro übelnehme, dann nur deswegen, weil sie sich dafür die Ferne erkauft hat, genauer gesagt, die Entfernung zwischen mir und ihr. Keine Ahnung, wohin sie wollte, ob nach Süden, Osten, in die ägyptische Wüste oder ans Meer ... Gegen keine der Richtungen hatte ich was, aber dass sie ohne mich weggefahren ist, kann ich ihr nicht verzeihen. Später schaffe ich es vielleicht mal, aber nicht jetzt. Weil ich es nicht verstehe! Wenn dich jemand verlässt, stellst du dir automatisch die Frage, wer er eigentlich war. Und wer du ohne ihn bist.

Die Blumenverkäuferin holt den Topf mit einem Orangenbäumchen in den Laden hinein, damit der Wind draußen vor dem Laden es nicht zerbricht.
»Heute spielen Sie nicht Verstecken?«, fragt sie schelmisch. Eine Frage ohne Gewicht, auf die eine genauso einfache Antwort erwartet wird. Wir sind Nachbarn, nehmen uns gegenseitig wahr – ihre Worte bedeuten nicht mehr, nicht weniger.
»Nein, heute nicht«, antworte ich und versuche ein Lächeln hinzuzufügen. Wahrscheinlich ist es geglückt, denn es löst sofort eine angemessene Reaktion in ihrem Gesicht aus. Ich trete in die Einfahrt zum Hof. Unter meinen Füßen knistert eine leere Popcorntüte. Für einen Sekundenbruchteil weckt es in mir die verrückte Hoffnung, dass der heutige Traum, der sich im Schlaf gezeigt hatte, nicht nur ein Wunsch war, sondern einen Hauch von Wirklichkeit enthielt. Ich richte meinen Blick in den Hof. Unter der Teppichstange sitzt keiner. Da lehnt nur ein Roller an der Wand, und der Junge, dem er gehört, bastelt etwas hinter den Mülltonnen. Als er mich erblickt, zuckt er zusammen. Er hat etwas Verbotenes gemacht und kriegt ein schlechtes Gewissen. Einmal drehe ich einen Film über alles, was für kleine Jungs verboten ist. Über alles, was sie tun. Das wird ein langer Film sein.
»Hallo!«, platzt es aus ihm heraus. Dann springt er auf den Roller und fährt eine Runde durch den Hof. Er bemüht sich dabei, zahlreiche Pfützen zu umfahren, nicht immer mit Erfolg. Ich bleibe stehen. Nur noch ein Schritt und ich würde unsere Fenster sehen – zwei Schritte und unsere Fenster würden *mich* sehen. Ich bin dafür noch nicht ganz vorbereitet. Ich brauche Zeit. Ich muss überlegen, was ich Mutter sage. Womit fange ich an? Hab ich überhaupt Mumm, ihr in die Augen zu schauen?
»Es ist mein Urlaub«, hatte sie beim letzten Frühstück vor ihrer Abfahrt gesagt, »und deine Chance, Niklas.«
»Chance wozu?«
»Dich zusammenzunehmen.«
»Ich fühl mich nicht auseinandergenommen.«

»Es ist nicht viel von dir übrig geblieben. Ich bitte dich sehr, versuch dich wieder aufzurappeln. Falls du überhaupt noch weißt, was das bedeutet.«
Ich weiß nicht, ob ich das weiß. Bedeutet das etwa, in Niklas' alte Haut vom letzten Jahr zu schlüpfen? Oder soll ich mich aus Fetzen, die ich erst finden muss, zusammensetzen? Und wo soll ich sie suchen? Im Hafen, als ich mit Herbert vom Kran herunterkletterte, wusste ich es für einen Augenblick. Abgesehen von dem alten Schüttelfrost spürte ich für einen winzig kurzen Moment auch etwas komplett Neues. Fast Kraft, würde ich sagen. Sie kam nicht aus der Gallertmasse meiner Muskeln und Gelenke, sondern entsprang dem Gedanken, dass *ich derjenige war*, der in dem gefährlichen Raum zwischen Himmel und Erde manövrierte, der sich Sprosse für Sprosse festem Boden näherte und sich trotz seiner äußeren Jämmerlichkeit im richtigen Augenblick bezwang. Auf der Leiter nach unten war ich kein Außenseiter mehr. Zum ersten Mal nach langer Zeit wünschte ich mir sogar, dass mein Vater mich in diesem Moment sehen könnte.
Und ich spürte, dass er mich sah.
Von meinem Posten in der Einfahrt kann ich ein Stück vom Keller sehen. Genauer gesagt die Kohlenluke. Sie ist zu. Auf dem Boden ringsherum eine Masse Schlamm. Der große Regen hat die Erde des kleinen Rasenstücks am Baumstumpf in den Gully gespült und verstopft ihn. In der dreizehnten Kammer ist es bestimmt schwarz und dunkel. Die Dunkelheit eines Kinosaals vor der Vorstellung. Plötzlich verspüre ich große Lust, wieder klein zu sein und mich dort wenigstens für kurze Zeit zusammenzukauern, den Geruch von Rost und Kohlenstaub zu riechen und mir alles vorzustellen: all die wunderbaren Aufnahmen meines zukünftigen Lebens, jeden plot point. Keiner da, nur ich allein … oder noch viel besser, mit Evita. Sie würde danebensitzen und den Film mit mir angucken. Selbstverständlich würde sie darin eine der Hauptrollen spielen. Versponnen? *Ich habe Angst, dass ich eine deiner Spinnereien bin*, hatte sie einmal gesagt. *Wenn du merkst,*

dass an mir nichts zu entziffern ist, lässt du mich fallen. Da lag sie total falsch, ich würde sie nie freiwillig loslassen, ich würde sie, wenn nötig, auch mit Gewalt festhalten. Bis jetzt hat es nicht so richtig geklappt, aber nur weil ich mich nicht genug konzentriert habe. Die Konzentration ist es, darin liegt das Geheimnis des Erfolgs. Wenn ich es fertigbringe, den Hofzipfel zwischen der Einfahrt und unserer Haustür zu überqueren, ohne den Blick nach oben zu richten, würde es gelingen – eine ganz gewöhnliche Magie, ein einfacher Zauber, nichts mehr. Mutter würde mich nicht erblicken und Evita würde auf mich warten. Es wird unter der Voraussetzung funktionieren, dass ich nicht zu unseren Fenstern schaue. Diese einzige Bedingung muss ich erfüllen. Ich atme ein.
»Also doch Versteck spielen!«
Ich zucke zusammen. Die Blumenfrau lässt das Schaufensterrollo herunter. Sie hat ihr Haar nach oben gekämmt und ihre Lippen leuchtend lila geschminkt, wahrscheinlich steht ein Date auf dem Programm.
»Nein, es geht um ein anderes Spiel«, sage ich, froh und verärgert zugleich wegen der Unterbrechung.
»Was für eins?«
»Ich muss etwas tun, eigentlich nicht tun und dafür kriege ich eine Belohnung.«
»Etwas nicht tun? Das ist doch leicht«, sagt sie und schließt das Schloss am Rollo ab.
»Je nachdem.«
»Stimmt, je nachdem.« Sie gibt mir recht. »Also, viel Spaß!«
Ich warte, bis sie weg ist, und hole wieder tief Luft. Dann gehe ich los, nervös wie ein Seiltänzer, kurz bevor er seinen Fuß auf das Seil setzt. Der erste Schritt ist noch unsicher, aber die nächsten gelingen schon ganz gut. Ich erreiche das Ende der Einfahrt, betrete den Hof, biege bei den Mülltonnen ab, gehe am Baumstumpf vorbei. Ich schaue weder nach rechts noch nach links, aber vor allem hebe ich nicht den Blick nach oben. Wenn ich will, dass der Zauber gelingt, darf ich unsere Fenster auf keinen Fall angu-

cken. Warum auch? Mutter ist bestimmt nicht da. Sie wird doch nicht den ganzen Tag auf mich warten! Möglicherweise hat sie sich mit jemandem verabredet. Sie hat ihr eigenes Leben, das nur zum Teil mit meinen Problemen gefüllt ist. Diesen schlimmeren Teil würde sie am liebsten vergessen. Sie musste keine Angst haben, noch ein halbes Jahr und ich war volljährig. Noch ein halbes Jahr und sie war mich los.

»Endlich«, höre ich plötzlich über meinem Kopf. Ich erstarre und gucke hoch. Ich muss es tun. Sie steht am Küchenfenster. Mit dem gleichen Ausdruck, den sie von der Nachtschicht mit nach Hause bringt. An der Leine unter dem Fenstersims trocknet ihr Gabardinemantel. Wahrscheinlich hat sie der Regen erwischt, als sie gestern vom Bahnhof kam.

»Hallo Mama«, sage ich fast lautlos, auf der vergeblichen Suche nach dem passenden Ton. Höchstwahrscheinlich gibt es keinen passenden Ton für diesen Augenblick, für diese Situation. Ich stecke mein T-Shirt in die Hose und fahre mir mit der Hand durchs Haar. »Wie war dein Urlaub?«

»Ich hatte so große Angst um dich«, antwortet sie. Dann bricht sie in Tränen aus. Laut und unvermittelt, ohne Hemmungen, mit dicken Tränen. Am Fenster.

»Weine nicht«, sage ich. Ich bin froh, dass sie heult.

»Wo warst du?«

»Nicht weit weg. Fast immer nur hier.«

»Komm …«, schluchzt sie, » komm doch hoch.«

»Ich komme schon«, sage ich. »Gleich bin ich bei dir.«

◆◆◆

Der Kojote läuft mit höchster Behutsamkeit am Berghang entlang. Er sucht sich zugewachsenes Terrain aus, das ungeschützte meidet er. Unter den Pfoten spürt er die Geschmeidigkeit des Mooses und der Nadeln, er wächst mit jedem Schritt in den weichen Waldboden hinein. Die Geruchssignale in seiner Nase kommen ihm neu und doch irgendwie bekannt vor. Nicht mal die Geräusche erschrecken ihn. Seine angeborenen Instinkte unterscheiden jeden einzelnen Klang, werten ihn aus. Der erste Regen hat nachgelassen, der zweite geht aus den Bäumen hernieder und benetzt seinen Pelz. Er bleibt stehen, schluckt einige Nebelfetzen und erkennt diesen alten Geschmack wieder. Er weiß nicht, wie viele Male er schon über die Erde gelaufen ist, wie oft er von ihr geträumt hat, wie oft er auf ihr gestorben ist. Wie viele Male er sie vergessen hat. Er hat das Gefühl, sie einmal vor langer Zeit erschaffen zu haben. Eine Zeit lang hat er sie im Bauch getragen. Dann hat er sie jemandem geborgt. Er kann sich nicht erinnern, wem. Der Anfang ist viel zu entfernt, er verliert sich in einem Labyrinth aus Spuren. Aber darauf kommt es nicht an – es ist immer noch seine Landschaft. Man kann immer noch über sie singen. Man kann immer noch an einem Berghang entlanggehen.